Après le colonialisme

Arjun Appadurai

Après le colonialisme

Les conséquences culturelles
de la globalisation

Traduit de l'anglais (États-Unis) par Françoise Bouillot
Introduction traduite par Hélène Frappat

Préface de Marc Abélès

Petite Bibliothèque Payot

Retrouvez l'ensemble des parutions
des Éditions Payot & Rivages sur

www.payot-rivages.fr

Titre original :
Modernity at Large
Cultural Dimensions of Globalization
(University of Minnesota Press)

PRÉFACE

La mondialisation suscite aujourd'hui nombre de controverses. Le terme seul condense les inquiétudes : il évoque
tout à la fois le rétrécissement de la planète, lié aux innovations technologiques, et l'impact massif du capitalisme triomphant qui impose au monde sa domination sans partage. Ce
qui se produit avec la mondialisation, c'est aussi un gigantesque changement d'échelle, d'où la propension des auteurs
nord-américains à définir comme *globalisation* le processus
qui est à l'œuvre et qui met en cause les dimensions locales
et nationales qui caractérisaient jusqu'ici le fonctionnement
des sociétés. Il ne suffit pas en effet de mettre en relief
l'interdépendance généralisée entre les différentes économies
du globe. La mondialisation a aussi un impact direct sur les
structures politiques et la vie culturelle des groupes humains.
Qu'on s'en prenne à la malbouffe ou à la culture Disney, on
vise bien évidemment les effets induits de la mondialisation.
Tout se passe comme si ce changement d'échelle était porteur
d'une transformation en profondeur de nos modes de vivre
et de penser, et de l'organisation traditionnelle de nos
sociétés. La première réaction de beaucoup d'intellectuels
consiste à s'insurger face à ce type de situation, à lui opposer
une réponse idéologique et protectionniste. Ils dénoncent ce
qu'ils ressentent comme une insupportable atteinte à la souveraineté des États et à l'intégrité des cultures traditionnelles.
Faute d'essayer de comprendre les donnes du changement,
beaucoup de penseurs préfèrent aujourd'hui rentrer dans leur
coquille, tels des escargots en attente de jours meilleurs.

C'est une perspective bien différente qui oriente les travaux d'Arjun Appadurai. Dans ses différentes publications,
il aborde de manière frontale la question de la mondialisation.

Ce qui fait l'originalité de son œuvre, c'est qu'il vise délibérément à restituer la complexité du phénomène, en évitant les approches le plus souvent réductionnistes dont il fait l'objet. Ce réductionnisme a deux visages distincts. Pour les uns, la globalisation ressortit à un déterminisme qui en fait la résultante de processus économiques aussi puissants qu'implacables. Elle marque le triomphe de l'économie de marché, sa capacité à transcender toutes les frontières, l'individu se trouvant en quelque sorte libéré des chaînes de l'histoire dont la mondialisation sonne la fin. Pour les autres, la situation actuelle est la conséquence d'un rapport de forces qui aboutit inéluctablement à l'étranglement des faibles par les forts. S'unir pour lutter pied à pied contre cette hégémonie tentaculaire d'un capitalisme de plus en plus cynique est alors la seule alternative possible. De telles analyses, si elles ont l'avantage d'offrir une cohérence – pour grossière soit-elle –, manquent cependant à l'exigence de tout scientifique un tant soit peu rigoureux. Elles n'ont que faire du contexte historique et des développements sociologiques et culturels du processus en cours. Ce n'est pas un hasard d'ailleurs si ces dernières années est revenu en force le thème de « la fin de l'histoire ». Qu'on approche la globalisation comme le moment où l'humanité va enfin se réconcilier avec elle-même, ou au contraire d'un point de vue catastrophiste, qu'on s'enferme dans une vision ultralibérale ou qu'on s'acharne à diaboliser les pouvoirs désormais sans partage de l'hydre capitaliste, le résultat de ces démarches est identique : on perd de vue ce qui fait historiquement la spécificité de notre époque. À force de plaquer un discours normatif, on ignore à quel monde « mondialisé » nous avons réellement affaire.

Essayons alors de prendre quelque recul, et de traiter cette conjoncture avec toute l'attention qu'elle requiert, sans se laisser prendre au piège des mots. Trop sollicitées, les expressions « mondialisation » ou « globalisation » risquent de se vider de leur sens. Comment penser la modernité, sans d'emblée s'enfermer dans des énoncés schématiques ? Appadurai met au centre de ses analyses la notion de flux. Pour lui, ce qui définit le monde contemporain, c'est la *circulation*, bien plus que les structures et les organisations stables. En témoignent les déplacements de population, mais aussi l'extraordinaire développement de la communication de masse, avec les images qui transitent d'un bout à l'autre de la planète. Jusqu'alors l'individu se vivait et se concevait à l'intérieur de certaines limites. D'un simple point de vue géopolitique, l'État-nation constituait un référent stable : en son sein, la dimension du local prenait une extraordinaire importance, conférant aux membres de la société leur point d'ancrage privilégié. Dans ce contexte, les constructions identitaires se produisaient dans un jeu permanent d'opposition entre soi et l'Autre, entre l'intérieur et l'extérieur. Or les migrations, d'une part, les flux médiatiques, de l'autre, ont bouleversé l'ordre régnant jusqu'alors. Ce qui intéresse Appadurai, c'est la manière dont cette situation ne modifie pas seulement la vie matérielle des populations, mais tend à donner un rôle inédit à l'imagination. Non que les sociétés antérieures n'aient abondamment, dans leurs productions mythologiques, littéraires ou artistiques, fait appel à cette faculté. Mais désormais l'imagination n'est plus cantonnée à certains domaines d'expression spécifiques. Elle investit les pratiques quotidiennes, notamment dans les situations migratoires où les sujets sont obligés de s'inventer dans l'exil un monde à eux, en usant de toutes les images que les médias mettent à leur disposition.

En introduisant la notion d'imaginaire, Appadurai se réfère à Benedict Anderson qui a souligné l'importance de la « communauté imaginée » comme élément essentiel dans la construction des États-nations, ainsi qu'à Cornélius Castoriadis[1]. La thématique de l'Institution imaginaire de la société est présente, mais, comme il l'indique lui-même[2], la référence au rôle de l'imaginaire renvoie à une réflexion plus générale initiée par Gramsci sur la relation entre hégémonie et subalternité. Le théoricien marxiste italien, comme après lui des auteurs tels que l'Italien E. De Martino ou le Britannique E. Hobsbawm, s'est intéressé de près aux formes de domination culturelle imposée par la classe dirigeante à ceux qu'elle tient sous son joug. Mais à la différence de l'orthodoxie marxiste, qui assignait à « l'idéologie dominante » un pouvoir sans partage, Gramsci réintroduit la question de la « culture subalterne ». Il complexifie, en quelque sorte, la notion d'idéologie, lui restituant une consistance spécifique, au point que toute sa théorie de la lutte des classes s'arrime au concept d'hégémonie qui, à la différence de celui de dictature, fait intervenir dans le rapport de force l'élément intellectuel et le combat dans le champ des idées. Ce déplacement qu'opère Gramsci dans la théorie marxiste l'amène à s'interroger sur les composantes de la culture « subalterne », à propos des paysans du Mezzogiorno. C'est là qu'il rencontre cette donnée essentielle qu'Appadurai, dans son langage, qualifie de « travail de l'imagination ».

On pourrait s'étonner de cette référence gramscienne chez un auteur formé dans les universités anglo-saxonnes. Mais il ne faut pas oublier que la conception gramscienne de la culture a fortement influencé tout un courant d'historiens indiens[3] dont Appadurai est proche. En outre, alors qu'en France le marxisme a perdu du terrain à partir des années 1980, la pensée gramscienne inspire aux États-Unis l'école des *cultural studies* qui s'assigne explicitement pour objectif de rendre leur place aux cultures dominées, en focalisant la rélexion sur la question des cultures populaires[4]. Les *cultural studies* ont eu un impact considérable au point de jouir d'une reconnaissance institutionnelle avec la constitution dans les universités américaines de départements qui leur sont consacrés. En revanche, elles demeurent presque inconnues en France, alors même qu'elles ont fait la part belle à des philosophes tels que Michel Foucault et Jacques Derrida. On peut s'étonner rétrospectivement que ni Stuart Hall, ni Fredric Jameson n'aient fait l'objet d'aucune traduction. La seule œuvre à avoir traversé l'Atlantique est celle d'Edward Said, dont deux livres, *L'Orientalisme* et *Culture et impérialisme*, ont fini par être publiés en France ; Homi K. Bhabha devrait lui emboîter le pas[5]. Aux États-Unis en tout cas, ce courant est au cœur de la réflexion menée par les sciences sociales, non seulement sur la littérature, mais aussi sur nos approches de l'exotisme et de l'altérité. On conçoit qu'un anthropologue, lui-même originaire d'un pays non occidental, comme Appadurai se soit intéressé de près aux *cultural studies*. Peut-être discerne-t-on mieux, au travers de ce jeu d'influences, pourquoi la notion d'imagination est centrale dans son approche de la mondialisation.

En effet, si, comme le sous-titre de l'ouvrage l'indique, il s'agit de restituer les « conséquences culturelles de la globalisation », cela n'implique pas un simple positionnement de spécialiste qui viendrait compléter notre connaissance des aspects économiques du phénomène par une contribution axée sur la culture. Le projet d'Appadurai est plus ambitieux. Il consiste à montrer que la dimension culturelle est au centre du processus, de par le rôle aujourd'hui imparti à l'imagination. À la différence des théoriciens de la modernisation et des critiques de la culture de masse qui posaient comme inéluctable une sécularisation du monde, de plus en plus inféodé à la rationalité scientifique, Appadurai montre que l'explosion des médias a rendu possibles de nouveaux et imprévisibles déploiements de l'imaginaire collectif. Les mouvements religieux d'aujourd'hui témoignent, entre autres, de cette recherche de nouvelles transcendances. En outre, la diffusion d'images qui peuvent apparaître totalement incongrues pour ceux qui les reçoivent est aussi prétexte à des modes d'appropriation où se manifeste une inventivité remarquable. Stimulée par les flux d'images et loin de céder à l'abrutissement que prédisaient les Cassandre critiques de la modernité, l'imagination trouve de nouvelles perspectives. Grâce à l'image vidéo, des groupes de migrants peuvent donner sens à leur expérience, se construire comme communauté dans un environnement étranger. Appadurai s'intéresse à ces expériences collectives liées aux médias, à la façon dont des publics se constituent autour de leaders charismatiques, ou autour de grands événements sportifs qui les concernent directement même s'ils vivent à des milliers de kilomètres. Pour exemple, un match de cricket mémorable entre Indiens et Pakistanais lors de l'Austrasia Cup qui se déroula dans l'émirat de Sharjah en 1996 et mobilisa quinze millions de spectateurs, notamment des concitoyens des équipes concurrentes, dispersés de par le monde.

À travers les médias, transitent des images qui ont trait à des domaines très divers, de la fiction à l'économie, de la politique au sport, et qui sont autant de récits en instance d'appropriation possible par ces publics virtuels. La circulation des images, celle des textes aussi, devient l'enjeu de luttes qui peuvent prendre une forme dramatique, comme l'a montré l'affaire des *Versets sataniques*. Doit-on parler de l'émergence d'une nouvelle sphère publique, caractérisée par la labilité des « publics » qui se constituent parfois sur une durée brève, ou à l'inverse cristallisent au point de créer de véritables solidarités ? Appadurai évoque la multiplication de « sphères publiques d'exilés », caractérisées par des modes d'appropriation collectifs des récits et images médiatiques. Son intérêt pour ces diasporas s'inscrit dans le prolongement des recherches précitées sur les cultures subalternes. De même, ses observations sur l'utilisation subversive des médias par les groupes d'opposition en Amérique latine et dans d'autres parties du Tiers Monde mettent en relief le travail de l'imagination comme arme de résistance aux dominants. On pense à la manière dont le commandant Marcos a su grâce à Internet populariser l'action de son mouvement, au-delà des frontières du Mexique. Qu'il s'agisse de groupes sédentaires ou de migrants délocalisés, l'imaginaire s'inscrit d'emblée dans une dimension transnationale. Les « publics » d'Appadurai ne sont nullement circonscrits par un cadre frontalier. Ils produisent eux-mêmes leur propre localité, dans un contexte mouvant.

La prise en compte de l'instabilité, de la mouvance, qui caractérisent le monde contemporain, guide l'anthropologue. Appadurai est sans aucun doute un penseur héraclitéen, aussi bien par la vision des sociétés qui l'anime que par la manière dont il manie la théorie, en étant très attaché à éviter toute forme de substantivisme. C'est ainsi qu'il montre une grande méfiance à l'égard du concept de culture, pourtant si cher à l'anthropologie nord-américaine. Il récuse le substantivisme dont ce concept est porteur. Car à trop vouloir mettre en relief les différences entre les sociétés, en isolant des « traits culturels » qui sont souvent autant de stéréotypes plaqués de l'extérieur, les spécialistes occidentaux ont parfois occulté l'historicité propre aux groupes qu'ils étudiaient. Dans la troisième partie de l'ouvrage, Appadurai s'en prend à juste titre au « primordialisme », cette tendance à indexer les représentations identitaires sur ce qui constituerait un fondement primitif et intangible : les liens du sang, l'ancrage au territoire, la langue. Cette réification, quand bien même elle prend l'apparence d'une investigation objective et scientifique, aboutit à isoler des groupes, à les considérer chacun pour soi, comme un empire dans un empire. Au point que certains d'entre eux finissent par être enfermés dans une représentation qui en fait d'irréductibles rétifs à toute modernité, voués à ramper à la traîne de l'histoire. Le danger de cette vision culturaliste des sociétés et de leur rapport entre elles est de légitimer dans certains contextes la stigmatisation de populations considérées comme voués à la violence, au terrorisme ethnique, car « culturellement » incapables d'accéder à la modernité. Les journalistes et les experts ont trop souvent, consciemment ou non, versé dans ce langage primordialiste dans leurs analyses des conflits dits « ethniques », qu'ils soient lointains (le Rwanda) ou proches (l'ex-Yougoslavie). Ainsi voit-on régulièrement ressurgir la notion de « tribalisme » qui, loin de contribuer à clarifier les situations de crise, vient appliquer à celles-ci l'empreinte de l'idéologie et du préjugé.

S'il soumet à la critique les usages du concept de culture, Appadurai ne nie nullement l'importance des différences. Suggérant de privilégier l'adjectif culturel, il s'intéresse très directement à la manière dont ces différences sont mobilisées dans un processus qui aboutit à produire l'identité d'un groupe. Mais, par définition, cette identité n'est pas figée, elle fait flèche de tout bois, usant parfois d'éléments qui pourraient apparaître comme relevant d'autres cultures. C'est le cas par exemple du jeu de cricket, auquel Appadurai consacre une brillante analyse. Rien de plus britannique à l'origine que ce sport qui met en œuvre des représentations et des valeurs, tels le self-control, le fair-play, le sens du collectif, traditionnellement enseignées aux élites. Importé en Inde par les conquérants, le cricket s'est progressivement implanté, encouragé par les classes supérieures, pour devenir par la suite l'un des sports les plus populaires. Le cricket s'est en quelque sorte « indigénisé », ce qui s'est traduit par l'invention d'un langage de ce sport mêlant les langues locales et la translittération de l'anglais dans les ouvrages spécialisés. Mais, surtout, il est devenu l'un des symboles par excellence de l'identité indienne. Le cricket est bel et bien une passion nationale, il participe pleinement à la construction de cette « communauté imaginée » qu'est la nation indienne. Paradoxe suprême, c'est donc un élément d'importation récente qui est mobilisé à l'appui de la production d'une identité nationale. L'analyse du cricket joue dans l'ouvrage d'Appadurai le rôle d'une expérience cruciale. Elle permet de remettre en cause le culturalisme naïf, pour introduire une conception autrement sophistiquée de la dimension culturelle.

Une fois encore, au détour du texte, nous rejoignons la problématique de la subalternité et la perspective gramscienne. En effet, Appadurai ne se contente pas de fonder sa démarche sur une critique de la conception substantialiste et de la réification des différences qui a longtemps obéré l'anthropologie culturelle. Il ouvre, me semble-t-il, une perspective plus large en mettant en évidence le bricolage auquel se livre l'imaginaire collectif, lorsqu'il s'approprie des éléments d'origine extérieure pour les orienter selon ses propres finalités, dans un processus de construction identitaire. Le phénomène qui est décrit renvoie à une situation typique de subalternité. La culture dominée s'empare d'un contenu qui lui est imposé pour lui imprimer un sens nouveau et mobilisateur. Si l'on se projette plus avant dans le temps, pour penser les processus contemporains, on est amené à envisager ce qu'on désigne sous le terme de « mondialisation » comme un processus bien plus complexe qu'il n'y paraît au premier abord. On a sans doute trop vite fait d'y voir avant tout l'imposition d'un modèle homogène (américain, occidental) à l'ensemble hétérogène des dispositifs culturels. Il est légitime de penser que les flux qui caractérisent l'ère de la globalisation, de même que le changement d'échelle, ont comme effet de démultiplier les possibilités de réappropriation des signes associés à la modernité occidentale dans des stratégies identitaires où ils vont fonctionner en liaison avec un répertoire mettant en œuvre une tout autre historicité. Cette stratification fait toute la richesse des formes culturelles contemporaines. Elle constitue l'objet par excellence de l'anthropologie.

On comprend mieux la place prépondérante qu'assigne Appadurai à l'imagination. Notons qu'il substitue cette notion à celle de représentation collective chère à Durkheim et à ses disciples, et familière au public francophone. Il ne s'agit pas là d'un choix arbitraire. Avec l'imagination, c'est l'idée d'invention qui prévaut, dans un contexte où les médias occupent le devant de la scène, qui non seulement diffusent, mais modèlent et infléchissent les processus culturels.

À la différence des théoriciens de la communication qui mettent l'accent sur les pouvoirs aliénants de la communication de masse, Appadurai voit dans l'imagination une force positive et émancipatrice. Avec son épouse, l'historienne Carol Breckenridge, il a créé une revue, bien connue aux États-Unis, et dont le titre – *Public Culture* – résume à lui seul l'entreprise intellectuelle qu'il développe depuis une vingtaine d'années. Une pensée de la dimension culturelle doit être, selon lui, intimement associée à une réflexion sur les publics[6]. Cette dernière notion réintroduit les idées de pluralisme et de diversité, face à des problématiques « médiologiques » trop manichéennes. Si le développement culturel est désormais inséparable des technologies communicationnelles, cette situation n'a nullement pour conséquence une adhésion passive des individus. La globalisation a au contraire pour corrélat une démultiplication des publics qui sont en mesure de produire de nouvelles formes culturelles. S'intéressant aux diasporas, aux groupes qui subissent de plein fouet la déterritorialisation, dans un monde de flux, marqué par des migrations de toutes sortes, Appadurai met en lumière le fait que celles-ci ne sont jamais synonymes d'une perte d'identité, d'une absorption pure et simple dans l'anonymat d'une culture globale de plus en plus homogénéisée. Ce n'est sans doute pas un hasard si Arjun Appadurai est si sensible à cette question. Lui-même a connu de l'intérieur l'expérience de la déterritorialisation. N'oublions pas qu'il est né en Inde, où il a passé ses jeunes années. Il appartenait à une famille de l'élite intellectuelle de Bombay. Par la suite, comme beaucoup de jeunes de son milieu, il a étudié en Angleterre, puis aux États-Unis où il s'est fixé, tout en conservant ses liens avec son pays d'origine et il est devenu un spécialiste reconnu des études indiennes[7]. Appadurai a donc été marqué par ce contact entre deux cultures très différentes. Comme beaucoup d'adolescents des milieux cultivés de Bombay, il était attiré par le Nouveau Monde. Plus tard, il a connu l'expérience de nombre d'intellectuels cosmopolites, ce qui l'a amené à placer au centre de ses recherches les phénomènes de circulation (des hommes, des marchandises, de l'information) qui caractérisent le monde où nous vivons.

À la différence de la majorité des anthropologues qui se déplacent au loin à la recherche d'une altérité radicale, puis rentrent ensuite chez eux pour y faire une carrière académique, Appadurai a toujours vécu dans l'entre-deux, et cette expérience diasporique constitue pour lui un objet pertinent de recherche. S'il est devenu l'anthropologue de la globalisation, c'est qu'il est à bien des égards le produit de notre époque postcoloniale. Certes, il a existé avant lui des chercheurs dont le destin comporte une part de nomadisme ; c'est le cas d'un Malinowski, Polonais d'origine et qui devint, après avoir mené des recherches pionnières aux îles Trobriand, l'un des maîtres de l'anthropologie britannique. Mais Malinowski n'a eu de cesse d'être parfaitement assimilé à sa terre d'adoption. Surtout, il marquait clairement l'altérité de l'ethnographe par rapport à son objet, la nécessité de bien départager le monde entre les peuples alors dits « primitifs » et la civilisation. À chacun son identité, en quelque sorte, et même si l'anthropologue faisait des efforts incommensurables pour se mettre dans la peau des sauvages, sa tâche ne s'arrêtait pas là : rentré chez lui, il revêtait les lunettes de la science pour passer au crible les faits recueillis, en s'abstrayant du mieux possible de son expérience subjective. Or, dans le cas d'Appadurai, cette expérience apparaît au contraire comme un élément essentiel dans l'élaboration théorique à laquelle il se livre. C'est ainsi qu'il développe un concept tout à fait original, qui à sa manière condense le rapport entre subjectif et objectif, et qui nous renvoie une fois de plus à l'omnipotence de l'imagination. Le concept d'*ethnoscape* qu'il introduit est assez difficile à traduire. *Scape* renvoie à l'idée de paysage. Les *ethnoscapes* sont en quelque sorte les paysages que se constituent des groupes mouvants eu égard à leurs propres origines et aux avatars qu'ils subissent. La notion de paysage est elle-même ambiguë : elle connote tout à la fois l'extérieur, le monde tel qu'il nous apparaît, mais tout autant l'intériorité, la représentation que nous portons en nous.

Dans la mondialisation vue par Appadurai, l'*ethnoscape* représente une dimension des flux culturels dans lesquels nous sommes pris. Selon le point de vue auquel on se place, on peut distinguer, outre les *ethnoscapes*, les *médiascapes*, les *technoscapes*, les *financescapes*, les *idéoscapes*. Ces flux et les paysages qu'ils dessinent ne sont ni convergents, ni isomorphes. C'est la dissociation des différents vecteurs qui caractérise le monde contemporain. On pourra discuter la manière dont Appadurai introduit cette théorie des flux-paysages, comme une réponse aux modèles qui ont cours pour penser la globalisation. En quoi la typologie en termes de « scapes » est-elle plus heuristique que les distinctions classiques entre économique, politique, culturel ? Qu'en est-il de cette disjonction entre les flux à laquelle il fait référence ? En tout état de cause, ce qui intéresse surtout Appadurai, c'est de rompre avec les conceptions objectivistes de la mondialisation, notamment axées sur l'opposition entre centre et périphérie et avec les théories néomarxistes du développement. Là encore il prend le contrepied d'une vision centrée sur les structures pour se placer du point de vue de la circulation, dans un monde qu'il n'hésite pas à qualifier de « rhyzomatique » en référence aux écrits de Deleuze et Guattari. Mais son attention semble focalisée avant tout par les flux humains, par l'expérience migratoire de ces groupes pris dans le maelström du capitalisme mondial. D'où le traitement privilégié qu'il accorde à la notion d'*ethnoscape* qui joue un rôle capital dans son dispositif théorique.

Nous n'avons pas abordé jusqu'ici la question du rapport entre local et global. Or il est bien évident qu'elle devient incontournable dès lors qu'on décrit la mondialisation comme un processus de brouillage des frontières et de subversion des repères traditionnels. Pakistanais à Londres, Mexicains en Californie, Haïtiens à Miami, Éthiopiens à Washington, tous ces groupes ont un point commun : ils semblent avoir perdu leurs racines. Qu'est-ce à dire ? Ces gens avaient une terre, et cette appartenance locale jouait un rôle décisif dans leur destin collectif. La mondialisation ne devient-elle pas synonyme de perte inéluctable de la localité avec son cortège de symboles et de rituels, de quotidien partagé ? D'autant que, à la fin des terroirs, vient aussi faire écho la crise qui secoue les États dont les souverainetés semblent bel et bien mises en cause par la prolifération des flux économiques et la constitution de nouveaux ensembles transnationaux. La globalisation marquerait alors la disparition d'une civilisation où la transmission, la tradition jouent un rôle prépondérant, où l'individu se définit comme issu d'un territoire, d'une région, d'une nation. Pour un anthropologue, cette perspective ne peut qu'alimenter un discours pessimiste sur la modernité, comme perte d'authenticité et abandon des spécificités culturelles qui caractérisaient le monde territorialisé d'autrefois. Appadurai cependant ne partage pas cette vision catastrophiste de la mondialisation. Et ce pour une raison simple : le local, en tant que tel, n'existe pas. Il est, selon lui, invention permanente. Ce sont les groupes qui produisent leur *local* dans un contexte historique déterminé, et non la pesanteur d'un territoire qui façonne le groupe comme tel.

Il est donc tout à fait pensable qu'on continue à produire du local dans un monde déterritorialisé. L'expérience des sociétés nomades est là pour prouver que la localité n'est pas synonyme d'une fixation dans l'espace. Dans le contexte de la globalisation, le concept d'*ethnoscape* permet précisément de rendre compte de la production d'une identité de groupe, fondée sur certaines images, sur un paysage partagé. À l'élaboration de ce paysage contribuent non seulement la mémoire et ses productions nostalgiques, mais aussi les technologies de la communication. Tel chauffeur de taxi sikh de Chicago peut, grâce aux cassettes, avoir accès aux sermons délivrés dans un temple du Punjab. Mieux, le cable, l'Internet offrent de multiples moyens de reconstituer des communautés qui incluent les migrants et ceux qui sont restés au pays. À la différence d'une vision statique des représentations collectives, le concept d'*ethnoscape* vise à offrir une perspective dynamique sur des identités en constante réélaboration. Il n'est pas besoin de souligner à quel point cette conception va à l'encontre des théories sociopolitiques qui privilégient les formes classiques de localisme ancrées sur le territoire dans le cadre de l'État-nation. Mais ce dernier n'est-il pas aujourd'hui menacé par l'intensité des flux qui traversent la planète ? C'est la thèse que soutient Appadurai et qui constitue l'un des apports les plus stimulants de l'ouvrage. Pour lui, l'État-nation qui repose sur l'isomorphisme entre peuple, territoire et souveraineté légitime est profondément remis en cause par la globalisation. La prolifération de groupes déterritorialisés, la « diversité diasporique » qu'on observe un peu partout ont pour effet de créer de nouvelles solidarités translocales. On voit émerger des constructions identitaires qui débordent le cadre national. Les politiques étatiques contribuent à leur manière à entretenir cette situation en suscitant les mouvements migratoires. Appadurai insiste sur la grande hétérogénéité de ces formes de circulation. Les réfugiés, les travailleurs spécialisés des entreprises et des organisations internationales, les touristes, représentent des types très différents de migrants. Mais, dans tous les cas, la circulation généralisée est à l'origine de nouveaux référents subjectifs qui rendent de plus en plus anachroniques les formes d'identification liées au territoire et à l'État. Réfugiés, touristes, étudiants, travailleurs migrants, tous constituent à leur manière une « transnation » délocalisée.

Dans ces conditions, et c'est la conséquence extrême à laquelle mènent les observations d'Appadurai, il est clair que nous sommes désormais entrés dans l'ère du postnational. Les nouvelles formes d'organisations qui jouent un rôle politique de premier plan dans des domaines aussi divers que l'environnement, l'économie, l'humanitaire, présentent une fluidité, une souplesse, qui contraste avec les structures rigides des appareils étatiques traditionnels. Les organisations non gouvernementales (ONG) qui se développent aux quatre coins du monde, souvent en liaison avec les situations de crise, sont très représentatives d'un nouveau modèle politique plus directement ancré dans la société civile et qui transcende allègrement les frontières nationales. La transnationalité qui caractérise de plus en plus l'univers mondialisé impose de nouvelles solidarités en réseau, des modes d'action plus

labiles. On peut voir ainsi d'ores et déjà émerger des souverainetés postnationales, et l'idée même de patriotisme ne perd
pas toute valeur dans la mesure où on aurait affaire à un
patriotisme « mobile, pluriel et contextuel ».

Cette dernière notion va évidemment à l'encontre de
toutes les conceptions classiques de l'État-nation, qui
n'admettent pas qu'il puisse y avoir des formes mouvantes
et déterritorialisées de souveraineté auxquelles correspond un
nouveau type d'engagement. Il y a certes là matière à controverse, mais l'approche d'Appadurai présente à n'en pas
douter un double intérêt : d'une part, elle éclaire des évolu-
tions bel et bien incontournables ; d'autre part, elle incite à
repenser l'action civique et politique, en faisant éclater le
cadre national où elle se trouve de plus en plus à l'étroit. Ce
n'est sans doute pas un hasard si les luttes qui s'en prennent
aujourd'hui au capitalisme mondialisé revêtent désormais des
formes de plus en plus déterritorialisées. Témoin, les manifestations de Seattle, de Davos et de Gênes qui mobilisèrent
des organisations incarnant des causes très diverses et venant
des quatre coins de la planète. Par ailleurs, la constitution
d'ensembles institutionnels transnationaux, telle l'Union
européenne, marque bien l'éclatement inéluctable des cadres
traditionnels de la souveraineté. Face à cette situation, une
attitude de repli craintif semble peu appropriée. À force de
dénigrer la globalisation, on finit par perdre de vue l'essentiel : la possibilité de nouveaux modes d'agir et de penser
qui font exploser des rigidités et des frontières de plus en
plus arbitraires. Ce qui nous renvoie, une fois encore, à
l'importance qu'accorde Appadurai à l'imagination dans un
univers où, désormais, pour paraphraser Pascal, « le centre
est partout, la circonférence nulle part ».

Car ce livre est aussi ouvert sur l'avenir et possède une
vertu qui est rarement l'apanage des sciences sociales, celle
de l'anticipation. Alors que les anthropologues empruntent
plus volontiers le point de vue de la tradition, Appadurai
nous projette sans cesse au-delà de notre présent. De là, le
caractère très suggestif de cette exploration. Est-ce encore de
l'anthropologie, s'interrogeront les esprits chagrins ? Que
l'ouvrage soit à la croisée de l'analyse politique, de la sociologie et de l'ethnographie, lui donne précisément une consis-

tance spécifique. Et l'anthropologie n'a-t-elle pas précisément l'ambition d'articuler ces différentes perspectives ? En tout cas, on retiendra qu'Appadurai aborde frontalement une question qui est au cœur de cette discipline, celle du local. L'espace, les lieux, le cadre spatial constituent une donnée essentielle pour tout travail ethnographique. Le groupe localisé offre traditionnellement l'objet empirique privilégié de ce type d'investigation. De même, dans la recherche comparative, la variable spatiale occupe une place déterminante, comme l'a souligné Lévi-Strauss[8]. S'il est vrai que, pendant des décennies, les anthropologues ont pu, sans trop se poser de questions, envisager les groupes qu'ils étudiaient comme des sortes d'isolats, la « communauté » fermée sur elle-même incarnant par excellence le bon objet ethnographique, dans le monde postcolonial les choses sont devenues plus complexes. Migrations, tourisme, flux médiatiques : dans cette configuration, l'altérité radicale n'a plus place. Chaque société participe à sa manière de l'économie culturelle globalisée. En prendre conscience a amené les anthropologues à produire leur propre autocritique. Clifford Geertz avait déjà montré les apories inhérentes aux entreprises ethnographiques qui tendent à réifier le local[9]. Après lui, des auteurs se réclamant du postmodernisme, comme J. Clifford, J. Fabian, G. Marcus et M. Fischer, P. Rabinow, R. Rosaldo, se sont interrogés sur la nature même de l'écriture ethnologique et sur sa propension à masquer les conditions réelles de production de ce type de connaissances[10]. Ils ont mis en cause l'effacement du sujet, censé être tout entier absorbé par le lieu, pur regard sur le monde fermé qui l'environne.

Prônant la nécessité d'une réflexion sur le rapport concret entre l'observateur et les sujets observés, rejoignant sur certains points le point de vue critique des *cultural studies*, ce courant intellectuel s'inscrit dans une conjoncture plus générale, celle d'un monde où la localité ne se définit plus simplement par référence au territoire. Cela amène les sciences sociales à repenser leurs soubassements épistémologiques et à remettre en chantier leur méthodologie. Appadurai, quant à lui, participe de ce mouvement, quand il tente de repenser le concept de lieu dans la perspective de cette économie des flux qui caractérise ses analyses. On ne s'étonnera pas non plus de le voir critiquer la division trop rigide entre les aires culturelles. La dialectique entre le local et le global, qu'il met en relief, assigne à l'anthropologue une position très particulière, puisqu'il souligne sans cesse le décalage qui peut exister entre le « site » et le « local ». L'étude des diasporas montre bien que l'implantation d'individus dans un site déterminé ne se confond pas avec leur « localité » entendue comme relation d'appartenance à un groupe dont les membres vivent dans un ou des pays différents. Se plaçant du point de vue de la dispersion, Appadurai s'intéresse avant tout aux conditions d'émergence d'un local imaginé. Si ses travaux concernent plus particulièrement les situations migratoires, ils renvoient à une exigence méthodologique plus générale, celle d'une ethnographie plus labile qui prenne en compte la complexité des trajectoires individuelles et collectives en n'hésitant pas à pluraliser les lieux d'investigation. Appadurai est l'un des inspirateurs de la *multi-sited ethnography*, dont des travaux récents ont bien fait apparaître la fécondité heuristique [11]. Sa contribution au développement de l'anthropologie est donc indéniable, mais elle s'inscrit dans une perspective qui fait appel à la collaboration permanente entre les différentes sciences sociales. Là encore, Appadurai refuse obstinément l'enfermement dans des frontières intangibles et pratique à merveille le cosmopolitisme dans la théorie.

L'un des apports essentiels de ce livre est de montrer à quel point nous sommes entrés dans une ère nouvelle. Comment penser l'après-colonialisme ? Et comment penser *après* le colonialisme ? Le défi est de taille. Mais les deux questions sont désormais incontournables, à moins d'accepter pour acquis l'éternel retour du même. Certes, les inégalités n'ont nullement disparu et les formes d'exploitation offrent parfois un raffinement inédit. Mais suffit-il de s'en tenir aux bonnes vieilles catégories qui ont permis à la pensée occidentale de thématiser une fois pour toutes la domination implacable de l'Occident sur le reste du monde ; d'un côté, le centre et sa superbe ; de l'autre, les périphéries asservies ? Données à l'appui, Appadurai dessine toute la complexité de notre époque en se mettant à l'écoute de ceux que l'on a coutume d'englober dans des catégories toutes faites pour les besoins d'un discours critique certes bien rodé, mais de plus en plus éloigné du réel. C'est une raison suffisante pour suivre l'anthropologue dans son exploration des flux, des réseaux et des proliférations imaginaires qui redessinent notre planète.

On peut parier que le lecteur ne sera pas déçu du voyage auquel il nous convie, au grand large de la modernité.

Marc ABÉLÈS

Pour mon fils Alok,
mon foyer en ce monde

Ici et maintenant

La modernité appartient à ce petit groupe de théories qui voudraient être appliquées universellement tout en proclamant qu'elles le sont déjà. Ce qu'il y a de nouveau dans la modernité (ou dans l'idée que sa nouveauté constitue une forme nouvelle de nouveauté) découle de cette tension. Quoi que le projet des Lumières ait pu produire par ailleurs, son ambition fut de créer des individus qui, après coup, auraient souhaité être devenus des modernes. Cette idée, autosuffisante et se donnant à elle-même son propre critère de légitimité, a suscité de nombreuses critiques et une forme de résistance, autant sur le plan de la théorie que de la vie quotidienne.

Durant mes jeunes années à Bombay, la modernité s'éprouvait à travers des expériences avant tout sensorielles, bien antérieures à toute théorie. J'ai vu la modernité et respiré son parfum en lisant *Life* et les brochures de l'Université américaine à la bibliothèque du Service d'information des États-Unis, en voyant des séries B hollywoodiennes (et quelques séries A) à l'Éros, un cinéma qui se trouvait à cinq cents mètres de chez moi. Mon frère étudiait à Stanford au début des années 1960 et je le suppliai de me rapporter des blue jeans. À son retour, je respirai le parfum de l'Amérique dans son « Right Guard ». J'ai progressivement perdu le contact avec l'Angleterre, dont je m'étais auparavant imprégné à travers des livres de classe au style très victorien, à travers la rumeur des étudiants cultivés originaires de Rhodes que j'entendais à l'Université, à travers les histoires de Billy Bunter et de Biggles que je dévorais avec autant de passion que les livres de Richard Crompton et d'Enid Blyton. *Franny et Zoé*, *Holden Caulfield* et *Rabbit Angstrom* ont doucement fait disparaître cette partie de moi-même qui, jusque-là, avait toujours appartenu à l'Angleterre. C'est ce genre de petites défaites qui explique comment l'Angleterre a perdu son Empire dans la Bombay postcoloniale.

J'ignorais alors que j'étais en train de passer d'une certaine forme de subjectivité postcoloniale (l'élocution anglaise, le fantasme des discussions d'Oxford, les coups d'œil furtifs jetés sur l'*Encounter*, un goût aristocratique pour les humanités) à une autre : le Nouveau Monde, plus âpre, plus sexy, plus grisant des vieux films de Humphrey Bogart, de Harold Robbins, du *Time* et des sciences sociales, de l'*American style*. À l'époque où je me suis lancé dans la découverte des plaisirs du cosmopolitisme, à l'université d'Elphinstone, j'avais tous les atouts en main : une éducation anglophone, une adresse chic à Bombay (malgré une famille aux revenus plutôt modestes), tout un réseau incluant les hommes et les femmes importants de l'Université, un ancien élève célèbre en la personne de mon frère (mort depuis), et une sœur entourée de ravissantes amies qui fréquentait déjà l'Université. Mais j'étais déjà atteint du virus de l'Amérique. Je me suis laissé embarquer dans un voyage pour l'université de Brandeis (c'était en 1967, à l'époque où les étudiants constituaient un groupe ethnique contestataire aux États-Unis), puis pour celle de Chicago. En 1970, je me laissais toujours dériver à la rencontre des sciences sociales américaines, des aires culturelles, et de cette forme triomphante de théorie de la modernisation qui constituait encore l'emblème rassurant de l'« américanité » dans un monde bipolaire.

Dans les chapitres suivants, je m'efforcerai de donner sens à un parcours qui a commencé par une expérience concrète de la modernité dans les cinémas de Bombay et s'est achevé par une confrontation avec la modernité-en-tant-que-théorie dans les cours de sciences sociales que j'ai donnés à l'université de Chicago au début des années 1970. Tout au long de ces chapitres, j'ai cherché à thématiser certains faits culturels et à m'en servir pour élargir les rapports entre la modernisation en tant que fait et en tant que théorie[1]. Ce renversement du processus à travers lequel j'ai fait moi-même l'expérience de la modernité permet peut-être d'expliquer ce qui, autrement, pourrait apparaître comme une discipline arbitraire privilégiant la sphère culturelle, ce qui la réduirait alors à un pur et simple préjugé d'anthropologue professionnel.

Le monde global aujourd'hui

Les principales forces sociales ont toutes des précurseurs, des précédents, des origines dans le passé. Ces généalogies sous-jacentes et multiples (*cf.* chapitre II) ont empêché les tenants de la modernisation, dans des sociétés très différentes, d'harmoniser leurs discours. Ce livre propose lui aussi des arguments en faveur d'une rupture générale, dans les dernières décennies, de la substance même des relations entre sociétés. Il me faut expliquer cette perspective de changement – et même, véritablement, de rupture – et la distinguer des quelques théories antérieures qui ont pris le parti d'une transformation radicale.

L'un des héritages les plus problématiques que nous a légué la grande science sociale occidentale (Auguste Comte, Karl Marx, Ferdinand Toennies, Max Weber, Émile Durkheim) tient à ce qu'elle a solidement renforcé la signification d'un unique moment – appelons-le « moment moderne » – qui a introduit une rupture dramatique et sans précédent entre passé et présent. Certains ont reformulé cette idée comme étant la rupture entre tradition et modernité et l'ont érigée en critère pour distinguer des sociétés prétendument traditionnelles et modernes. Ils l'ont ensuite convoquée à plusieurs reprises, mais pour dénaturer les significations du changement social ainsi que les politiques qui se réfèrent au passé. Cependant, le monde dans lequel nous vivons – un monde où la modernité est assurément insaisissable, où elle n'est consciente d'elle-même que par moments et où nous n'en faisons pas tous l'expérience au même titre – implique très certainement une rupture générale avec toutes sortes de passés. Quel genre de rupture, si ce n'est celle désignée par la théorie de la modernisation (et critiquée au chapitre VI) ?

La théorie de la rupture qui sous-tend l'ensemble de cet

ouvrage repose essentiellement sur deux éléments distinctifs interconnectés : les médias et les déplacements de population. Elle étudie leur influence conjuguée sur le *travail de l'imagination* comme une caractéristique constitutive de la subjectivité moderne. La première étape de cette argumentation consiste à montrer que les moyens électroniques de diffusion de l'information ont bouleversé d'une manière décisive le champ plus vaste des médias de masse et autres vecteurs traditionnels d'information. Il ne s'agit pas d'avoir une vision fétichiste de l'électronique considérée comme cause unique. Ce genre de médias modifient le champ où s'exercent les moyens de communication de masse, car ils proposent de nouvelles possibilités et de nouveaux terrains où construire des moi et des mondes imaginés. C'est une question de relations. Les médias électroniques indiquent et reconstituent un champ beaucoup plus vaste, où l'écrit et les autres moyens de communication orale, visuelle et auditive continueront d'avoir de l'importance. La transformation d'informations par signaux audio et vidéo, la séparation croissante entre l'espace public du cinéma et l'espace moins ouvert de la projection vidéo, les effets d'inscription immédiate de ces informations dans le discours public et leur connotation séduisante, cosmopolite et inventive, permettent à ces nouveaux médias électroniques (qu'ils soient associés à l'information, à la politique, à la vie familiale ou au domaine du divertissement et du spectacle) de mettre en question, de subvertir et de modifier les autres moyens d'accession au savoir. Dans les chapitres suivants, j'étudierai comment la médiation électronique transforme des univers dont les comportements et les modes de communication étaient déjà constitués.

Les médias électroniques permettent de voir sous un autre jour l'environnement dans lequel la modernité et le monde global apparaissent souvent comme les deux faces d'une même médaille. S'ils maintiennent le sens de la distance entre le téléspectateur et l'événement, ces médias nous contraignent néanmoins à modifier nos discours habituels. En même temps, ils offrent d'autres moyens de s'affirmer à des gens de toutes sortes, dans toutes sortes de sociétés. Ils permettent d'imaginer des vies qui pourraient se frotter au *glamour* des stars de cinéma et aux intrigues des films fantastiques, tout en restant reliées à la vraisemblance des spectacles de l'information, des documentaires et d'autres formes de télémédiation et de texte imprimé. L'absolue multiplicité des formes sous lesquelles apparaissent les médias électroniques (cinéma, télévision, ordinateurs et téléphones) et la rapidité avec laquelle ils s'insinuent dans les activités routinières de la vie quotidienne expliquent pourquoi ils nous fournissent chaque jour les moyens de nous imaginer nous-mêmes en tant que projet social.

Les déplacements de population suivent la même logique que la médiation électronique. L'histoire des migrations de masse (volontaires ou contraintes) est une donnée neuve de l'histoire humaine. Pourtant, si on les juxtapose au flux rapide des images, des scénarios et des sensations des mass médias, on obtient un nouvel ordre d'instabilité dans la création des subjectivités modernes. De même que les travailleurs immigrés turcs en Allemagne regardent des films turcs dans leurs appartements allemands, que les Coréens de Philadelphie regardent les jeux Olympiques qui ont eu lieu à Séoul en 1988 grâce aux réseaux satellites depuis la Corée, et que des chauffeurs de taxi pakistanais de Chicago écoutent les cassettes de prières enregistrées dans les mosquées du Pakistan ou d'Iran, nous assistons à la rencontre entre le mouvement des images et des téléspectateurs déterritorialisés, c'est-à-dire à la constitution de diasporas de publics enfermés dans leur petite bulle – autant de phénomènes qui renversent les théories fondées sur la prééminence de l'État-nation, défini comme l'arbitre suprême des changements sociaux décisifs.

Pour résumer, les moyens de communication électroniques et les migrations de masse s'imposent ainsi aujourd'hui comme des forces nouvelles, mais moins sur un plan technique que sur le plan de l'imaginaire. Ensemble, ils créent des décalages spécifiques dans la mesure où les téléspectateurs circulent en même temps que les images. Ni les unes ni les autres ne pourraient se réduire aux circuits ou aux publics locaux, nationaux ou régionaux les plus accessibles. Bien entendu, de nombreux téléspectateurs sont susceptibles de ne pas se déplacer eux-mêmes. Et de nombreux événements médiatiques ont une portée essentiellement locale, comme en témoignent les chaînes câblées de nombreuses régions des États-Unis. Mais bien peu de films importants, de chaînes d'information ou de shows télévisés sont aujourd'hui intégralement coupés d'autres événements médiatiques provenant de régions bien plus lointaines. Et il existe actuellement peu de gens dans le monde qui n'aient appris récemment qu'un ami, une connaissance ou un collègue était déjà en route pour une nouvelle destination ou de retour chez lui, avec tout un stock d'histoires et de mondes possibles. En ce sens, les individus et les images se rencontrent souvent de manière inattendue, brisant les certitudes du foyer aussi bien que le cordon sanitaire des effets médiatiques locaux et nationaux. Cette relation mouvante et imprévisible entre les événements transmis par les médias et les publics en déplacement est au cœur même du lien que je m'efforce d'établir entre la globalisation et la modernité. Dans les chapitres suivants, je montrerai que le travail de l'imagination, considéré dans ce contexte, n'est ni purement émancipateur ni entièrement soumis à la contrainte, mais ouvre un espace de contestation dans lequel les individus et les groupes cherchent à annexer le monde global dans leurs propres pratiques de la modernité.

Le travail de l'imagination

Depuis Durkheim et le travail accompli par le groupe des *Années sociologiques*, les anthropologues ont appris à considérer les représentations collectives comme des faits sociaux – autrement dit, à comprendre qu'elles transcendent les volontés individuelles, que la morale sociale pèse sur elles de tout son poids et qu'elles constituent des réalités sociales objectives. Je m'efforcerai de montrer qu'une transformation a eu lieu dans les dernières décennies, un changement fondé sur les innovations technologiques survenues depuis environ un siècle, et au sein duquel l'imagination est devenue un fait collectif et social. Sur cette évolution se fonde, à son tour, la pluralité de nos mondes imaginaires.

À première vue, il peut sembler absurde de prétendre qu'aujourd'hui, le rôle de l'imagination a changé. Après tout, nous sommes désormais habitués à considérer toutes les sociétés du point de vue de leur aptitude à produire des arts, des mythes et des légendes : autant de formes d'expression qui offraient la possibilité de s'évader de la vie sociale ordinaire. Toutes les sociétés ont montré, par ces formes d'expression, qu'elles étaient capables à la fois de dépasser et de recadrer la vie sociale ordinaire, grâce à des mythologies de genres variés où l'imagination se plaisait à déformer la vie sociale. En rêve, finalement, les individus, y compris dans les sociétés les plus rudimentaires, ont trouvé un espace où redessiner les contours de leur vie sociale, vivre des émotions et des sensations interdites, et accéder à des visions qui, par la suite, ont imprégné tout ce qu'ils ressentaient dans leur vie ordinaire. En outre, toutes ces formes d'expression ont rendu possible, dans de nombreuses sociétés humaines, un dialogue complexe entre l'imagination et les rites qui a permis, d'une manière ou d'une autre, d'approfondir la force des normes sociales ordinaires, de par l'inversion, l'ironie, ou l'intensité effective du travail de collaboration qu'exigent de nombreuses formes de rituels pour être célébrés. Tel est le type d'enseignement le plus ferme que nous ont légué, depuis un siècle, les meilleurs représentants de l'anthropologie canonique.

Pour étayer mon hypothèse selon laquelle le rôle majeur de l'imagination prend des formes nouvelles dans le monde post-électronique, je m'appuie sur trois distinctions. En premier lieu, l'imagination a abandonné l'espace d'expression spécifique de l'art, du mythe et des rites pour faire désormais partie, dans de nombreuses sociétés, du travail mental quotidien des gens ordinaires. Elle s'est intégrée à la logique de la vie ordinaire dont on avait largement réussi à la couper. Bien entendu, il existe des précédents : les grandes révolutions ou les mouvements messianiques du passé, dans lesquels les leaders charismatiques imposaient leurs visions à la société, créant par là même de puissants mouvements en faveur du changement social. Cependant, à notre époque, le problème n'est plus que des individus particulièrement brillants instillent de l'imagination dans des domaines où elle n'a pas droit de cité. Les gens ordinaires ont entrepris de déployer la force de leur imagination dans leurs pratiques quotidiennes. J'en veux pour exemple la manière dont les déplacements de population et les moyens de communication contextualisent et structurent de concert nos représentations actuelles.

Il n'y a jamais eu autant de gens, par le passé, capables d'envisager comme une chose allant de soi le fait qu'eux-mêmes ou leurs enfants seront sans doute conduits à vivre et à travailler ailleurs que sur leur lieu de naissance. C'est pourquoi les taux migratoires ne cessent d'augmenter, quels que soient le niveau social, la nationalité et le mode de vie général des candidats au départ. D'autres personnes subissent un nouveau type de regroupement de population, comme en témoignent les camps de réfugiés de Thaïlande, d'Éthiopie, du Tamil Nadu et de Palestine. Ces peuples doivent inventer de nouveaux modes de vie adaptés à leur exil. N'oublions pas non plus ceux dont les conditions de vie sont souvent intolérables, et qui partent en quête de travail, de fortune, d'une nouvelle chance. En élargissant légèrement l'usage des notions importantes de *loyalisme* et de *départ* introduites par Albert Hirschman, on pourrait parler de diasporas de l'espoir, de diasporas de la terreur et de diasporas du désespoir. Toutefois, dans chacune de ces situations, l'exil renforce chez nombre de ces individus, qui menaient une existence ordinaire, les pouvoirs de l'imagination (comme double capacité à se souvenir du passé et à désirer le futur) ; il rend possibles des discours mythiques différents des mythes et des rituels auxquels se consacre traditionnellement l'anthropologie. La différence majeure tient en l'occurrence à ce que ces nouveaux discours mythiques ne se contentent pas de renverser les certitudes de la vie quotidienne, mais ouvrent la voie à de nouveaux projets de société. Grâce à eux, de vastes groupes d'individus, qui étaient engourdis par la pesanteur glaciale des habitudes, se mettent à vivre au rythme plus vif de l'improvisation. Sur ce plan, les images, les scénarios, les modèles et les récits qui nous parviennent à travers les médias (sous forme de documentaires ou de fictions) permettent de différencier les mouvements migratoires actuels de ceux du passé. Qu'il souhaite quitter son pays, qu'il l'ait déjà fait, qu'il souhaite y vivre à nouveau, ou qu'il décide de ne pas rentrer, chaque individu exprime le plus souvent ses projets en des termes influencés par la radio et la télévision, les cassettes audio et vidéo, la presse et le téléphone. Pour les candidats au départ, les politiques d'intégration à leur nouvel environnement, le désir de partir ou de revenir sont tous profondément influencés par l'imaginaire que diffusent les médias et qui dépasse généralement le cadre national.

En deuxième lieu, je m'appuie sur une distinction entre l'imaginaire et le fantasme. Un vaste et respectable corpus de textes, parmi lesquels figure principalement la critique de la culture de masse élaborée par l'École de Francfort, et dont Max Weber a fourni les prémices, considère que le monde moderne se développe à l'intérieur d'une cage en fer ; ces penseurs prévoient que l'imagination sera freinée par les forces conjuguées de l'offre croissante de marchandises, du capitalisme industriel, et par l'enrégimentement et la sécularisation généralisés du monde. Depuis une trentaine d'années, les théoriciens de la modernisation (de Weber à Daniel Lerner, Alex Inkeles et beaucoup d'autres, en passant par Talcott Parsons et Edward Shils) se sont en général entendus pour concevoir le monde moderne comme un espace où le sentiment religieux va diminuant, tandis que le scientisme s'accroît ; où le rôle du jeu est moindre, tandis que les loisirs sont de plus en plus enrégimentés ; où la spontanéité est étouffée à tous les niveaux. Ce point de vue a inspiré des courants de pensée et des théoriciens aussi différents que Norbert Elias et Robert Bell, mais il me semble profondément erroné. L'erreur se situe à un double niveau. Tout d'abord, cette théorie repose sur un requiem prématuré pour la mort de la religion, et sur la victoire de la science. Les nouveaux mouvements religieux de toutes sortes démontrent à l'évidence que non seulement la religion n'est pas morte, mais qu'elle pourrait bien peser d'un poids plus important que jamais sur les politiques globales actuelles, caractérisées par un haut degré de mobilité et d'interconnexion des individus. En outre, on se trompe en affirmant que les médias électroniques sont l'opium du peuple. Ce point de vue, que l'on commence à peine à réviser, part du principe que les moyens mécaniques de reproduction ont largement préparé les gens ordinaires au travail industriel. C'est bien trop simple.

Chaque jour apporte un peu plus la preuve que la consommation, dans le monde entier, d'informations diffusées par les mass médias provoque souvent un mouvement de résistance, une mise à distance ironique, l'envie de faire le tri et, de manière générale, de *réagir*. Des terroristes qui s'habillent et se comportent comme des néo-Rambo (ces derniers ayant engendré, ailleurs qu'en Occident, une foule d'imitateurs) ; des femmes au foyer qui cherchent dans les romans à l'eau de rose et les feuilletons-télé des modèles pour construire leur propre vie ; des familles musulmanes qui se réunissent pour écouter sur cassette les discours de leaders islamiques ; des domestiques employés dans le Sud de l'Inde qui font des voyages organisés au Cachemire : autant d'exemples de la manière dont les habitants du monde entier s'approprient activement les informations diffusées par les médias. Tee-shirts, panneaux d'affichage, tags et rap, danse urbaine et banlieues défavorisées : tout nous prouve que, dans chaque région du monde, les images proposées par les médias sont rapidement passées au filtre de l'ironie, de la colère, de l'humour et de la résistance locaux.

Ce phénomène ne concerne pas uniquement les peuples du Tiers Monde en lutte contre les médias américains : il concerne de la même façon les peuples du monde entier qui réagissent à l'omniprésence de leur propre information électronique nationale. Ce seul argument suffirait à réserver à la théorie qui considère les médias comme l'opium du peuple un accueil très sceptique. Je ne veux pas dire pour autant que les consommateurs sont des agents *libres*, qui vivent heureux dans un monde de centres commerciaux où ils évoluent en toute sécurité, un univers où les repas sont gratuits et les affaires se concluent rapidement. Comme je le suggère au chapitre III, dans notre monde contemporain consommer constitue souvent une forme d'obligation fastidieuse qui fait partie du processus capitaliste de civilisation. Néanmoins, il n'y a pas de consommation sans plaisir et pas de plaisir sans actes. Par ailleurs, la liberté promet plus de biens de consommation qu'elle n'en tient.

En outre, la notion de fantasme implique nécessairement que l'on établit une séparation entre le domaine de la pensée et celui des projets et des actes, et elle renvoie également au monde privé des individualistes. D'autre part, l'imagination nous projette dans l'avenir : elle nous prépare à nous exprimer, dans le domaine esthétique ou dans d'autres domaines. Le fantasme peut disparaître (dans la mesure où sa logique est si souvent autotélique), mais l'imagination – et notamment l'imagination collective – peut devenir le carburant qui nous pousse à agir. Sans l'imagination et les formes collectives qu'elle peut prendre, nous n'aurions pas créé les notions de voisinage et de nationalité, d'économies morales et de règles injustes, de hausses de salaire et de perspectives de travail à l'étranger. Aujourd'hui, nous nous aidons de l'imagination pour agir, et pas seulement pour nous évader.

En troisième lieu, je m'appuie sur une distinction entre les significations individuelle et collective de l'imagination. Sur ce point, il importe de bien comprendre que je considère l'imagination comme une propriété appartenant à des groupes d'individus, et pas seulement comme un don individuel (au sens qu'on lui donne, tacitement, depuis l'éclosion du Romantisme européen). Dans un autre ouvrage, j'ai désigné par l'expression de « communauté affective[2] » (autrement dit, un groupe d'individus qui se met à partager ses rêves et ses sentiments) une partie de ce phénomène que les mass médias rendent possible, grâce aux conditions nouvelles de la lecture, du jugement critique et du plaisir collectifs. Comme Benedict Anderson l'a si bien montré[3], le développement capitaliste des journaux peut constituer un moyen privilégié pour que des groupes, qui n'ont jamais été en contact direct, puissent commencer à se considérer comme des Indonésiens, des Indiens ou des Malaisiens. Mais d'autres formes de développement capitaliste de l'information électronique peuvent avoir des effets similaires, et même plus puissants encore, dans la mesure où ils dépassent le cadre de l'État-nation. Les expériences collectives des mass médias, notamment à travers les films et la vidéo, peuvent créer des confréries regroupant les adorateurs de personnalités charismatiques, comme celle qui s'est constituée localement, dans les années 1970 et 1980, autour de la déesse indienne Santoshi Ma, et, à une plus grande échelle, autour de l'Ayatollah Khomeini, à peu près à la même époque. Des confréries du même genre peuvent se constituer autour du sport et de l'idée internationaliste qui l'accompagne, comme en témoignent les jeux Olympiques et leurs effets transnationaux notoires. On trouve maintenant des vidéo clubs dans des vieux logements et des immeubles de Katmandou et de Bombay. La culture médiatique des petites villes donne naissance à des fan-clubs et à des groupes de partisans politiques, comme on le voit par exemple en Asie du Sud.

Ces confréries s'apparentent à ce que Diana Crane a nommé les « académies invisibles[4] », par référence au monde de la science ; cependant, elles sont moins mobiles, organisées de manière moins professionnelle, et sont moins systématiquement régies par des critères partagés du plaisir, du goût ou des normes sociales. Elles constituent certes en soi des communautés, mais des communautés potentiellement capables de passer du stade des représentations que l'on partage à celui des actions que l'on accomplit collectivement. Le plus important, comme je le montrerai en conclusion de ce chapitre, est que ces confréries sont souvent transnationales, voire postnationales, et qu'elles étendent fréquemment leur champ d'action au-delà des frontières nationales. Ces confréries apparues avec le développement des masses-médias sont d'autant plus complexes qu'elles peuvent faire s'entrecroiser diverses expériences locales du goût, du plaisir et de la politique. Des convergences autrement difficiles à imaginer peuvent ainsi naître de la rencontre entre diverses actions sociales translocales.

On ne saurait mieux rendre ces réalités qu'en évoquant la glaçante affaire Rushdie. S'y retrouvent plusieurs éléments : un livre interdit, une condamnation à mort ordonnée par les autorités religieuses, et un écrivain qui a exercé sa liberté de parole et de création. *Les Versets sataniques* ont obligé les Musulmans (et les autres) à ouvrir un débat mondial sur la politique de la lecture, sur la pertinence culturelle de la censure, sur la dignité de la religion et sur la liberté, que se sont arrogée certains groupes, de juger des écrivains sans avoir pris la peine de se faire une opinion indépendante de leurs textes. L'Affaire Rushdie pose la question d'un texte qui s'est mis à circuler comme une marchandise, et que sa trajectoire a mené loin du havre rassurant des normes occidentales, garantes de la liberté artistique et des droits des artistes,

jusqu'aux contrées où règne la fureur religieuse et où l'autorité des savants religieux s'exerce à l'intérieur de leurs propres sphères transnationales. Là, les mondes transnationaux
de l'esthétique occidentale et de l'Islam radical se sont
heurtés de plein fouet, dans des lieux aussi différents que
Bradford et Karachi, New York et New Delhi. Cette affaire
montre aussi comment les processus globaux, en impliquant
des textes mobiles et des publics migrants, créent des événements implosifs qui communiquent des tensions globales
à de petits territoires déjà politisés (*cf.* chapitre VI), produisant
ainsi de la localité (*cf.* chapitre VIII) selon des modalités
nouvelles et globalisées.

Cette théorie selon laquelle un changement – ou une rupture – a eu lieu, qui insiste particulièrement sur les phénomènes de médiation électronique et sur les déplacements de
population, est forcément une théorie du passé récent (ou du
présent étendu). Ce n'est que depuis une vingtaine d'années,
en effet, que les médias et les migrations ont pris cette dimension massivement globale, leur activité débordant sur de
vastes et irréguliers terrains transnationaux. Pourquoi suis-je
en droit de considérer que ma théorie vaut mieux qu'une
remise à jour de théories sociales plus anciennes portant sur
la modernisation et ses ruptures ? Tout d'abord, ma théorie
n'est pas une téléologie, avec recette à la clé nous révélant
comment la modernisation va atteindre son destin universel :
rationalité, ponctualité, démocratie, marché libre et produit
intérieur brut plus élevé. En deuxième lieu, le pivot de ma
théorie n'est pas un quelconque projet à grande échelle
d'ingénierie sociale (que son organisation soit confiée aux
États, aux agences internationales ou à d'autres élites tech-
nocratiques), mais bien plutôt la pratique culturelle quotidienne à travers laquelle le travail de l'imagination change
de statut. En troisième lieu, mon approche laisse entièrement
ouverte la question de savoir quels types d'avenir, de nationalisme, de violence, de justice sociale nous préparent les
expériences de la modernité, telles que les moyens de diffusion électronique de l'information les ont rendues possibles.
Autrement dit, je fais beaucoup moins confiance aux pronostics que n'importe quel représentant connu de la théorie classique de la modernisation. En quatrième lieu – c'est le point

le plus important –, mon approche de la rupture, due à la convergence des phénomènes de diffusion électronique de l'information et de déplacements massifs de population, est explicitement transnationale – voire postnationale – comme je le suggère dans la dernière partie de ce livre. Par conséquent, elle prend ouvertement ses distances avec la structure de la théorie classique de la modernisation, que l'on pourrait qualifier de fondamentalement réaliste, dans la mesure où elle présuppose la prédominance, d'un point de vue méthodologique autant qu'éthique, de l'État-nation.

N'allons pas pour autant imaginer que le monde global est à l'espace ce que le monde moderne est au temps. Ce serait trop simple. Pour de nombreuses sociétés, la modernité représente un ailleurs, tout comme le monde global est une vague de temps qui doit pouvoir les submerger dans *leur* vie présente. La globalisation a réduit la distance entre les élites, modifié les relations fondamentales entre producteurs et consommateurs, brisé de nombreux liens entre le travail et la vie de famille, et brouillé les rapports entre l'ancrage provisoire dans un endroit et l'attachement imaginaire à la nation. Aujourd'hui, la modernité est plus le lieu d'une pratique que d'une pédagogie, d'une expérience que d'une contrainte, à la différence des années 1950 et 1960, durant lesquelles les individus (particulièrement ceux qui n'appartenaient pas aux élites nationales) ont expérimenté cette rupture à travers les appareils de propagande mis en place par les tout nouveaux États-nations et leurs grands leaders, comme Jawarharlal Nehru, Gamal Abdel Nasser, Kwame Nkrumah et Soekharno. Les grands thèmes rhétoriques de la modernisation des pays en voie de développement (la croissance économique, la haute technologie, l'agro-industrie, l'instruction, la militarisation) imprègnent encore de nombreux pays. Mais ils sont souvent traversés, remis en cause, apprivoisés par les microrécits du cinéma, de la télévision, de la musique et d'autres formes d'expression ; à travers eux, la modernité est davantage redéfinie comme une globalisation vernaculaire, que comme une concession aux macropolitiques nationales et internationales. Comme je l'ai suggéré précédemment, ceux qui, comme moi, sont issus des classes dirigeantes des nations nouvelles ont eu très tôt la primeur de cette qualité d'expérience ; mais pour la plupart des travailleurs et des pauvres, cet engagement concret dans la modernité est relativement récent.

Ces microrécits subversifs alimentent également divers mouvements d'opposition, du Sentier Lumineux (Pérou) au mouvement *Habitat for Humanity*, des mouvements écologistes en Europe au nationalisme tamoul au Sri Lanka, des groupes islamiques en Égypte jusqu'aux guérillas nationalistes et séparatistes en Tchétchénie. Ces mouvements, certains répressifs et violents, d'autres démocratiques et pacifiques, montrent que les moyens électroniques de diffusion de l'information de masse et la mobilisation transnationale ont mis fin à la main-mise des États-nations autonomes sur le projet de modernisation. La transformation concrète des subjectivités quotidiennes par la médiation électronique et par le travail de l'imagination ne représente pas seulement un fait culturel. Elle est profondément liée à la politique, de par les nouvelles manières dont les attachements, les intérêts et les aspirations individuels sont dans une intrication croissante avec ceux de l'État-nation.

De telles rencontres créent des diasporas de publics qui ne sont plus réduites, ni marginales, ni exceptionnelles. Elles participent au contraire à la dynamique culturelle de la vie urbaine dans la plupart des pays et des continents, où les mouvements migratoires et les moyens de communication de masse confèrent, inséparablement, une nouvelle signification au monde global, défini comme la modernité même, et à la modernité, définie comme le monde global. Prenons un exemple : *Mississippi Masala*, le film à grand spectacle de Mira Nair, traite à la fois de la diaspora et des problèmes raciaux, à travers une histoire d'Indiens transformés et déplacés en Ouganda, qui doivent ensuite gérer les mélanges de race complexes dans le Sud de l'Amérique, tout en conservant le sentiment de leur indianité. Il suffit d'assister à la retransmission télévisée des matchs de cricket opposant l'Inde au Pakistan, et suivie par les émigrants des deux pays installés dans les pays du Golfe (*cf.* chapitre IV), pour comprendre les particularités du sentiment nationaliste des membres de la diaspora, alors qu'une politique de l'océan Indien se met aujourd'hui en place. Les luttes acharnées à propos

de la langue anglaise et des droits des immigrés, qui (re)sur-
gissent aujourd'hui aux États-Unis, ne sont pas une simple
variante de la politique pluraliste : elles mettent en cause la
capacité des gouvernants politiques américains à contenir les
ambitions des diasporas mexicaine en Californie du Sud,
haïtienne à Miami, colombienne à New York, et coréenne à
Los Angeles. Comme je le montrerai en conclusion de ce
livre, c'est cette multiplication de sphères publiques d'exilés
qui finit par constituer une diacritique spécifique du monde
global moderne.

J'en ai déjà beaucoup dit sur le monde global actuel. Ces
chapitres ont aussi un ancrage quelque part. Si j'ai pu les
écrire, c'est en partie grâce à la rencontre entre mon éducation anglophone d'après-guerre et ma découverte de la
science sociale américaine, qui a conçu la notion de modernisation comme la théorie de ce qui est vrai, bon, et nécessaire. Ces chapitres sont également redevables à mon
parcours professionnel, qui s'est formé pour l'essentiel à
partir de deux groupes de recherche aux États-Unis, au sein
desquels j'ai acquis la majeure partie de ma formation et
auxquels j'ai consacré une grande partie de ma vie universitaire : l'anthropologie et les aires culturelles. Bien que cet
ouvrage traite de la globalisation, il est impossible de ne pas
y sentir la marque et l'influence des discussions que j'ai
menées, au cours des deux dernières décennies, à l'intérieur
de ces deux centres de recherche universitaires américains.
Ainsi mes préoccupations d'ordre épistémologique s'enraci-
nent-elles dans un terrain incontestablement local, même si
le local n'est plus ce qu'il était (*cf.* chapitre VIII).

L'œil de l'anthropologie

L'anthropologie est le travail d'archive qui restitue à mes
yeux l'épaisseur des événements vécus ; j'en retrouve les
traces dans toutes sortes de récits ethnographiques à propos
d'individus dont les itinéraires, présents et passés, sont fort
différents du mien. L'archive de l'anthropologie sera l'ombre
portée sur tous les chapitres suivants. Non pas qu'elle soit
en elle-même meilleure que les archives d'autres disciplines.

Elle a d'ailleurs fait elle-même l'objet, ces quinze dernières années, de critiques incisives et inlassables. Mais c'est l'archive que je déchiffre le mieux. En tant que telle, elle possède aussi l'avantage de nous rappeler que chaque ressemblance dissimule plus d'une différence, et que les ressemblances et les différences se recouvrent les unes les autres, indéfiniment, de sorte que le dernier changement de point de vue n'est jamais qu'une question de commodité ou de vigueur méthodologique. L'archive confère une sensibilité particulière à l'anthropologue professionnel, et m'a aussi fortement incité à penser que la globalisation n'est pas l'histoire d'une homogénéisation culturelle. C'est ce dernier argument que je voudrais que le lecteur retienne finalement de ce livre. Cependant, l'anthropologie a tendance, par déformation professionnelle, à faire des phénomènes culturels l'instrument d'une diacritique fondamentale de beaucoup de pratiques (qui pourraient sembler à d'autres simplement humaines, ou stupides, ou fondées sur un calcul, sur un sentiment patriotique, etc.). Dans la mesure où ce livre prétend traiter des dimensions *culturelles* de la globalisation, il me faut expliquer clairement la force spécifique que j'attribue à cet adjectif.

L'emploi du substantif « culture » me met souvent mal à l'aise, tandis que sa forme adjectivale, « culturel », me convient parfaitement. En m'interrogeant sur les raisons de ce malaise, j'ai compris que le plus gênant pour moi, dans la forme substantivée, venait de cette conception implicite de la culture comme une sorte d'objet, de chose ou de substance, au sens aussi bien physique que métaphysique. Cette substantialisation a pour conséquence de rattacher la culture au contexte discursif de la race, notion qu'elle était pourtant censée combattre à l'origine. Parce qu'il renvoie à une substance mentale, il semble que le substantif *culture* privilégie le genre de partage, d'accord et de liens abstraits où des faits inégalement documentés, ainsi que des styles de vie pour le moins hétérogènes, sont sommés de produire un sens univoque. Avec une telle démarche, on évite à bon compte de porter attention aux conceptions du monde et aux activités propres aux individus marginaux ou dominés. Considéré comme une substance physique, le terme de culture a des relents de discours biologistes, y compris d'un discours racial que nous avons sans ambiguïté exclu des catégories scientifiques. Un terme inventé par Alfred Kohler résume bien le double aspect de ce substantialisme, auquel je n'accorde pas ma sympathie : *superorganique*. Les efforts entrepris notamment par l'anthropologie américaine, au cours des dernières décennies, pour échapper à ce piège, et qui consistaient à envisager la culture, de manière générale, comme une forme linguistique (au sens, principalement, que le structuralisme de Saussure confère à ce terme), n'ont permis qu'en partie d'éviter les dangers d'un pareil substantialisme.

Si le substantif « culture » semble entraîner des associations avec une conception ou une autre de la substance, d'une manière qui de surcroît jette sur la question plus d'ombre que de lumière, l'adjectif « culturel » nous ouvre les portes d'un royaume de différences, de contrastes et de comparaisons qui se révèlent plus utiles. La signification adjectivale du mot « culture », fondée sur le noyau de la linguistique de Saussure, c'est-à-dire sur sa sensibilité au contexte et son attention aux contrastes, m'apparaît comme l'une des vertus du structuralisme – ce que nous avons eu tendance à oublier, dans notre désir impatient de critiquer sa méthode d'associations an-historiques, formelles, binaires, abstraitement centrée sur les opérations mentales et les textes.

L'apport le plus précieux d'une telle conception de la culture réside dans le concept de différence, cette propriété des choses qui insiste davantage sur leur nature contrastée que sur leur qualité substantielle. Bien que le terme de *différence* renvoie aujourd'hui à beaucoup d'autres champs de la pensée (en raison, principalement, de l'usage particulier qu'en ont fait Jacques Derrida et ses successeurs), il possède une valeur heuristique très importante, qui permet de souligner des points de ressemblance et de contrastes entre toutes sortes de catégories : classes, genres, rôles, groupes et nations. Par conséquent, lorsque nous disons d'une pratique, d'une distinction, d'une conception, d'un objet ou d'une idéologie qu'ils comportent une dimension culturelle (remarquez bien l'usage adjectival), nous soulignons le fait d'une différence située, c'est-à-dire d'une différence qui se rapporte à quelque chose de local, de concret, et de significatif. L'idée pourra se résumer ainsi : il n'est pas utile de considérer la culture comme une substance, mais il est préférable de la considérer comme une dimension des phénomènes sociaux, dimension qui prend en compte une différence située et concrète. En soulignant cette dimension de la culture, plutôt que son caractère substantiel, nous la concevons davantage comme un mécanisme heuristique utile pour traiter des différences, que comme la propriété d'individus et de groupes.

Cependant, il existe de nombreuses sortes de différences de par le monde, et seules certaines d'entre elles sont culturelles. Ici je fais donc intervenir un deuxième élément constitutif de ce que j'appelle *culturel*, et je propose que nous tenions pour culturelles les différences qui seules expriment, ou encore préparent à la mobilisation des identités de groupe. Cette condition nous fournit un critère de sélection un peu rudimentaire, qui nous force à nous concentrer sur une gamme de différences, toutes liées à des identités de groupe, mais aussi bien à l'intérieur qu'à l'extérieur d'un groupe social donné. En décrétant que la mobilisation des identités de groupe est au cœur de ma réflexion sur le *culturel*, j'amorce en réalité un mouvement qui semble, à première vue, rétrograde. En effet, j'ai l'air de rapprocher fâcheusement le mot « culture » de la notion d'ethnicité. Cela me conduit à de nouveaux problèmes qu'il est nécessaire d'éclaircir.

Avant de tenter cet éclaircissement, qui va me permettre d'aborder la notion de culturalisme, examinons le trajet que nous avons parcouru. En résistant aux conceptions de la culture qui nous incitent à penser les groupes sociaux actuels comme autant de cultures, j'ai aussi refusé la forme substantivée « culture » et suggéré une approche adjectivale, qui en souligne les dimensions contextuelle, heuristique et comparative, et nous conduit ainsi à concevoir la culture comme une différence, particulièrement lorsqu'il s'agit de l'identité de groupe. Par là même, j'ai suggéré que la culture, s'emparant du discours social des humains à tous les niveaux, fait jouer une différence qui produit diverses conceptions de l'identité d'un groupe.

J'ai frôlé de si près la notion d'ethnicité – c'est-à-dire une conception naturaliste de l'identité de groupe – que je dois à présent clarifier cette relation entre culture et identité de groupe que je m'efforce d'établir peu à peu. On peut toujours tenter d'instrumentaliser la culture, au sens large (et non le terme « culture », au sens strict), pour désigner les innombrables différences caractéristiques du monde actuel. Ces différences s'expriment à des niveaux divers, selon une intensité variable, avec des conséquences sociales plus ou moins grandes. Cependant, je propose de restreindre l'usage du terme « culture », en tant que producteur de ces différences, au sous-ensemble qui a permis de tracer les frontières de la différence même. Si la culture est envisagée comme la question même du maintien de la frontière, elle pose alors directement le problème des identités de groupe, constituées par certaines différences au sein d'un ensemble de différences.

Mais n'est-ce pas, là encore, une manière d'assimiler tout bonnement ethnicité et culture ? Oui et non. Oui, dans la mesure où cet usage du mot « culture » n'insisterait pas seulement sur le fait de posséder certains attributs (matériels, linguistiques ou territoriaux), mais aussi sur la conscience de posséder ces attributs et sur leur naturalisation induite, qui deviendraient les composantes essentielles de l'identité du groupe (*cf.* chapitre VI). En d'autres termes, au lieu de tomber dans le piège de l'hypothèse, au moins aussi ancienne que Weber, selon laquelle l'ethnicité se fonde sur une sorte d'extension de l'idée primordiale de parenté (c'est un raisonnement à son tour biologique et généalogique), je propose un concept de l'ethnicité qui tient pour fondamentales à la fois la construction consciente et imaginative des différences, et leur mobilisation. La culture, au sens numéro un – archive virtuellement illimitée des différences –, prend consciemment forme dans la culture au sens numéro deux – sous-ensemble de ces différences qui constitue la diacritique de l'identité de groupe.

Néanmoins, ce processus consistant à mobiliser certaines différences et à les relier à une identité de groupe se démarque également de l'ethnicité (au sens du moins que l'on a pu donner autrefois à ce terme). En effet, il ne s'appuie pas sur l'extension croissante de sentiments primordiaux, dans le cadre supposé d'une sorte de processus unidirectionnel plus large ; il ne suppose pas non plus fallacieusement que des unités sociales plus vastes produiraient cette force émotionnelle propre aux identités de groupe très étendues, en se contentant simplement de stimuler les sentiments familiaux et les liens de parenté. Ainsi, je montre dans le chapitre IV que, loin de convoquer le répertoire existant des émotions, pour les transférer sur un terrain plus vaste, le jeu de cricket pratiqué par les Indiens est une forme certes étendue, mais qui vient aujourd'hui s'inscrire sur les corps à travers une série de pratiques dont l'échelle est de plus en plus réduite. Cette logique vient précisément infirmer la vieille notion primordialiste (ou extensionniste) de l'identité ethnique.

Le concept d'une culture qui impliquerait l'organisation naturaliste de certaines différences au sein même des intérêts de l'identité d'un groupe, de par, et dans, le processus historique, et les tensions entre agents et structures, se rapproche de ce que l'on appelle la conception instrumentale de l'ethnicité, par opposition à sa conception primordiale. Au sujet de cette convergence, j'émettrai deux réserves qui me conduiront à discuter la notion de culturalisme. Voici la première de mes réserves : les finalités dont sont constituées les conceptions instrumentales de l'identité ethnique peuvent elles-mêmes fournir des réponses contre-structurelles aux valorisations existantes de la différence ; pour reprendre la terminologie de Weber, elles relèvent peut-être ainsi davantage de la rationalité éthique que de la rationalité instrumentale. Leur instrumentalité est peut-être uniquement orientée vers la question de l'identité ; elle ne serait donc pas, comme on le sous-entend souvent, extraculturelle (économique, politique ou émotionnelle). En d'autres termes, la mobilisation de signes marquant une différence de groupe peut elle-même relever d'une contestation générale des valeurs *quant à* la différence, qui n'est pas ici la différence considérée dans ses effets sur la richesse, la sécurité ou le pouvoir. Voici ma seconde réserve à l'encontre de la plupart des explications instrumentales : elles n'expliquent pas le processus au cours duquel certains critères de différence, utilisés pour définir l'identité d'un groupe (à son tour assigné à d'autres objectifs), sont (ré)-appropriés par des sujets dotés d'un corps, et donc destinés à être expérimentés sur un mode à la fois naturel et profondément revendicatif.

Nous sommes partis d'une définition substantielle de la culture, avant de définir la culture comme la dimension même où se déploient des différences, puis comme l'identité d'un groupe fondée sur la différence, et enfin comme le processus de naturalisation d'un sous-ensemble des différences qui ont servi à constituer l'identité du groupe. Maintenant que nous avons fait ce pas supplémentaire, il est temps d'aborder la question du culturalisme.

On rencontre rarement le mot « culturalisme » employé tel quel : ce substantif est habituellement rattaché à certains préfixes comme *bi*, *multi*, *inter*, pour ne citer que les plus importants. Il peut être utile cependant de lui donner à présent un autre usage : dans cette perspective, le *culturalisme* serait un trait caractéristique des mouvements dont les acteurs élaborent leur identité en toute conscience. Ces mouvements, aux États-Unis ou ailleurs, s'adressent généralement aux États-nations modernes, qui distribuent des droits variés, y compris parfois le droit de vie et de mort, en accord avec les classifications et les politiques qui contribuent à définir l'identité de groupe. Dans le monde entier, confrontés aux États qui s'efforcent de contenir la diversité ethnique dans des territoires culturels fixes et fermés, dans les limites desquels les individus sont parfois maintenus de force, de nombreux groupes se mobilisent consciemment au nom de critères d'identité qu'ils définissent ensemble. Le culturalisme, pour le dire simplement, c'est la politique identitaire élevée au niveau de l'État-nation.

Je m'intéresserai principalement à ce genre de culturalisme dans le chapitre VI, où je dresse une critique soutenue de la conception primordialiste de la violence ethnique telle qu'elle s'est exprimée ces dix dernières années. Ce phénomène, qui semble marquer la renaissance mondiale des nationalismes ethniques et des séparatismes, ne correspond pas réellement à ce que les journalistes et les experts nomment souvent « tribalisme ». Ce terme implique que de vieilles histoires, des rivalités locales et des haines profondes remontent à la surface, sans logique ; mais la violence ethnique que nous voyons se développer dans de nombreuses régions du monde relève plutôt d'une transformation plus large que suggère le terme « culturalisme ». Le culturalisme, comme je l'ai déjà dit, est la mobilisation consciente des différences culturelles, au service d'une politique plus largement nationale ou transnationale. On l'associe fréquemment à des histoires et des mémoires extraterritoriales, parfois au statut de réfugié et à l'exil, et presque toujours aux luttes pour obtenir une reconnaissance plus explicite de la part des États-nations existants ou d'entités transnationales diverses.

Les mouvements culturalistes (car ils concentrent presque toujours leurs efforts sur la mobilisation) représentent la forme la plus courante de travail de l'imagination. Ils misent fréquemment sur le fait ou la possibilité d'émigrer ou de faire sécession. Mais le plus important est qu'ils sont conscients d'eux-mêmes : de leur identité, de leur culture, et de leur héritage, tout ce qui a tendance à relever du vocabulaire que les mouvements culturalistes emploient délibérément dans leurs luttes contre les États et contre d'autres foyers ou groupes culturels. C'est parce qu'ils utilisent délibérément, stratégiquement, et de manière populiste ce matériel culturel que l'on peut à bon droit qualifier ces mouvements de culturalistes, bien qu'ils puissent diverger sur de nombreux points. Les mouvements culturalistes, qu'ils impliquent les Noirs américains, les Pakistanais de Grande-Bretagne, les Algériens de France, les Américains natifs de Hawaii, les Sikhs ou les citoyens francophones du Canada, ont une commune tendance à s'opposer à l'entité nationale et dépasser la culture officielle. Dans son sens le plus large, le culturalisme est la forme qu'ont tendance à adopter les différences culturelles, à l'ère des moyens de communication de masse, des déplacements de population et de la globalisation, comme je le montrerai dans la dernière partie de ce livre.

De la culture des aires

L'inflexion principale que je souhaiterais donner au débat sur la globalisation consiste dans l'importance que j'accorde, dans l'approche anthropologique, aux phénomènes culturels. En ce qui me concerne, cette importance est encore renforcée par ma formation et ma pratique, dans les groupes de recherches consacrés aux aires culturelles, et plus précisément par mon étude de l'Asie du Sud aux États-Unis. Il n'existe pas encore d'analyse critique approfondie du lien qui rattache aux États-Unis l'émergence dans l'anthropologie, entre les deux guerres mondiales, de l'idée de zones culturelles, et la formation à part entière, après la Seconde Guerre mondiale, d'aires culturelles considérées comme l'instrument majeur d'analyse des régions stratégiquement importantes du monde en développement. Pourtant ces deux perspectives nous conduisent à dresser une carte d'un genre un peu particulier, où les groupes et leurs modes de vie sont reconnaissables à leurs différences culturelles. Dans la tradition des aires culturelles, ces différences donnent lieu à une topographie organisée autour des différences culturelles nationales. Les divisions géographiques, les différences culturelles et les frontières nationales ont tendance à devenir isomorphes : ainsi s'est renforcée une forte tendance à réfracter les processus mondiaux à travers cette sorte de carte nationale et culturelle du monde. En plus de cet imaginaire spatial, les aires culturelles accordent une importance particulière, quoiqu'elle demeure parfois tacite, au caractère stratégique des informations que les chercheurs obtiennent dans cette perspective. C'est la raison des liens souvent soulignés entre la Guerre froide, les fonds réunis par le gouvernement et l'expansion de l'Université dans l'organisation des centres d'aires culturelles après la Seconde Guerre mondiale. Néanmoins, c'est grâce aux aires culturelles que l'on a pu résister aux illusions dont se berce une grande partie de la science sociale canonique, lorsqu'elle s'appuie sur des considérations sans aucun ancrage concret. Cet aspect de ma formation m'a contraint à situer ma généalogie du présent global dans la zone que je connais le mieux : l'Inde.

De nos jours, les structures et les constructions idéologiques des aires culturelles aux États-Unis traversent une période d'incertitude. Lorsqu'ils ont reconnu à quel point les aires culturelles avaient été profondément liées à un état stratégique du monde, influencé par les intérêts de la politique étrangère des États-Unis entre 1945 et 1989, des dirigeants appartenant au monde des universités, des fondations, des groupes de réflexion et même du gouvernement, ont compris clairement que l'ancienne manière de pratiquer les aires culturelles ne pouvait plus avoir cours dans le monde d'après 1989. Ainsi, les partisans du marché libre et les défenseurs de la libéralisation, qui tolèrent mal ce qu'ils nomment, par dérision, l'étroitesse d'esprit et le fétichisme historique des experts en aires culturelles, ont rejoint tout un courant de gauche opposé aux aires culturelles, et dont l'inspirateur est un important orientaliste, Edward Said. Les spécialistes des aires culturelles sont aujourd'hui largement critiqués, au motif qu'ils s'opposent à l'étude exhaustive du champ social, du point de vue des études comparatives, de l'histoire contemporaine, comme de l'approche de la société civile ou des marchés financiers. Bien entendu, aucune critique aussi radicale et aussi soudaine ne peut être entièrement juste, et cette coalition hétéroclite d'opposants suggère que l'enseignement des aires culturelles est peut-être en train de subir les conséquences d'un plus large échec de l'Université américaine : échec à fournir, du monde d'après 1989, une image plus vaste et plus lucide.

La tradition des aires culturelles est une arme à double tranchant. Dans une société qui, de notoriété publique, est obsédée par toutes les performances exceptionnelles et par la préoccupation infinie de l'« Amérique », cette tradition a offert un minuscule refuge à tous ceux qui souhaitaient se consacrer sérieusement à l'étude des langues étrangères, des visions du monde alternatives, et des vastes perspectives qui s'offrent à des bouleversements socioculturels en dehors de l'Europe et des États-Unis. Du fait de sa tendance à pratiquer une approche philologique (au sens strict, c'est-à-dire lexical, du terme) et parce qu'on l'a beaucoup trop identifiée aux domaines de sa spécialisation, l'image des aires culturelles s'est trouvée quelque peu brouillée. Néanmoins, les aires culturelles ont représenté l'un des contrepoids les plus efficaces à l'inlassable tendance, courante dans l'Université américaine et plus généralement dans la société américaine, à marginaliser de larges parties du monde. Jusqu'à présent la tradition des aires culturelles a probablement grandi avec le sentiment trop confortable de détenir ses propres cartes du monde, avec une confiance trop grande dans les jugements de ses propres experts, et elle ne s'est pas assez préoccupée des processus transnationaux passés et présents. Ainsi, critiques et réformes s'imposent certainement (il n'y a aucune objection à suggérer des critiques et des réformes), mais la question fondamentale est la suivante : comment les aires culturelles peuvent-elles contribuer à une amélioration de la manière dont les images du monde sont produites aux États-Unis ?

Dans la perspective suivie ici, et dans le reste de ce livre, les aires culturelles nous rappellent de manière salutaire que la globalisation constitue en elle-même un processus profondément historique, irrégulier, et qui renforce même *l'ancrage dans le local*. La globalisation n'implique pas nécessairement, ni même souvent, une homogénéisation ou une américanisation du monde ; aussi étendue, et aussi différente, que soit l'appropriation, par des sociétés différentes, des matériaux de la modernité, il reste encore largement assez d'espace pour une étude approfondie de géographies, d'histoires et de langues particulières. Dans les chapitres II et III, j'engagerai une discussion à propos de la relation entre l'histoire et la généalogie ; or, une telle discussion serait impossible à qui ne posséderait pas un sens affirmé des événements qui se sont produits sur une longue durée, et qui sont toujours à l'origine de géographies particulières, autant réelles qu'imaginaires. Si la généalogie des formes culturelles étudie leur circulation à travers différentes régions, l'histoire de ces formes étudie, quant à elle, leur ancrage domestique à l'intérieur d'un usage local. L'interaction entre ces formes historiques et généalogiques est elle-même irrégulière, variable et contingente. En ce sens, l'histoire – discipline impitoyable des contextes, selon la formule imagée d'E. P. Thomson – est cruciale. Ce qui ne veut pas dire pour autant que les aires culturelles privilégient instinctivement tout ce qui a trait au local, bien qu'on ait pu leur en faire le reproche. Quoi qu'il en soit, les aires culturelles constituent une technique occidentale spécifique de recherche et ne peuvent guère prétendre fournir purement et simplement un reflet fidèle de l'Autre de la civilisation. Si l'on veut redonner une seconde jeunesse à la tradition des aires culturelles, il faut reconnaître que le local lui-même est un produit historique, et que les histoires, qui ont permis l'émergence de ces zones locales, sont, en dernière instance, dépendantes de la dynamique du monde global. N'oublions pas que le local n'est jamais simple : cet argument constituera le thème essentiel du dernier chapitre de ce livre.

Cet examen un peu hétérogène des aires culturelles, tradition dans laquelle je suis immergé depuis vingt-cinq ans, sous-tend deux des chapitres centraux de ce livre, consacrés à l'Inde. Ces chapitres, qui traitent du recensement et du cricket, équilibrent de manière harmonieuse d'autres développements qui sembleraient, sinon, trop globaux. Mais je m'empresse de plaider que l'Inde, dans ce livre, ne doit pas être considérée comme un simple cas ou comme un exemple illustrant une réalité plus vaste qu'elle. Elle représente plutôt un *point d'ancrage*, à partir duquel nous pouvons étudier les modalités de l'émergence du local, dans un monde qui cherche à tout rendre global, les modalités du soutien que les processus coloniaux fournissent aux politiques contemporaines, la manière dont l'histoire et la généalogie s'infléchissent l'une l'autre, et les formes locales que prennent des événements globaux[5]. En ce sens, ces chapitres – et le recours fréquent à l'Inde tout au long de ce livre – concernent moins l'Inde (considérée comme un fait naturel), que les processus d'émergence de l'Inde contemporaine. Je suis conscient de l'ironie (et même de la contradiction) qui consiste à choisir un État-nation comme référent principal d'un livre consacré à la globalisation et convaincu de la fin de l'ère de l'État-nation. Mais, sur ce point, mes compétences et mes limites sont les deux faces d'une même pièce, et je demande au lecteur de considérer l'Inde comme un instrument d'optique et non pas comme un fait social réifié ou comme le résultat d'un réflexe nationaliste un peu primaire.

J'ai fait ce détour afin de bien montrer que je suis tout à fait conscient que l'écriture d'un livre sur la globalisation est toujours un exercice légèrement mégalomaniaque, surtout quand il a vu le jour dans le contexte relativement privilégié de la recherche au sein de l'Université américaine. Il me paraît important d'identifier les modèles théoriques auxquels une pareille mégalomanie peut s'articuler. En ce qui me concerne, ces formes – l'anthropologie et les aires culturelles – m'ont accoutumé à situer les pratiques, les espaces et les pays sur une carte identifiant des différences statiques.

Contrairement à ce que l'on pourrait pressentir, cette démarche n'est pas sans danger, même pour un livre tel que le mien qui doit sa forme à une préoccupation explicite pour la diaspora, la déterritorialisation et l'irrégularité des liens qui rattachent les nations, les idéologies et les mouvements sociaux.

La science sociale après le patriotisme

La dernière partie de cet « ici et maintenant » est consacrée à un événement du monde moderne qui a attiré l'attention de certains des meilleurs penseurs contemporains dans le domaine des sciences sociales et humaines : je veux parler du problème de l'État-nation, de son histoire, de sa crise actuelle et de ses perspectives d'avenir. Quand j'ai commencé à écrire ce livre, la crise de l'État-nation n'était pas ma préoccupation essentielle. Mais, au cours des six années durant lesquelles j'ai rédigé ces chapitres, j'en suis venu à la conviction que l'État-nation, en tant que forme politique moderne complexe, est proche de sa fin. Nous sommes encore loin de pouvoir l'affirmer avec certitude, et les premiers résultats constituent aujourd'hui un faisceau de données à peine suffisant. Bien sûr, je n'ignore pas que tous les États-nations ne possèdent pas le même imaginaire national, les mêmes appareils d'État, ni des liens d'égale force entre eux. Néanmoins, ce livre contribue en partie à justifier ce qui apparaîtrait autrement comme une vision réifiée de l'État-nation. Les États-nations, en ce qui concerne leurs différences majeures (qui pourrait confondre le Sri Lanka avec la Grande-Bretagne ?), n'ont de sens qu'en tant qu'ils appartiennent à un même système. Ce système – même si on le considère comme le système de leurs différences – n'est guère préparé à gérer les réseaux de diasporas d'individus et d'images, qui caractérisent notre « ici et maintenant ». Unités au sein d'un système interactif complexe, les États-nations n'arbitreront sans doute pas à long terme les relations entre globalité et modernité.

Cette idée, selon laquelle quelques États-nations traversent une crise, est la base des politiques comparatives et a en quelque sorte servi à justifier une grande partie de la théorie de la modernisation, particulièrement dans les années 1960. L'idée de la faiblesse, de la maladie, de la corruption ou de l'avachissement de certains États est dans l'air depuis plusieurs décennies (vous souvenez-vous de Gunnar Myrdahl ?). Plus récemment, on s'est largement entendu pour considérer le nationalisme comme une maladie, surtout quand il s'agit du nationalisme du voisin. À l'ère des multinationales, l'idée selon laquelle tous les États-nations subissent jusqu'à un certain point les attaques de mouvements globaux – armes, argent, maladies et idéologies – ne semble guère nouvelle. Mais l'idée selon laquelle le système lui-même de l'État-nation est en danger n'est pas très populaire. Pour comprendre mon examen obstiné du trait d'union qui relie la nation à l'État, il faut toujours avoir en tête que ce livre relève d'une thèse plus large, à savoir : l'État-nation lui-même approche de sa fin. Il me faut expliquer clairement cette perspective, qui se situe à mi-chemin entre un diagnostic et un pronostic, entre une intuition et une thèse argumentée.

En premier lieu, je dois établir une distinction entre l'aspect éthique et analytique de ma thèse. Du point de vue éthique, je suis de plus en plus enclin à considérer que la plupart des appareils modernes de gouvernement ont tendance à se perpétuer, à enfler démesurément, à céder à la violence et à la corruption. Ici me rejoignent des théoriciens de gauche comme de droite. Le problème éthique auquel je suis souvent confronté est le suivant : si l'État-nation disparaît, quel mécanisme assurera la protection des minorités, la répartition minimale des droits démocratiques, et la possibilité, dans des limites raisonnables, d'un accroissement de la société civile ? Pour toute réponse, je n'ai que mon ignorance, mais cet aveu d'ignorance ne peut suffire à ce que je me prononce, d'un point de vue éthique, en faveur d'un système qui semble rongé par une maladie endémique. Il existe des modèles sociaux et des possibilités alternatives ; de même, des modèles sociaux existants et des réaménagements contiennent déjà en germe des modèles différents et moins centralisés de loyauté et d'appartenance transnationales. C'est l'un des aspects de la thèse développée dans le chapitre VII, bien que j'admette volontiers que le chemin qui conduit de mouvements transnationaux variés à des formes plus établies de gouvernement transnational n'est pas toujours tracé très clairement. Quoi qu'il en soit, je préfère rechercher – c'est-à-dire, véritablement, inventer – ces autres possibilités plutôt que d'adopter la stratégie consistant à repérer les États-nations qui me semblent en meilleur état que d'autres, avant de suggérer quelques mécanismes variés de mutation idéologique. Cette dernière stratégie rejoue indéfiniment la politique de la modernisation associée au développement ; elle s'appuie toujours sur les mêmes fondements triomphalistes, et nous offre toujours les mêmes perspectives d'avenir peu crédibles.

Le développement éthique de ma thèse est nécessairement flou, ce qui n'est pas le cas de son développement analytique. Même une inspection rapide des relations intérieures et extérieures de plus de cent cinquante États-nations, membres actuels des Nations Unies, nous apprend que les guerres entre pays frontaliers, les guerres culturelles, l'inflation galopante, les mouvements massifs d'immigration ou des fuites sérieuses de capitaux menacent la souveraineté de nombre d'entre eux. Là où la souveraineté de l'État est apparemment intacte, sa légitimité est fréquemment menacée. Même dans des États-nations qui ont l'air aussi solides que les États-Unis, le Japon ou l'Allemagne, des débats autour de la race et des droits, de l'adhésion et de la loyauté, de la citoyenneté et de l'autorité ne sont plus en marge des discussions culturelles. L'argument en faveur de la longévité de la forme de l'État-nation prend appui sur l'exemple de ces pays apparemment assurés de leur sécurité et de leur légitimité ; en revanche, l'argument inverse se réclame des nouveaux nationalismes ethniques qui se développent dans le monde, particulièrement en Europe de l'Est. Aux États-Unis, la Bosnie-Herzégovine est presque toujours désignée comme *le* principal symptôme, qui révèle que le nationalisme est vivant et malade, tandis que les riches démocraties sont censées démontrer que l'État-nation est vivant et en bonne santé.

Étant donné la fréquence avec laquelle on utilise l'Europe de l'Est pour montrer que le tribalisme est un phénomène profondément humain, que le nationalisme des peuples hors de chez nous constitue un tribalisme au sens large, et que la souveraineté territoriale demeure encore le but principal de nombreux groupes ethniques très étendus, permettez-moi de proposer une autre interprétation. Selon moi, les enjeux liés à l'Europe de l'Est ont été singulièrement déformés par les opinions populaires sur le nationalisme et véhiculées par les journaux ou par les institutions aux États-Unis. L'Europe de l'Est aurait dû constituer l'exemple même de la complexité de tous les nationalismes ethniques contemporains ; au lieu de quoi, elle a servi – notamment à travers la question de la Serbie – à démontrer la vigueur persistante des nationalismes, pour lesquels le territoire, la langue, la religion, l'histoire et le sang convergent, et à fournir un exemple typique de l'enjeu profond du nationalisme. Bien entendu, il est fascinant que quelques-uns des idéologues de gauche de l'Europe de l'Est aient pu convaincre la presse occidentale libérale que le nationalisme constitue *réellement* une politique de priorité, alors que la vraie question consiste à comprendre comment il a réussi à *apparaître* comme tel. Cela explique certainement notre fascination et notre intérêt pressant pour l'Europe de l'Est ; méfions-nous quand même des experts qui prétendent avoir rencontré des archétypes sous l'espèce d'événement réels.

La revendication commune aux mouvements qui luttent contre l'idée de nation, qui prônent la sécession, le supranationalisme ou le renouveau de l'appartenance ethnique sur une large échelle, consiste plutôt dans l'autodétermination que dans la souveraineté territoriale en tant que telle. Même dans les cas – telle la Palestine – où la question du territoire représente visiblement un enjeu fondamental, on pourrait démontrer que les discussions à propos de la terre et du territoire dérivent d'arguments portant en réalité sur le pouvoir, la justice, et l'autodétermination. Dans un monde où les individus sont mobiles, où la circulation des produits s'est généralisée, où les États sont incapables d'accorder les droits fondamentaux aux populations qui pourtant représentent la majorité ethnique (*cf.* chapitre I), la souveraineté territoriale constitue une justification de plus en plus difficile pour ces États-nations qui dépendent de plus en plus des travailleurs, des experts, des armes ou des soldats venus de l'étranger. Pour les mouvements qui contestent la nation, la souveraineté territoriale représente une formulation plausible de leurs revendications, mais il serait erroné de croire qu'elle exprime leur logique profonde ou leur préoccupation suprême. On tomberait alors dans ce que j'appelle l'Illusion bosniaque, à savoir que l'on commettrait une double erreur : d'une part, méconnaître les luttes ethniques en Europe de l'Est, considérées comme tribalistes et primordiales (le *New York Times* est le chef de file de cette position erronée) ; d'autre part, aggraver cette erreur en faisant de l'Europe de l'Est le cas exemplaire de tous les nationalismes émergents. Si l'on veut éviter l'Illusion bosniaque, il faut faire deux concessions difficiles : tout d'abord, concéder que les systèmes politiques des nations modernes apparemment en bonne santé pourraient bien eux-mêmes traverser une crise ; ensuite, que les nationalismes qui font leur apparition dans de nombreuses parties du monde pourraient bien se fonder sur des sentiments patriotiques qui ne sont axés, ni exclusivement, ni fondamentalement, sur des revendications territoriales. Plusieurs chapitres de ce livres se proposent de montrer que cette double concession est nécessaire. Ce faisant, il ne m'a pas toujours paru facile, malgré tous mes efforts, de maintenir une distinction tranchée entre le point de vue analytique et éthique selon lequel on considère les perspectives d'avenir qui s'offrent à l'État-nation.

Dans la mesure où l'État-nation entre dans sa phase terminale (si du moins mes pronostics sont justes), nous pouvons déjà nous attendre à découvrir autour de nous des matériaux pour reconstruire un imaginaire postnational. Sur ce point, je pense que nous devons prêter une attention particulière à la relation entre les moyens de communication de masse et les mouvements migratoires, deux faits sur lesquels repose la signification que j'accorde à la politique culturelle qui se développe dans le monde global moderne. Nous devons notamment étudier de près la variété de ce qui est apparu sous la forme de *diasporas de publics enfermés dans leur bulle*. Benedict Anderson nous a rendu service en identifiant le rôle majeur qu'ont joué certains moyens de communication de masse (notamment les journaux, romans et autres médias imprimés) dans la constitution d'un imaginaire national et sa diffusion, dans l'univers colonial de l'Asie et ailleurs. Ma thèse générale est qu'il existe une relation analogue entre le travail de l'imagination et l'apparition d'un univers politique postnational. Sans le recul que confère le trajet global accompli par l'idée de nation, on parviendrait difficilement à connaître clairement le rôle que l'imagination va jouer à l'ère postnationale. Mais du fait de la domination croissante des moyens de communication de masse par les médias électroniques (ce qui implique qu'ils passent de moins en moins par la lecture et l'écriture), du fait de la relation croissante, à l'intérieur des frontières nationales, entre producteurs et publics, et du fait des nouveaux échanges que permettent ces publics entre les citoyens qui émigrent et ceux qui restent au pays, nous assistons à l'accroissement de ces diasporas de publics enfermés dans leur bulle.

Ces diasporas de publics sont souvent en relation avec des étudiants et d'autres intellectuels. L'établissement d'une loi respectant la majorité noire en Afrique du Sud rend possibles de nouveaux genres de discours sur la démocratie raciale, en Afrique comme aux États-Unis ou aux Caraïbes. Le monde islamique représente pour nous l'exemple le plus familier d'une grande diversité de discussions et de projets qui transcendent les frontières nationales. Les religions étaient autrefois résolument ancrées dans une réalité nationale ; elles mènent aujourd'hui, avec une vitalité renouvelée, des missions globales et s'adressent à des fidèles dispersés par la diaspora. L'hindouisme global constitue, dans la dernière décennie, le meilleur exemple de ce processus. Des mouvements activistes préoccupés par l'environnement, par la place des femmes et, plus généralement, par les droits de l'homme ont ouvert un espace à un discours transnational, qui repose souvent sur l'autorité morale de réfugiés, d'exilés et d'autres personnes déplacées. Les principaux mouvements transnationaux et séparatistes comme les Sikhs, les Kurdes et les Tamouls du Sri Lanka inventent leur propre identité dans divers endroits de la planète, où ils possèdent suffisamment de sympathisants pour favoriser l'apparition de connexions multiples, au sein d'une sphère publique plus large de la diaspora.

La vague de débats autour du multiculturalisme, qui a submergé les États-Unis et l'Europe, témoigne certainement de l'incapacité des États à empêcher leurs minorités de s'affilier à des groupements plus vastes réunis par l'appartenance ethnique ou religieuse. Ces exemples, et d'autres encore, suggèrent ceci : l'époque où nous pouvions affirmer que des sphères de publics devaient leur existence – de manière significative, exclusive ou nécessaire – à une appartenance nationale pourrait bien approcher de sa fin.

Les diasporas de publics enfermés dans leur bulle, différentes les unes des autres, constituent les creusets d'un ordre politique postnational. Elles ont pour moteur de leur discours les médias de masse (à la fois moyens d'interaction et d'expression) et les mouvements de réfugiés, d'activistes, d'étudiants et de travailleurs. Il se pourrait bien que l'émergence d'un ordre postnational donne lieu, non pas à un système formé d'unités homogènes (comme c'est le cas du système actuel des États-nations), mais à un système fondé sur des relations entre des unités hétérogènes (quelques mouvements sociaux, groupes d'intérêts, corps professionnels, organisations non gouvernementales, polices armées, corps judiciaires). Ce nouvel ordre va être confronté à un défi : une telle hétérogénéité est-elle compatible avec un accord minimal sur les normes et les valeurs, sans pour autant adhérer strictement au contrat social libéral de l'Occident moderne ? On ne résoudra pas cette question décisive par un décret académique, mais par des négociations (recourant autant au dialogue qu'à la violence) qui verront se confronter les mondes rêvés par ces intérêts et ces mouvements différents. À court terme, comme nous le constatons déjà, ce monde verra sans doute se développer des manifestations d'incivilité et de violence. À long terme, libérés des contraintes de la nation, nous pourrions trouver que la liberté culturelle et la justice se passent très bien de l'existence générale et uniforme de l'État-nation. Cette possibilité menaçante pourrait bien être le profit le plus excitant que nous retirerions de notre vie, au sein d'une modernité qui nous échappe.

PREMIÈRE PARTIE

Flux globaux

CHAPITRE PREMIER

Disjonction et différence
dans l'économie culturelle globale

Il suffit d'être un tant soit peu au courant de ce qui se passe aujourd'hui dans le monde pour comprendre que celui-ci est devenu un système interactif d'un genre tout à fait nouveau. Les historiens et les sociologues, notamment ceux qui s'intéressent aux processus translocaux[1] et aux systèmes mondiaux associés au capitalisme[2], savent bien que, depuis des siècles, le monde est une masse hétéroclite d'interactions à grande échelle. Cependant, il implique aujourd'hui des interactions d'un autre ordre et d'une intensité nouvelle. Dans le passé, les transactions culturelles entre groupes sociaux étaient en général assez limitées, parfois du fait de la géographie et de l'écologie, parfois du fait d'une résistance active à toute interaction avec l'Autre. Ce fut le cas de la Chine pendant presque toute son histoire, ou du Japon avant la restauration Meiji. Quand il existait des transactions culturelles soutenues entre de vastes parties du globe, il s'agissait le plus souvent du transport au long cours de marchandises (et des marchands qui les accompagnaient), de voyageurs et d'explorateurs en tout genre[3]. Avant le XXᵉ siècle, les deux principales forces permettant une interaction culturelle soutenue ont été les guerres (et les systèmes politiques à grande échelle qu'elles ont parfois générés) et les religions révélées qui, dans le cas de l'Islam par exemple, ont pu considérer la guerre comme l'un des moyens légitimes de leur expansion. Ainsi, entre voyageurs et marchands, pèlerins et conquérants, le monde a connu un trafic culturel sur de longues distances – et de longues périodes de temps. Cela semble aller de soi.

Mais on ne saurait nier qu'étant donné les problèmes de distance et de temps, étant donné aussi l'aspect limité des technologies visant au contrôle des ressources à travers de vastes espaces, les échanges culturels entre des groupes socialement et spatialement éloignés n'ont été, jusqu'à ces derniers siècles, établis qu'à grand-peine et maintenus dans le temps que par un effort soutenu. Les forces de gravité culturelle semblaient toujours reculer devant la formation d'œcuménismes à grande échelle, qu'ils fussent religieux, commerciaux ou politiques, en faveur d'accrétions à une échelle plus restreinte et aux intérêts plus limités.

Ensuite, la nature de ce champ gravitationnel semble avoir parfois changé. En partie du fait de l'esprit expansionniste et des intérêts maritimes de l'Occident depuis 1500, en partie à cause d'un développement relativement autonome de vastes formations sociales agressives dans les Amériques (les Aztèques et les Incas), en Eurasie (les Mongols et leurs descendants, les Moghols et les Ottomans), dans les îles du Sud-Est asiatique (les Bugis) et dans les royaumes de l'Afrique précoloniale (par exemple au Dahomey), un ensemble d'œcuménismes ayant des points de superposition a commencé à émerger, dans lequel les intérêts hétéroclites d'argent, de commerce, de conquête et de migration ont créé des liens transsociétaux durables. Ce processus a été accéléré par les transferts de technologie et les innovations de la fin du XVIIIe siècle et du XIXe siècle[4], qui ont mené à la création d'ordres coloniaux complexes, centrés sur les capitales européennes et disséminés à travers le monde non européen. Cet ensemble intriqué de mondes eurocoloniaux (d'abord les Espagnols et les Portugais, puis essentiellement les Anglais, les Français et les Hollandais) a posé la base d'un trafic permanent des idées de population et d'individu, auquel nous devons les communautés imaginées[5] des nationalismes récents sur toute la planète.

Avec ce que Benedict Anderson a appelé « le capitalisme de l'imprimé », un nouveau pouvoir s'est répandu dans le monde, celui d'une instruction de masse et de son corollaire : une production à large échelle de projets d'affinité ethnique dont la caractéristique était d'être délivrés du besoin de communication directe en face à face, ou même d'une communication indirecte entre les personnes et les groupes. L'acte de lire des choses ensemble a posé la condition d'apparition de mouvements basés sur un paradoxe – le paradoxe du primordialisme construit. Certes, l'histoire du colonialisme et des nationalismes dialectiquement engendrés par lui implique beaucoup d'autres choses[6], mais il est certain que, dans cette affaire, la question des ethnicités construites est cruciale.

Toutefois, la révolution du capitalisme de l'imprimerie, de même que les affinités et les dialogues culturels qui en ont découlé, n'étaient que les modestes précurseurs du monde dans lequel nous vivons aujourd'hui. Car le siècle passé a été le témoin d'une explosion technologique, surtout dans les domaines du transport et de l'information, au terme de laquelle les interactions d'un monde dominé par l'imprimé semblent avoir disparu aussi aisément qu'elles avaient été durement acquises – tout comme la révolution de l'imprimerie avait, en son temps, rendues obsolètes les formes précédentes d'échange culturel. Avec l'avènement des bateaux à vapeur, des automobiles, des avions, de la photo, de l'ordinateur et du téléphone, nous sommes en effet entrés dans un état complètement nouveau de voisinage, et ce, même avec les gens les plus éloignés de nous. Marshall McLuhan, parmi d'autres, a cherché à théoriser ce monde sous le terme de « village global », mais il semble bien que de telles théories aient surestimé les implications communautaires du nouvel ordre médiatique[7]. Chaque fois que nous sommes tentés de parler de village global, nous devons aussi nous rappeler que les médias créent des communautés « sans notion de lieu[8] ». Nous vivons dans un monde rhizomatique[9], voire schizophrène, qui fait appel, d'une part, à des théories sur le déracinement, l'aliénation et l'écart psychologique entre les individus et les groupes, et, d'autre part, à des rêves – ou à des cauchemars – de proximité électronique. Nous sommes proches ici de la problématique centrale des processus culturels de notre époque.

Ainsi, la curiosité qui a poussé Pico Iyer vers l'Asie[10] est à certains égards le produit d'une confusion entre une ineffable « McDonaldisation » du monde et le jeu beaucoup plus subtil des trajectoires indigènes de désir et de crainte avec les flux planétaires de gens et d'objets. En réalité, les propres impressions d'Iyer témoignent du fait que si *un* système culturel global est en train d'émerger, il est truffé d'ironies et de résistances, parfois camouflées dans le monde asiatique sous l'apparence de la passivité et d'un appétit sans bornes pour les objets occidentaux.

L'explication que donne Pico Iyer de la mystérieuse affinité des Philippins avec la musique populaire américaine illustre parfaitement ce qu'est la culture globale de l'hyper-réel : les interprétations philippines de ces chansons populaires sont à la fois plus répandues aux Philippines et, curieusement, plus fidèles aux originaux qu'elles ne le sont aux États-Unis actuellement. Une nation entière semble avoir appris à imiter Kenny Rogers et les Lennon Sisters, comme si Motown avait engendré un immense chœur asiatique. Mais « américanisation » est un terme bien pâle pour définir cette situation : d'abord, parce que moins d'Américains que de Philippins interprètent à la perfection certaines chansons – souvent assez anciennes – du répertoire américain ; ensuite, parce que les Philippins ne vivent pas, bien sûr, en totale synchronie avec le monde de référence dans lequel sont nées autrefois ces chansons.

Par une torsion globalisante supplémentaire de ce que Fredric Jameson a appelé « la nostalgie du présent[11] », ces Philippins se tournent avec regret vers un monde qu'ils n'ont jamais perdu. C'est l'une des principales ironies de la politique des flux culturels globaux, notamment dans le domaine de la distraction et des loisirs. Elle fait des ravages avec l'hégémonie de l'eurochronologie. La nostalgie américaine se nourrit du désir des Philippins, lequel se manifeste par une reproduction hypercompétente. Ici, la nostalgie est sans mémoire. Naturellement, ce paradoxe a des explications, historiques en l'occurrence ; une fois exposées, elles dévoilent l'histoire de l'action missionnaire des Américains aux Philippines et du viol politique qu'ils y ont perpétré, dont l'une des conséquences fut la création d'une nation de pseudo-Américains qui tolérèrent fort longtemps une Première Dame jouant du piano tandis que les taudis de Manille s'étendaient et tombaient en ruine. Les postmodernes les plus radicaux soutiendraient peut-être que tout cela n'est guère surprenant, puisque, dans les chronicités spécifiques au capitalisme tardif, le pastiche et la nostalgie sont des modes centraux de production et de réception d'images. Les Américains eux-mêmes ne sont plus guère dans le présent : d'un pas trébuchant, ils entrent dans les mégatechnologies du XXIᵉ siècle accoutrés des scénarios de films qui ont fait frissonner les années 1960, des dîners des années 1950, des habits des années 1940, des maisons des années 1930, des danses des années 1920, etc., *ad libitum*.

En ce qui concerne les États-Unis, on pourrait suggérer que la question n'est plus celle de la nostalgie, mais bien celle d'un *imaginaire* social largement construit sur des reprises. Jameson a eu la force de lier la politique de la nostalgie à la sensibilité des postmodernes aux marchandises – et sans doute avait-il raison[12]. La guerre de la drogue en Colombie résume les suées tropicales du Viêt-nam, avec Olivier North et sa succession de masques – James Stewart dissimule John Wayne, qui dissimule Spiro Agnew, et tous se métamorphosent en Sylvester Stallone, qui triomphe en Afghanistan –, satisfaisant ainsi, de manière simultanée, l'envie secrète que l'impérialisme soviétique inspire aux Américains et la reprise, cette fois avec un *happy end*, de la guerre du Viêt-nam. À l'approche de la cinquantaine, les Rolling Stones se contorsionnent devant des jeunes gens de dix-huit ans qui ne semblent pas éprouver le besoin qu'on leur vende la machinerie de la nostalgie à propos des héros de leurs parents. Paul McCartney vend les Beatles à un nouveau public en raccrochant sa nostalgie rampante au désir qu'a ce public d'un nouveau qui l'emporterait sur l'ancien. *Dragnet* est de retour sous les oripeaux des années 1990, tout comme *Adam-12*, sans parler de *Batman* et de *Mission impossible*, tous relookés technologiquement, mais remarquablement fidèles à l'atmosphère des originaux.

Le passé n'est plus une terre où l'on retourne par le biais d'une simple politique de la mémoire. Il est devenu un entrepôt synchronique de scénarios culturels, une sorte de casting temporel central auquel on peut avoir recours à sa guise en fonction du film à faire, de la scène à montrer, des otages à sauver. Tout cela participe, si l'on suit Jean Baudrillard ou Jean-François Lyotard, du parcours vers un monde de signes totalement détachés de leurs signifiants sociaux : le monde entier est un Disneyland. Mais j'aimerais suggérer que la capacité apparemment croissante des styles culturels du capitalisme avancé à substituer des périodes et des postures entières l'une à l'autre est liée à des forces globales plus larges, qui ont beaucoup fait pour démontrer aux Américains que le passé est généralement un autre pays. Si votre présent est leur avenir (comme le prônent la plupart des théories de la modernisation et nombre de fantasmes touristiques autosatisfaits) et si leur avenir est votre passé (comme dans le cas des Philippins qui interprètent avec virtuosité la musique populaire américaine), alors il est possible de faire apparaître votre propre passé comme une simple modalité normalisée de votre présent. Ainsi, bien que certains anthropologues puissent encore reléguer leurs Autres dans des espaces temporels qu'ils n'occupent pas eux-mêmes[13], les productions culturelles postindustrielles sont entrées dans une phase postnostalgique.

Le point le plus important, toutefois, est que les États-Unis ne tirent plus les ficelles d'un système mondial d'images, mais sont devenus un simple nodule d'une construction transnationale complexe de paysages imaginaires. Le monde dans lequel nous vivons aujourd'hui se caractérise par le rôle nouveau de l'imagination dans la vie sociale. Pour bien le saisir, nous devons associer trois idées : la vieille idée des images, notamment des images produites mécaniquement (au sens de l'École de Francfort) ; l'idée de communauté imaginée (au sens que lui donne Benedict Anderson) ; l'idée française d'imaginaire – et considérer l'ensemble comme un paysage construit d'aspirations collectives, ni plus ni moins réel que les représentations collectives d'Émile Durkheim, qui transite aujourd'hui par le prisme complexe des médias modernes.

L'image, l'imaginé, l'imaginaire... Ces mots nous dirigent vers quelque chose de crucial et de nouveau dans les processus culturels globaux : *l'imagination comme pratique sociale*. L'imagination n'est plus une pure rêverie (opium du peuple dont le véritable travail est ailleurs), ni une simple évasion (d'un monde défini principalement par des objectifs et des structures plus concrets), ni un passe-temps réservé aux élites (et donc sans pertinence pour la vie des gens ordinaires), ni de la pure contemplation (non pertinente pour les nouvelles formes de désir et de subjectivité) ; au contraire, elle est devenue un champ organisé de pratiques sociales, une forme de travail (au sens à la fois de labeur et de pratique organisée culturellement) et une forme de négociation entre des sites d'actants (les individus) et des champs globalement définis de possibles. Ce débridement de l'imagination relie le jeu du pastiche (dans certains contextes) à la terreur et à la coercition des États et de leurs concurrents. L'imagination est désormais centrale à toutes les formes d'action, tout en étant elle-même un fait social et le composant clé du nouvel ordre mondial. Mais pour donner tout son sens à cette affirmation, il nous faut aborder d'autres questions.

Homogénéisation et hétérogénéisation

Le principal problème des interactions globales aujourd'hui est celui de la tension entre homogénéisation et hétérogénéisation culturelles. À l'appui de l'argument « homogénéisation », on pourrait avancer un large éventail de faits empiriques, issus pour la plupart du segment de gauche du spectre des études sur les médias [14], mais aussi d'autres perspectives [15]. Le plus souvent, cet argument se subdivise, soit en une controverse sur l'américanisation, soit en une controverse sur l'omniprésence de la marchandise – ces deux débats étant souvent étroitement liés. Ce qu'ils manquent toutefois à considérer, c'est qu'à mesure que les forces issues de diverses métropoles débarquent dans de nouvelles sociétés, elles tendent rapidement à s'indigéniser d'une façon ou d'une autre : c'est vrai de la musique et des styles d'architecture, autant que de la science et du terrorisme, des spectacles et des constitutions. Cette dynamique commence tout juste à être explorée systématiquement [16], mais il convient déjà de remarquer que pour le peuple d'Irian Jaya, l'indonésisation peut être bien plus préoccupante que l'américanisation, tout comme la japonisation peut l'être pour les Coréens, l'indianisation pour les Sri-Lankais, la vietnamisation pour les Cambodgiens et la russification pour les peuples de l'ex-Arménie soviétique et des républiques baltes. Cette liste de craintes autres que l'américanisation pourrait s'allonger considérablement, mais il ne s'agit pas d'un inventaire pêle-mêle : pour les gouvernements à échelle réduite, il existe toujours une crainte d'absorption culturelle par des régimes plus importants, en particulier lorsqu'ils se trouvent géographiquement proches. La communauté imaginée par les uns est la prison politique des autres.

Cette dynamique d'échelle, qui a diffusé des manifestations globales, tient également à la relation entre nations et États, sur laquelle je reviendrai plus tard. Pour le moment, notons que la simplification de ces nombreuses forces (et craintes) d'homogénéisation peut aussi être exploitée par des États-nations contre leurs propres minorités, en faisant apparaître le triomphe global de la marchandise (ou le capitalisme, ou tout autre ennemi externe) comme plus réel que la menace de ses propres stratégies d'hégémonie.

La nouvelle économie culturelle globale doit être vue comme un ordre complexe, à la fois disjonctif et possédant des points de superposition, qui ne peut plus être compris dans les termes des modèles centre-périphérie existants (même ceux qui peuvent rendre compte de centres et de périphéries multiples). On ne peut non plus l'appréhender à travers des modèles simples de poussée et de retrait (en termes de théorie des migrations), de surplus et de déficits (comme dans les modèles traditionnels d'équilibre commercial), ou de consommateurs et de producteurs (comme dans la plupart des théories du développement néomarxistes). Même les théories les plus complexes et les plus flexibles du développement global qui sont issues de la tradition marxiste [17] se sont révélées trop tortueuses et ont échoué à analyser ce que Scott Lash et John Urry ont appelé « le capitalisme désorganisé [18] ». La complexité de l'actuelle économie globale est liée à certaines disjonctions fondamentales entre économie, culture et politique que nous commençons tout juste à théoriser [19].

Pour explorer ces disjonctions, je propose dans un premier temps de considérer la relation entre cinq dimensions des flux culturels globaux : les *ethnoscapes*, les *médiascapes*, les *technoscapes*, les *financescapes* et les *idéoscapes* [20]. Le suffixe -*scape*, tiré de *landscape*, « paysage », permet de mettre en lumière les formes fluides, irrégulières de ces paysages sociaux, formes qui caractérisent le capital international aussi profondément que les styles d'habillement internationaux. Ces termes portant le suffixe commun -*scape* indiquent aussi qu'il n'est pas question ici de relations objectivement données qui auraient le même aspect, quel que soit l'angle de vision par où on les aborde, mais qu'il s'agit plutôt de constructions profondément mises en perspective, infléchies par la situation historique, linguistique et politique de différents types d'acteurs : États-nations, multinationales, communautés diasporiques, certains groupes et mouvements sous-nationaux (qu'ils soient religieux, politiques ou économiques), et même des groupes plus intimes comme les villages, les quartiers, les familles. En fait, l'acteur individuel est le dernier lieu de cet ensemble de paysages mis en perspective, car ces derniers sont finalement parcourus par des agents qui connaissent et constituent à la fois des formations plus larges, à partir notamment de leur propre sentiment de ce qu'offrent ces paysages.

Ces paysages sont donc les briques de construction de ce que j'aimerais appeler, élargissant ainsi le concept de Benedict Anderson, les *mondes imaginés*, c'est-à-dire les multiples mondes constitués par les imaginaires historiquement situés de personnes et de groupes dispersés sur toute la planète (*cf.* l'introduction). De nombreuses personnes, aujourd'hui, vivent dans de tels mondes imaginés (et non pas seulement dans des communautés imaginées) ; elles sont donc capables de contester et parfois même de subvertir les mondes imaginés de l'esprit officiel et de la mentalité d'entreprise qui les entoure.

Par *ethnoscape*, j'entends le paysage formé par les individus qui constituent le monde mouvant dans lequel nous vivons : touristes, immigrants, réfugiés, exilés, travailleurs invités et d'autres groupes et individus mouvants constituent un trait essentiel du monde qui semble affecter comme jamais la politique des nations (et celle qu'elles mènent les unes vis-à-vis des autres). Il ne s'agit pas de dire qu'il n'existe pas de communautés, de réseaux de parenté, d'amitiés, de travail et de loisir relativement stables, ni de naissance, de résidence et d'autres formes d'affiliation ; mais que la chaîne de ces stabilités est partout transpercée par la trame du mouvement humain, à mesure que davantage de personnes et de groupes affrontent les réalités du déplacement par la contrainte ou le fantasme du désir de déplacement. En outre, tant ces réalités que les désirs fantasmés fonctionnent à présent à plus grande échelle, à mesure que les hommes et les femmes de villages indiens ne rêvent plus seulement d'aller à Poona ou à Madras, mais bien à Dubaï ou à Houston, et que les réfugiés sri-lankais se retrouvent en Inde du Sud aussi bien qu'à Philadelphie. Et tandis que le capital international modifie ses besoins, tandis que la production et la technologie génèrent des besoins différents, tandis que les États-nations modifient leur politique vis-à-vis des populations réfugiées, ces groupes mouvants ne peuvent jamais, quel qu'en soit leur désir, laisser leur imagination trop longtemps inactive.

Par *technoscape*, j'entends la configuration globale et toujours fluide de la technologie, et le fait que cette dernière, haute ou basse, mécanique ou informationnelle, se déplace aujourd'hui à grande vitesse entre des frontières jusque-là infranchissables. L'entreprise multinationale est désormais ancrée dans de nombreux pays : un grand complexe d'aciéries en Libye peut impliquer des intérêts indiens, chinois, russes et japonais, fournissant différents composants de nouvelles configurations technologiques. La répartition inégale des technologies, et donc les particularités de ces technoscapes, dépendent de plus en plus, non pas d'évidentes économies d'échelle, de contrôle politique ou de rationalité du marché, mais de relations de plus en plus complexes entre flux monétaires, possibles politiques et disponibilité de main-d'œuvre sous- et surqualifiée. Ainsi, tandis que l'Inde exporte des serveurs et des chauffeurs vers Dubaï et Sarjah, elle exporte aussi des informaticiens vers les États-Unis ; après un bref séjour chez Tata-Burroughs ou à la Banque mondiale, ces informaticiens sont recyclés au Département d'État et deviennent de riches résidents étrangers qui, à leur tour, sont la cible de messages séducteurs pour qu'ils investissent leur argent et leur savoir-faire dans des projets nationaux et régionaux en Inde.

L'économie globale peut encore être décrite en termes d'indicateurs traditionnels (la Banque mondiale continue de le faire) et étudiée en termes de comparaisons traditionnelles (c'est le cas du *Project Link* de l'université de Pennsylvanie), mais les technoscapes complexes – et les ethnoscapes changeants – qui sous-tendent ces indicateurs et ces comparaisons sont plus que jamais hors de portée de la reine des sciences sociales. Comment peut-on se livrer à une comparaison pertinente des salaires au Japon et aux États-Unis, ou du prix de l'immobilier à New York et à Tokyo, si l'on ne prend pas scrupuleusement en compte les très complexes flux financiers et d'investissements qui relient ces deux économies à travers une grille globale de spéculation monétaire et de transferts de capitaux ?

Il est donc utile de parler également de *financescapes*, puisque la disposition du capital mondial forme désormais un paysage plus mystérieux, plus rapide et plus difficile à suivre que jamais : les marchés de change, les bourses nationales et les spéculations sur les biens et les services font passer, à la vitesse de la lumière, des sommes colossales à travers les tourniquets nationaux, chaque petite différence de point et d'unité de temps pouvant avoir d'immenses implications. Mais le plus important, c'est que la relation globale entre ethnoscapes, technoscapes et financescapes est profondément disjonctive et imprévisible, parce que chacun de ces « paysages » est soumis à ses propres contraintes et stimulations (certaines politiques, d'autres informationnelles et d'autres encore technico-environnementales) en même temps que chacune agit comme une contrainte et un paramètre des mouvements au sein des autres. Ainsi, même un modèle élémentaire d'économie politique globale se doit de prendre en compte les relations profondément disjonctives entre mouvements, flux technologiques et transferts financiers.

Ces disjonctions, qui ne constituent en aucun cas une infrastructure globale simple et mécanique, se trouvent aussi reflétées par des paysages d'images étroitement liés : les médiascapes et les idéoscapes. Les *médiascapes*, ce sont à la fois la distribution des moyens électroniques de produire et de disséminer de l'information (journaux, magazines, chaînes de télévision et studios cinématographiques), désormais accessibles à un nombre croissant d'intérêts publics et privés à travers le monde, et les images du monde créées par ces médias. Ces images peuvent connaître des altérations très diverses en fonction de leur mode (documentaire ou de divertissement), de leur support (électronique ou préélectronique), de leur public (local, national ou transnational), ou encore des intérêts de ceux qui les possèdent et les contrôlent. Le plus important à propos de ces médiascapes, c'est qu'ils fournissent – en particulier sous leurs formes télévisées, cinématographiques et vidéographiques – à des spectateurs disséminés sur toute la planète de larges et complexes répertoires d'images, de récits et d'ethnoscapes, où sont imbriqués le monde de la marchandise et celui de l'information et de la politique. Cela signifie que de nombreux publics, à travers le monde, perçoivent les médias eux-mêmes comme un répertoire complexe et interconnecté d'imprimés, de celluloïd, d'écrans électroniques et de modes d'affichage. Les limites entre les paysages réels et fictionnels qu'ils visionnent sont brouillées, de sorte que plus ces publics sont éloignés de l'expérience directe de la vie métropolitaine, plus ils sont susceptibles de construire des mondes imaginés qui soient des objets chimériques, esthétiques, voire fantastiques, notamment si ces mondes sont évalués selon les critères d'une autre perspective, d'un autre monde imaginé.

Les médiascapes, qu'ils soient produits par des intérêts privés ou étatiques, tendent à être des comptes rendus fondés sur l'image et le récit de fragments de réalité. Ils offrent à ceux qui les perçoivent et les transforment une série d'éléments (personnages, actions et formes textuelles) d'où peuvent être tirés des scénarios de vies imaginées, la leur aussi bien que celle d'autres personnes vivant à des milliers de kilomètres. Ces scénarios peuvent être – et sont en effet – désagrégés en ensembles complexes de métaphores à travers lesquelles les gens vivent[21], tout comme ils aident à constituer des récits de l'Autre et des protorécits de vies possibles, fantasmes qui ont pu devenir les prolégomènes au désir d'acquisition et de mouvement.

Les *idéoscapes* sont eux aussi des concaténations d'images, mais ils sont souvent directement politiques et en rapport avec les idéologies des États et les contre-idéologies de mouvements explicitement orientés vers la prise du pouvoir d'État ou d'une de ses parties. Ces idéoscapes sont composés d'éléments de la vision mondiale des Lumières, qui consiste en une chaîne d'idées, de termes et d'images : liberté, bien-être, droits, souveraineté, représentation et, pour finir, le maître mot : démocratie. Le récit majeur des Lumières (et ses nombreuses variantes en Angleterre, en France et aux États-Unis) s'est construit suivant une certaine logique interne et a présupposé une relation entre lecture, représentation et sphère publique[22]. Mais la dissémination de ces termes et de ces images à travers le monde, notamment depuis le XIXe siècle, a affaibli la cohérence interne qui les maintenait en un unique récit central euro-américain, offrant à la place un synopticon faiblement structuré de politiques, au sein duquel différents États-nations ont progressivement organisé leur culture politique autour de quelques mots clés[23].

Les récits politiques gouvernant la communication entre les élites et leurs satellites dans diverses parties du monde posent des problèmes à la fois sémantiques et pragmatiques : sémantiques, parce que les mots (et leurs équivalents lexicaux) exigent une traduction prudente d'un contexte à l'autre ; pragmatiques, dans la mesure où l'usage de ces termes par les acteurs politiques et leurs publics peut être soumis à des conventions contextuelles très diverses qui transforment leur traduction en politiques publiques. Ces conventions ne sont pas de simples questions de rhétorique politique. Par exemple, que veulent dire les vieux dirigeants chinois lorsqu'ils parlent des dangers du hooliganisme ? Et que veulent dire les dirigeants sud-coréens lorsqu'ils parlent de la discipline comme de la clé de la croissance industrielle démocratique ?

Ces conventions posent aussi la question bien plus subtile des genres communicatifs qui se voient ainsi avantagés (journaux contre cinéma, par exemple), et des types de conventions pragmatiques qui gouvernent la lecture collective de différents genres de textes. Ainsi, alors qu'un public indien peut être attentif aux résonances d'un discours politique en termes de certains mots ou phrases clés rappelant le cinéma hindou, un public coréen peut réagir à de subtiles allusions à une rhétorique bouddhiste ou néoconfucianiste encodées dans un document politique. La relation même entre lire, entendre et voir peut varier d'une façon qui détermine la morphologie de ces différents idéoscapes à mesure qu'ils se coulent dans divers contextes nationaux et transnationaux. Cette synesthésie globalement variable n'a guère attiré l'attention jusqu'ici, mais elle exige d'urgence une analyse. Ainsi, « démocratie » est visiblement devenu un terme majeur, ayant de puissants échos en Haïti comme en Pologne, en ex-Union soviétique comme en Chine, mais il se trouve au cœur de toute une variété d'idéoscapes qui sont des configurations pragmatiques distinctes de traductions approximatives d'autres termes centraux issus du vocabulaire des Lumières. Cela crée une profusion de nouveaux kaléidoscopes terminologiques, tandis que les États (et les groupes qui cherchent à s'en emparer) s'évertuent à pacifier des populations dont les propres ethnoscapes se déplacent et dont les médiascapes peuvent créer de sévères problèmes aux idéoscapes avec lesquels ils sont présentés. La fluidité des idéoscapes est notamment compliquée par les diasporas croissantes (volontaires ou non) d'intellectuels qui injectent en permanence de nouveaux flux de signification dans le discours de la démocratie à certains endroits de la planète.

Cette longue discussion terminologique sur les cinq termes que j'ai forgés me permet de risquer une formulation des conditions dans lesquelles opèrent les flux globaux actuels : ils opèrent dans et à travers les disjonctions croissantes entre ethnoscapes, technoscapes, financescapes, médiascapes et idéoscapes. Cette formulation, qui est le cœur de mon modèle de flux culturel global, requiert une explication. Tout d'abord, les gens, les machines, l'argent, les images et les idées tendent de plus en plus à suivre des voies non isomorphiques. Bien sûr, toutes les périodes de l'histoire humaine ont connu des disjonctions dans les flux de ces éléments, mais chacun de ces flux a désormais atteint une telle vitesse, une telle échelle et un tel volume que ces disjonctions sont devenues un fait central de la politique de la culture globale. Il est notoire que les Japonais sont ouverts aux idées et enclins à exporter (toutes) les marchandises et à en importer (quelques-unes), mais ils sont aussi notoirement fermés à l'immigration, comme les Suisses, les Suédois et les Saoudiens. Pourtant, les Suisses et les Saoudiens acceptent des populations de travailleurs immigrés, créant ainsi des communautés de Turcs, d'Italiens et d'autres groupes méditerranéens. Certains de ces groupes, tels les Turcs, maintiennent un contact permanent avec leur pays d'origine, mais d'autres, comme les migrants d'Asie du Sud à fortes compétences, ont tendance à désirer vivre dans leur nouvelle nation, soulevant alors de nouveau le problème de la reproduction dans un contexte déterritorialisé.

D'une manière générale, la déterritorialisation est l'une des principales forces du monde moderne, parce qu'elle amène des populations laborieuses dans les secteurs et les espaces des basses classes de sociétés relativement riches, tout en suscitant parfois chez ces populations une critique ou un attachement extrêmes à la politique du pays d'origine. Qu'il s'agisse d'Indiens, de Sikhs, de Palestiniens ou d'Ukrainiens, la déterritorialisation est désormais au cœur d'une variété de fondamentalismes globaux, notamment islamiste et hindouiste. Dans le cas de l'hindouisme, il est clair que le mouvement des Indiens vers la métropole a été exploité par divers intérêts, à l'intérieur comme à l'extérieur du pays, pour créer un réseau complexe de finances et d'identification religieuse par lequel le problème de la reproduction culturelle est désormais lié pour les Indiens émigrés à la politique du fondamentalisme hindou en Inde.

En même temps, la déterritorialisation crée de nouveaux marchés pour les compagnies cinématographiques, les imprésarios et les agences de voyages, qui vivent sur le besoin des populations déterritorialisées d'avoir un contact avec leur pays. Naturellement, ces pays inventés, qui constituent les médiascapes des groupes déterritorialisés, peuvent souvent devenir si fantastiques et partiaux qu'ils fournissent le matériau de nouveaux idéoscapes dans lesquels les conflits ethniques peuvent surgir. La création du Khalistan, une terre d'origine inventée de la population sikh émigrée en Angleterre, au Canada et aux États-Unis, illustre le potentiel sanglant de tels médiascapes entrant en interaction avec les colonialismes internes de l'État-nation [24]. La Cisjordanie, la Namibie et l'Érythrée sont d'autres théâtres pour la mise en œuvre de la sanglante négociation entre les États-nations existants et divers regroupements de déterritorialisés.

C'est sur ce terrain fertile de la déterritorialisation, où

l'argent, les marchandises et les personnes ne cessent de se poursuivre tout autour de la planète, que les médiascapes et les idéoscapes du monde moderne trouvent leur contrepartie fracturée et fragmentée. Car les idées et les images produites par les médias ne sont souvent que des guides très partiaux pour l'accès aux marchandises et aux expériences que les populations déterritorialisées se transfèrent les unes aux autres. Le film brillant de Mira Nair, *India Cabaret*, nous donne à voir les multiples boucles de cette déterritorialisation fracturée : des jeunes femmes sans compétences, débarquant dans l'éblouissement métropolitain de Bombay, viennent chercher fortune dans la capitale en tant que danseuses de cabaret et prostituées, divertissant les hommes dans les night-clubs avec des danses imitées des séquences lascives des films indiens. À leur tour, ces scènes alimentent les idées sur les femmes occidentales et étrangères, et leur légèreté de mœurs, tout en offrant de clinquants alibis de carrière à ces jeunes femmes. Certaines d'entre elles viennent du Kerala, où les cabarets et l'industrie du film pornographique ont fleuri, en partie pour répondre aux moyens financiers et aux goûts des habitants du Kerala revenus du Moyen-Orient, où leur vie diasporique, loin des femmes, déforme leur sens même de ce que peuvent être les relations entre hommes et femmes. Ces tragédies du déplacement se retrouveraient sans doute dans une analyse plus détaillée des relations entre le tourisme sexuel allemand et japonais en Thaïlande et les tragédies du commerce du sexe à Bangkok, ou dans d'autres boucles similaires qui mettent en jeu les fantasmes sur l'Autre, les avantages et les séductions du voyage, l'économie du commerce mondial, et les fantasmes brutaux de mobilité qui dominent la politique masculine dans de nombreuses parties de l'Asie et dans le monde en général.

Bien qu'il reste beaucoup à dire sur la politique culturelle de déterritorialisation et sur la sociologie plus large du déplacement qu'elle exprime, il nous faut introduire ici le rôle de l'État-nation dans l'économie disjonctive globale de la culture actuelle. La relation entre États et nations est partout de l'ordre de la bataille rangée. On peut dire que dans de nombreuses sociétés, la nation et l'État sont devenus le projet l'un de l'autre. Si les nations (ou, plus exactement, les groupes ayant des idées sur la nature nationale) cherchent à capturer ou à coopter des États et le pouvoir d'État, les États cherchent simultanément à capturer et à monopoliser les idées sur la nationalité[25]. En général, les mouvements séparatistes transnationaux, y compris ceux qui ont intégré la terreur à leurs méthodes, sont l'illustration de nations en quête d'un État. Les Sikhs, les Tamouls sri-lankais, les Basques, les Sarahouis, les Québecois – tous représentent des communautés imaginées qui cherchent à créer leur propre État ou à soutirer des fragments d'États existants ; elles cherchent d'autre part à monopoliser partout les ressources morales de la communauté, soit en affirmant simplement la parfaite identité entre État et nation, soit en « muséifiant » et en représentant systématiquement tous les groupes en leur sein dans une variété de politiques d'héritage qui semblent remarquablement uniformes à travers le monde[26].

Ici, les médiascapes nationaux et internationaux sont exploités par les États-nations pour pacifier les séparatistes ou même le potentiel de scissiparité de toutes les idées de différence. En général, les États-nations contemporains y parviennent en exerçant un contrôle taxinomique sur la différence, en créant divers types de spectacle international pour domestiquer la différence, ou encore en séduisant de petits groupes par le fantasme d'un rôle à jouer sur une sorte de scène globale ou cosmopolite. Une caractéristique nouvelle et importante de la politique culturelle mondiale, liée aux relations disjonctives entre les divers paysages discutés plus haut, est que l'État et la nation sont à couteaux tirés et que le trait d'union qui les relie est désormais moins un signe de conjonction que de disjonction. Cette relation disjonctive entre État et nation se situe à deux niveaux. Au niveau de tout État-nation, elle signifie qu'il existe une bataille de l'imagination au cours de laquelle l'État et la nation cherchent à se cannibaliser l'un l'autre. C'est là le lit des séparatismes brutaux – des « majoritarismes » qui semblent surgis de nulle part et des micro-identités qui sont devenues des projets politiques au sein de l'État-nation. À un autre niveau, cette relation disjonctive est profondément liée aux disjonctions globales discutées dans ce chapitre : les idées de nation semblent croître en échelle et franchir régulièrement les

79

frontières des États, parfois – comme avec les Kurdes – parce que des identités préalables se sont étendues sur de vastes espaces nationaux, et parfois, comme dans le cas des Tamouls du Sri Lanka, parce que les fils dormants d'une diaspora transnationale ont été activés pour mettre en marche la micro-politique d'un État-nation.

Si l'on discute des politiques culturelles ayant subverti le trait d'union qui relie l'État et la nation, il est particulièrement important de ne pas oublier l'ancrage de telles politiques dans les irrégularités qui caractérisent désormais le capital désorganisé[27]. Le travail, la finance et la technologie étant désormais si largement séparés, les volatilités qui soustendent les mouvements pronation (qu'ils soient aussi vastes que l'Islam transnational ou petits comme le mouvement des Gurkhas pour un État séparé en Inde du Nord) s'aiguisent aux vulnérabilités qui caractérisent les relations entre États. Les États se trouvent pressés de rester ouverts par les forces des médias, de la technologie et du voyage qui ont nourri le consumérisme dans le monde et ont accru, même dans la partie non occidentale, l'envie de nouvelles marchandises et de nouveaux spectacles. D'autre part, ces envies mêmes peuvent se retrouver prises dans de nouveaux ethnoscapes, médiascapes et, finalement, idéoscapes, telle la démocratie en Chine, que l'État ne peut tolérer puisqu'elle menace son propre contrôle sur les concepts de nation et de peuple. Partout, les États sont assiégés, en particulier là où la concurrence sur les idéoscapes de la démocratie est sévère et fondamentale, et où il existe des disjonctions radicales entre idéoscapes et technoscapes (comme dans le cas de très petits pays, qui manquent de technologies modernes de production et d'information) ; ou entre idéoscapes et financescapes (comme au Mexique et au Brésil, où les prêts internationaux influencent très fortement la politique) ; ou entre idéoscapes et ethnoscapes (comme à Beyrouth, où des filiations diasporiques, locales et translocales se livrent un combat suicidaire) ; ou entre idéoscapes et médiascapes (comme dans de nombreux pays du Moyen-Orient et d'Asie, où les styles de vie représentés à la télévision et au cinéma – national et international – surpassent et minent totalement la rhétorique de la politique nationale). Dans le cas de l'Inde, le mythe du héros hors la loi a émergé pour servir de médiateur dans le dur combat entre les piétés et les réalités de la politique indienne, qui s'est révélée de plus en plus brutale et corrompue[28].

Médiatisé par l'industrie du cinéma de Hollywood et de Hong Kong[29], le mouvement transnational des arts martiaux, notamment à travers l'Asie, fournit une riche illustration des moyens par lesquels de très anciennes traditions d'art martial, reformulées pour satisfaire les fantasmes des jeunes populations actuelles (parfois issues du lumpen), créent de nouvelles cultures de masculinité et de violence qui, à leur tour, nourrissent une violence accrue dans la politique nationale et internationale, violence qui stimule alors un commerce d'armes en progression rapide, pénétrant la totalité de la planète. La dissémination mondiale des AK-47 et des mitraillettes Uzi dans les films, dans la sécurité économique et d'État, et dans les activités militaires et policières, rappelle que des uniformités techniques apparemment simples dissimulent un réseau de boucles de plus en plus complexes, reliant images de violence et aspirations à la communauté dans un monde imaginé.

Pour en revenir aux ethnoscapes, le paradoxe central de la politique ethnique aujourd'hui est que les *primordia* (de langage, de couleur de peau, de quartier ou de parenté) sont désormais globalisés. Autrement dit, les sentiments, dont la plus grande force tient dans leur capacité à susciter l'intimité dans un État politique et à transformer la localité en un terrain progresssif de l'identité, se sont répandus sur de vastes espaces irréguliers au fur et à mesure que les groupes bougeaient tout en restant liés les uns aux autres grâce à des modes de communication sophistiqués. Il ne s'agit pas de nier que ces *primordia* sont fréquemment le produit de traditions inventées[30] ou d'affiliations rétrospectives, mais de souligner que, du fait d'une interaction disjonctive et instable du commerce, des médias, des politiques nationales et des fantasmes de consommation, l'ethnicité, qui était autrefois un génie contenu dans la bouteille d'une sorte de localisme (si large fût-il), est désormais une force globale qui se glisse sans arrêt dans et à travers les fissures entre États et frontières.

Mais la relation entre les niveaux culturel et économique de ce nouvel ensemble de disjonctions globales n'est pas un simple sens unique dans lequel les termes de politique culturelle globale seraient entièrement posés par, ou confinés dans, les vicissitudes des flux internationaux de technologie, de travail et de finance, n'exigeant qu'une légère modification des modèles néomarxistes existants de développement inégal et de formation de l'État. Un changement plus profond est intervenu, lui-même suscité par les disjonctions entre tous les paysages discutés ici et constitué par leur perpétuelle interaction fluide et incertaine. Il concerne la relation entre production et consommation dans l'économie globale actuelle. Prenons, pour commencer, le célèbre point de vue de Marx sur le fétichisme de la marchandise. Je voudrais suggérer que ce fétichisme a été remplacé dans le monde en général – monde qui, à présent, est vu comme un vaste système interactif, composé de nombreux sous-systèmes complexes – par deux descendants qui s'épaulent mutuellement : le fétichisme de la production et le fétichisme du consommateur.

Par *fétichisme de la production,* j'entends une illusion créée par les lieux contemporains de la production transnationale et qui, par l'idiome et le spectacle du contrôle local (parfois même du travailleur), de la productivité nationale et de la souveraineté territoriale, masque le capital translocal, les flux de gains transnationaux, la gestion globale et, souvent, les travailleurs à l'étranger (engagés dans l'industrie high-tech). Dans la mesure où différents types de zones de libre échange sont devenus les modèles de la production en général, et notamment en matière de haute technologie, la production elle-même est devenue un fétiche, obscurcissant non pas tant les relations sociales en soi que les relations de production, qui sont de plus en plus transnationales. Le localisme (au sens de sites locaux de production comme au sens large d'État-nation) devient un fétiche déguisant les forces globalement disséminées qui dirigent en fait le processus de production. D'où une aliénation (au sens de Marx) doublement intensifiée, car son sens social est à présent constitué par une dynamique spatiale compliquée, de plus en plus globalisée.

Par *fétichisme du consommateur*, j'entends indiquer que le consommateur est transformé, à travers les flux de marchandises (et les médiascapes, notamment de publicité, qui les accompagnent), en un signe. « Signe » est ici à comprendre non seulement au sens que lui donne Baudrillard – un simulacre qui n'approche que de façon asymptotique la forme d'un agent social réel –, mais encore au sens d'un masque pour le siège réel d'opération, lequel n'est pas le consommateur, mais bien le producteur et les nombreuses forces qui constituent la production. La publicité globale est la technologie clé grâce à laquelle une pléthore d'idées créatives et culturellement bien choisies d'intervention du consommateur peuvent se disséminer à travers le monde. Ces images d'intervention sont les déformations croissantes d'un monde de techniques marchandes si subtiles que le consommateur est sans cesse poussé à croire qu'il est un acteur, alors qu'il est au mieux celui qui choisit.

Si la globalisation de la culture n'est pas la même chose que son homogénéisation, elle implique toutefois l'usage de divers instruments d'homogénéisation (armements, techniques de publicité, hégémonie de certains langages et styles d'habillement) qui sont absorbés dans les économies politiques et culturelles locales pour être ensuite rapatriés comme des dialogues hétérogènes de souveraineté nationale, de libre entreprise et de fondamentalisme dans lesquels l'État joue un rôle de plus en plus délicat : trop d'ouverture aux flux globaux, et l'État-nation est menacé par la révolte, comme dans le syndrome chinois ; trop peu, et l'État sort de la scène internationale, comme la Birmanie, l'Albanie et la Corée du Nord l'ont fait de différentes façons. En général, l'État est devenu l'arbitre de ce *rapatriement de la différence* (sous la forme de marchandises, de signes, de slogans et de styles). Mais le rapatriement ou l'exportation de concepts et de marchandises marqués du signe de la différence exacerbe continuellement la politique interne du majoritarisme et de l'homogénéisation, qui est la plus fréquemment affichée dans les débats sur les questions d'héritage.

La culture globale se caractérise essentiellement, aujourd'hui, par le fait que les politiques d'effort mutuel de ressemblance et de différence se cannibalisent les unes les autres. Elles proclament ainsi qu'elles ont réussi à détourner la double idée des Lumières, celle de l'universel triomphant et celle du particulier résistant. Cette cannibalisation mutuelle dévoile la partie hideuse de son visage dans les émeutes, les flux de réfugiés, la torture ordonnée par l'État et la purification ethnique (avec ou sans l'appui de l'État). Son aspect le plus brillant apparaît dans l'expansion de nombreux horizons individuels d'espoir et d'imagination, dans la dissémination globale de la thérapie de réhydratation orale et d'autres instruments de bien-être d'une technologie simple, dans la capacité de l'opinion globale à faire bouger même l'Afrique du Sud, dans l'incapacité de l'État polonais à réprimer ses propres classes laborieuses, et dans l'avancée d'une large gamme d'alliances progressistes transnationales. On pourrait multiplier ces exemples. Le point critique est que les deux faces du processus culturel global actuel sont des produits de la compétition infiniment variée entre ressemblance et différence, sur une scène caractérisée par des disjonctions radicales entre diverses sortes de flux globaux et les paysages incertains créés dans et à travers ces disjonctions.

L'œuvre de reproduction à l'époque de son art mécanisé

J'ai interverti les termes du titre du célèbre essai de Walter Benjamin[31] pour ramener cette discussion de haut vol à un niveau plus compréhensible. Quels que soient les changements de la dynamique des processus culturels, un problème demeurera toujours, celui dont on continue de discuter aujourd'hui sous la rubrique « reproduction » (naguère, on s'y référait en termes de transmission de la culture). À chaque fois, la question est la suivante : comment de petits groupes, notamment les familles, qui sont le lieu classique de la socialisation, font-ils pour gérer ces nouvelles réalités globales alors qu'ils cherchent à se reproduire eux-mêmes et que, ce faisant, ils reproduisent par accident ces formes mêmes de culture ? Un anthropologue classique parlerait d'un problème d'acculturation dans une période de changement culturel rapide. Rien de nouveau sous le soleil, donc. Ce n'est pas si sûr. Car, placé dans les conditions globales que j'ai évoquées plus haut, ce problème prend une nouvelle dimension.

Tout d'abord, la sorte de stabilité transgénérationnelle du savoir que présupposent la plupart des théories d'acculturation (ou, plus largement, de socialisation) ne peut plus être assumée. À mesure que les familles se déplacent vers de nouveaux environnements, ou que les enfants se déplacent avant les générations plus anciennes, ou que des fils et des filles reviennent après avoir vécu à l'étranger, les relations familiales peuvent devenir volatiles. De nouveaux modèles de services sont négociés, les dettes et les obligations sont recalibrées, et les rumeurs et les fantasmes touchant à cette nouvelle donne sont manipulés au sein de répertoires existants de savoir et de pratique. Souvent, les diasporas de travail global provoquent d'énormes pressions sur les mariages en général et sur les femmes en particulier, puisque les mariages deviennent les points de rencontre entre modèles historiques de socialisation et idées nouvelles sur les comportements adéquats. À mesure que, sous l'effet de la distance et du temps, les idées sur la propriété, l'approprié et l'obligation collective dépérissent, les générations tendent à se diviser. Plus important : l'œuvre de reproduction culturelle est profondément compliquée par le désir – surtout chez les jeunes – de représenter une famille normale auprès des voisins et des pairs dans le nouveau lieu d'installation. Tout cela, bien sûr, n'est pas nouveau pour l'étude culturelle de l'immigration.

Ce qui est nouveau, c'est qu'il s'agit d'un monde où les points de départ et les points d'arrivée sont situés dans le flux culturel, de sorte que la recherche de points de référence solides, une fois opérés des choix de vie cruciaux, peut se révéler très difficile. C'est dans cette atmosphère que l'invention de la tradition (ainsi que celle de l'ethnicité, de la parenté et d'autres marqueurs identitaires) peut aisément déraper, tandis que la recherche de certitudes est régulièrement frustrée par les fluidités de la communication transnationale. Le passé des groupes faisant de plus en plus l'objet de musées, d'expositions et de collections dans des spectacles nationaux et transnationaux, la culture est moins ce que Pierre Bourdieu aurait appelé un *habitus* (c'est-à-dire un domaine tacite de pratiques et de dispositions reproductibles) qu'une arène pour des choix, des justifications et des représentations conscientes, ces dernières s'adressant souvent à des publics multiples et spatialement dispersés.

La tâche de la reproduction culturelle, même dans ses arènes les plus intimes – par exemple les relations mari-femme et parent-enfant –, devient à la fois politisée et exposée aux traumas de la déterritorialisation, tandis que les membres de la famille rassemblent et négocient leurs compréhensions et aspirations respectives dans des arrangements parfois spatialement fracturés. À un niveau plus large, comme celui de la communauté, du voisinage ou du territoire, cette politisation est souvent le carburant émotionnel de politiques identitaires plus explicitement violentes, qui, dans le même temps, pénètrent et enflamment parfois la politique domestique. Lorsque deux enfants d'un même foyer s'affrontent à leur père sur une question clé d'identification politique dans un cadre transnational, les normes locales préexistantes pèsent peu. Ainsi, un fils qui a rejoint le Hezbollah au Liban peut ne plus s'entendre avec ses parents, ses frères ou ses sœurs qui sont affiliés au groupe Amal ou à une autre branche de l'identité politique chiite. Ce sont notamment les femmes qui font les frais de ce type de friction, car elles deviennent des gages dans la politique d'héritage de la maisonnée et sont souvent soumises aux abus et à la violence des hommes qui sont eux-mêmes déchirés quant à la relation entre héritage et opportunité de modifier les formations spatiales et politiques.

Les maux de la reproduction culturelle dans un monde global disjonctif se voient bien sûr renforcés par les effets de l'art mécanisé (ou médias), car ces médias disposent de puissantes ressources pour produire des contre-nodules d'identité que les jeunes peuvent projeter contre les désirs parentaux. À de plus hauts niveaux d'organisation, il peut y avoir, chez les populations déplacées (réfugiés ou migrants volontaires), de nombreuses formes de politique culturelle, infligées en grande partie par les médias (et par les médiascapes et les idéoscapes qu'ils offrent). Un lien central entre les fragilités de la reproduction culturelle et le rôle des médias est actuellement la politique de distinction des sexes et de la violence. Les fantasmes de violence masculine qui dominent l'industrie des séries B, laquelle couvre le monde entier, reflètent et raffinent la violence masculine à la maison et dans les rues, à mesure que les jeunes hommes (notamment) sont entraînés par la politique machiste d'auto-affirmation dans des contextes où ils se voient souvent refuser une réelle possibilité d'agir. De leur côté, les femmes sont contraintes d'intégrer par de nouveaux biais le monde du travail tout en s'efforçant de maintenir l'héritage familial. L'honneur des femmes n'est donc plus seulement une armature de systèmes stables (même inhumains) de reproduction culturelle, mais une nouvelle arène pour la formation de l'identité sexuelle et de la politique de la famille, à mesure que les hommes et les femmes affrontent de nouvelles pressions au travail et un nouvel imaginaire dans les loisirs.

Le travail comme le loisir n'ayant perdu aucun de leurs marqueurs sexuels dans ce nouvel ordre mondial, mais ayant pris en revanche des représentations fétichisées de plus en plus subtiles, l'honneur des femmes tend à devenir un substitut à l'identité de communautés masculines assiégées, alors que leurs femmes doivent en réalité négocier des conditions de travail de plus en plus dures à la maison comme à l'extérieur. En bref, les communautés déterritorialisées et les populations déplacées, même si elles jouissent des fruits de nouveaux modes de gains et de nouvelles dispositions de capital et de technologie, doivent afficher les désirs et les fantasmes de ces nouveaux ethnoscapes tout en s'efforçant de reproduire la famille-comme-microcosme de la culture. À mesure que les formes culturelles se font moins limitées et tacites, plus fluides et plus politisées, le travail de la reproduction culturelle devient un exercice quotidien de haute voltige.

On pourrait – et il faudrait – en dire beaucoup plus sur ce thème. Mais j'entendais simplement tracer ici les contours des problèmes que devra affronter une nouvelle théorie globale de la reproduction culturelle.

Formes et processus dans les formations culturelles globales

En centrant mon propos sur les disjonctions, j'ai utilisé une série de termes (ethnoscape, financescape, technoscape, médiascape, idéoscape) pour souligner différents courants ou flux le long desquels il est possible de voir le matériel culturel traverser les frontières nationales. J'ai également cherché à montrer comment ces divers flux (ou paysages, depuis la perspective stabilisante d'un monde imaginé quelconque) se trouvent dans une disjonction fondamentale les uns par rapport aux autres. Comment ces propositions peuvent-elles déboucher sur une théorie générale des processus culturels globaux ?

Notons tout d'abord que nos propres modèles de forme culturelle vont devoir se modifier à mesure que les configurations de peuples, de lieux et d'héritages perdront toute semblance d'isomorphisme. Les travaux récents en anthropologie ont fait beaucoup pour nous libérer de la contrainte d'images fortement localisées, soucieuses des frontières, holistiques et primordialistes de la forme et de la substance culturelle[32]. Mais peu de choses les ont remplacées, à part des versions un peu plus larges et moins mécaniques de ces images, comme dans les travaux d'Eric Wolf sur la relation de l'Europe avec le reste du monde[33]. Je voudrais proposer que l'on commence à penser la configuration des formes culturelles de notre époque comme fondamentalement fractale, c'est-à-dire comme dépourvue de frontières, de structures ou de régularités euclidiennes. Ensuite, je voudrais suggérer que ces formes culturelles, pleinement fractales, se superposent d'une manière que seules les mathématiques pures (dans la théorie des ensembles, par exemple) et la biologie (dans le langage des classifications polythétiques) ont discutée. Il nous faut donc combiner une métaphore fractale de la forme des cultures (au pluriel) avec un compte rendu polythétique de leurs chevauchements et de leurs ressemblances. Sans cette dernière étape, nous resterons coincés dans un travail comparatif s'appuyant sur la claire séparation des entités à comparer avant même d'entamer le travail proprement dit. Comment allons-nous comparer des formes culturelles façonnées de façon fractale qui se chevauchent aussi de façon polythétique dans leur recouvrement de l'espace terrestre ?

Finalement, pour que la théorie des interactions culturelles globales fondée sur des flux disjonctifs ait plus de force qu'une simple métaphore mécanique, elle devra se rapprocher d'une sorte de version humaine de ce que les scientifiques appellent la théorie du chaos. Nous devrons nous demander, non pas comment ces modèles fractaux complexes et se chevauchant constituent un système simple et stable (même à grande échelle), mais plutôt quelle est sa dynamique. Pourquoi des émeutes ethniques éclatent-elles à tel endroit et à tel moment ? Pourquoi les États dépérissent-ils davantage ici plutôt qu'ailleurs, et à certaines époques plutôt qu'à d'autres ? Pourquoi certains pays bafouent-ils les conventions de remboursement de la Dette avec, à l'évidence, une désinvolture bien plus grande que d'autres ? Comment les flux internationaux d'armes dirigent-ils les batailles ethniques et les génocides ? Pourquoi certains États sortent-ils de la scène internationale alors que d'autres réclament à grands cris d'y entrer ? Pourquoi les événements clés se produisent-ils à un certain moment et dans un certain lieu plutôt qu'ailleurs ? Ces questions de causalité, de contingence et de prédiction, les sciences humaines ont l'habitude de les poser. Mais, dans un monde de flux globaux disjonctifs, il peut être important de commencer à les poser en s'appuyant sur des images de flux et d'incertitude – et donc de *chaos* – plutôt que sur de vieilles images d'ordre, de stabilité et de systématicité. Autrement, nous aurons beaucoup avancé vers une théorie des systèmes culturels globaux, mais en ayant oublié le processus dans la bagarre. Cela risquerait de faire de mes propos un encouragement à cette illusion d'ordre que nous ne pouvons plus nous permettre d'imposer à un monde si manifestement volatile.

Quelle que soit la direction dans laquelle nous poussons ces macrométaphores (classifications fractales, polythétiques et chaos), nous devons poser une autre question démodée, issue du paradigme marxiste : y a-t-il un ordre préordonné dans la force relative déterminant ces flux globaux ? Parce que j'ai postulé que la dynamique des systèmes culturels globaux s'appuyait sur les relations entre flux de personnes, de technologies, de finances, d'informations et d'idéologies, pouvons-nous parler d'un ordre structural-causal reliant ces flux, par analogie avec le rôle de l'ordre économique dans une version du paradigme marxiste ? Pouvons-nous parler de certains de ces flux comme étant, par un *a priori* structurel ou des raisons historiques, toujours préexistants aux autres flux et à l'origine de ceux-ci ? Ma propre hypothèse, qui ne peut être que problématique à ce point, est que la relation de ces différents flux entre eux, à mesure qu'ils se constellent en événements et formes sociales particuliers, dépend radicalement du contexte. Ainsi, alors que les flux du travail et leurs boucles avec les flux financiers entre le Kerala et le Moyen-Orient peuvent rendre compte de la forme des flux des médias et des idéoscapes au Kerala, l'inverse peut être vrai de la Silicon Valley, en Californie, où une intense spécialisation dans un unique secteur technologique (l'informatique) et des flux particuliers de capitaux peuvent fort bien déterminer radicalement la forme que prendront les ethnoscapes, les idéoscapes et les médiascapes.

Cela ne veut pas dire que la relation causale-historique entre ces différents flux est absolument contingente, mais que nos théories actuelles du chaos culturel ne sont pas assez développées pour être des modèles, même insuffisants – et moins encore pour être des théories prédictives, Toison d'Or d'un certain type de science sociale. Dans ce chapitre, j'ai cherché à fournir un vocabulaire raisonnablement économique et technique et un modèle rudimentaire des flux disjonctifs, d'où devrait émerger quelque chose comme une analyse globale décente. Sans cette analyse, il sera difficile de construire ce que John Hinkson[34] appelle une « théorie sociale de la postmodernité » qui soit adéquatement globale.

CHAPITRE II

Ethnoscapes globaux : jalons pour une anthropologie transnationale

Ethnoscape : ce néologisme comporte certaines ambiguïtés ; elles sont délibérées. Tout d'abord, il se réfère aux dilemmes de perspective et de représentation auxquels tous les ethnographes sont confrontés : comme pour les paysages dans les arts visuels, les traditions de perception et de perspective ainsi que les variations dans la situation de l'observateur peuvent affecter le processus et le produit de la représentation. Mais j'entends aussi indiquer par ce terme que le monde du XXᵉ siècle se caractérise par certains faits bruts que doit affronter toute ethnographie. Parmi ces faits fondamentaux, il faut considérer la modification de la reproduction sociale, territoriale et culturelle de l'identité de groupe. Les groupes migrent, se rassemblent dans des lieux nouveaux, reconstruisent leur histoire et reconfigurent leur projet ethnique. Dans ce processus, le « ethno » d'ethnographie prend un aspect fuyant, non localisé, auquel les pratiques descriptives de l'anthropologie devront répondre. Dans le monde entier, les paysages d'identité de groupe – les ethnoscapes – ont cessé d'être des objets anthropologiques familiers : désormais, les groupes ne sont plus étroitement territorialisés, ni liés spatialement, ni dépourvus d'une conscience historique d'eux-mêmes, ni culturellement homogènes. On trouve moins de cultures dans le monde et davantage de débats culturels internes[1]. Je vais m'efforcer dans ce chapitre, à l'aide d'une série de notes, de questions et de brefs récits, de repositionner certaines de nos conventions disciplinaires tout en essayant de montrer que les ethnoscapes sont aujourd'hui profondément interactifs.

Modernités alternatives
et cosmopolitismes ethnographiques

L'un des grands défis pour l'anthropologie consiste à étudier les formes culturelles cosmopolites[2] du monde moderne sans supposer logiquement ou chronologiquement première l'autorité de l'expérience occidentale ou des modèles qui en sont dérivés. Il semble impossible d'étudier avec profit ces nouveaux cosmopolitismes sans analyser les flux culturels transnationaux au sein desquels ils se développent, entrent en compétition et se nourrissent les uns des autres d'une façon qui défie et confond bien des certitudes acquises des sciences humaines actuelles. L'une de ces certitudes concerne le lien entre espace, stabilité et reproduction culturelle. Il est urgent de s'intéresser de près à la dynamique culturelle de ce que l'on appelle aujourd'hui la déterritorialisation. Ce terme s'applique non seulement aux multinationales et aux marchés financiers, mais aussi aux groupes ethniques, aux mouvements sectaires et aux formations politiques qui opèrent de plus en plus sur un mode qui transcende les limites territoriales spécifiques et les identités. La déterritorialisation, dont j'ai présenté certains profils ethnographiques au chapitre précédent, affecte les loyautés de groupes (notamment dans le cadre de diasporas complexes), la manipulation transnationale, par ces mêmes groupes, de devises et d'autres formes de richesse et d'investissement, et les stratégies des États. L'affaiblissement des liens entre peuple, richesse et territoires modifie fondamentalement la base de la reproduction culturelle.

En même temps, la déterritorialisation crée de nouveaux marchés pour les compagnies cinématographiques, les imprésarios et les agences de voyage, qui survivent grâce au besoin qu'ont les populations délocalisées de garder le contact avec leur pays d'origine. Mais ce dernier est en partie inventé : il n'existe que dans l'imagination des groupes déterritorialisés et peut quelquefois devenir si fantastique et si partial qu'il fournit la matière à de nouveaux conflits ethniques.

L'idée de déterritorialisation peut aussi s'appliquer à l'argent et à la finance, dans la mesure où les acteurs boursiers cherchent les meilleurs marchés pour leurs investissements, sans considération des frontières nationales. En retour, ces mouvements financiers forment la base de nouveaux types de conflits. Ainsi, les habitants de Los Angeles s'inquiètent de voir les Japonais acheter leur ville, et ceux de Bombay s'inquiètent des riches Arabes des États du Golfe qui non seulement ont fait monter le prix des mangues à Bombay, mais ont aussi considérablement modifié l'aspect des hôtels, des restaurants et d'autres services aux yeux de la population locale – tout comme ces mêmes Indiens l'ont fait à Londres. Pourtant, les habitants de Bombay sont souvent ambivalents vis-à-vis des Arabes installés chez eux, puisque le revers de leur présence est l'absence des amis et des parents partis s'enrichir au Moyen-Orient qui rapportent à Bombay et dans d'autres villes de l'argent et des produits de luxe. Ces biens transforment le goût du consommateur dans ces villes. Ils finissent souvent dérobés dans les aéroports et les ports maritimes, et écoulés dans les « marchés gris[3] » des rues de Bombay. Dans ces marchés gris, certains membres des classes moyennes de Bombay et son sous-prolétariat peuvent acquérir des marchandises qui vont de la cartouche de Marlboro à la mousse à raser Old Spice, en passant par des cassettes de Madonna. Des « routes grises » du même type, souvent approvisionnées par des marins, des diplomates et des hôtesses de l'air qui entrent et sortent du pays régulièrement, assurent l'approvisionnement des marchés gris de Bombay, Madras et Calcutta en produits venus non seulement de l'Ouest, mais aussi du Moyen-Orient, de Hong Kong et de Singapour. Ces mêmes passeurs « professionnels » sont impliqués dans la dissémination transnationale des maladies, en particulier du sida.

Jusqu'ici, notre discussion des *cultural studies* transnationales semble n'impliquer que de modestes ajustements des approches anthropologiques classiques de la culture. J'estime toutefois qu'une pratique ethnographique authentiquement cosmopolite exige aujourd'hui une interprétation du terrain des *cultural studies* aux États-Unis et du statut de l'anthropologie sur un terrain de ce type[4].

Les cultural studies *sur un terrain global*

Puisque cet ouvrage concerne les anthropologies du présent, il peut être bon de questionner le statut de l'anthropologie à l'heure actuelle et, notamment, le monopole désormais contesté qu'elle exerce sur l'étude de la « culture » (notée ensuite sans guillemets). La discussion qui suit pose les fondements de la critique de l'ethnographie qui sera développée plus loin.

En tant que thème de recherche, la culture a de nombreuses histoires. Certaines sont disciplinaires, d'autres fonctionnent en dehors du cadre universitaire. Dans le domaine universitaire, le degré auquel la culture a été un sujet explicite d'investigation et celui auquel elle a été tacitement comprise diffèrent fortement d'une discipline à l'autre. Parmi les sciences sociales, l'anthropologie (particulièrement aux États-Unis, moins en Angleterre) a fait de la culture son concept central, le définissant comme une sorte de substance humaine – alors qu'en l'espace d'un siècle, les idées sur cette substance sont en gros passées de celles de E. B. Tylor sur la coutume à celles de Clifford Geertz sur la signification. Certains anthropologues se sont inquiétés de ce que les significations attribuées à la culture aient été beaucoup trop diverses pour un terme technique ; d'autres ont fait une vertu de cette diversité. Par ailleurs, les autres sciences sociales ne se sont pas totalement désintéressées de la culture : en sociologie, le sens du *verstehen* de Max Weber et plusieurs idées de Georg Simmel ont servi de passerelle entre les idées allemandes néokantiennes de la fin du XIXe siècle et la sociologie en tant que discipline des sciences sociales. Comme dans bien d'autres cas, la culture est désormais un sous-domaine de la sociologie. L'American Sociological Association a légitimé cette ségrégation en créant dans la sociologie de la culture une sous-unité où des gens intéressés par la production et la distribution de la culture, notamment en Occident, peuvent librement s'associer entre eux.

94

Au centre des débats actuels dans et sur la culture, beaucoup de courants divers se rejoignent en un fleuve unique et passablement turbulent, celui des nombreux poststructuralismes (surtout français) de Jacques Lacan, Jacques Derrida, Michel Foucault, Pierre Bourdieu et leurs multiples sous-écoles. Certains de ces courants ont fait résolument du langage leur sens et leur modèle, d'autres moins. L'actuelle multiplicité des usages des trois mots « sens », « discours » et « texte » devrait suffire à indiquer que nous ne sommes pas seulement dans une époque où les genres sont brouillés (comme Clifford Geertz en eut la prescience dès 1980[5]), mais dans un état particulier, que j'aimerais appeler « postbrouillage », où l'œcuménisme a laissé place – heureusement, selon moi – à d'âpres débats sur le verbe, le monde et la relation entre les deux.

Dans ce brouillard postbrouillage, il est crucial de remarquer que le haut du pavé est tenu en particulier par la littérature anglaise (en tant que discipline) et les études littéraires en général. Tel est le carrefour où le mot « théorie », terme passablement prosaïque dans de nombreux domaines pendant des siècles, a pris soudain le caractère affriolant d'une tendance. Pour un anthropologue américain, l'élément le plus frappant, dans la décennie universitaire qui vient de s'écouler, est la mainmise sur la culture par les études littéraires – bien que nous n'ayons plus un point de vue arnoldien unique, mais une mainmise à multiples facettes (que cent fleurs s'épanouissent) avec de nombreux débats internes sur les textes et les antitextes, les références et la structure, la théorie et la pratique. Les spécialistes des sciences sociales regardent avec stupéfaction leurs collègues de littérature anglaise et comparée agiter (avec force disputes) des questions qui, il y a encore une quinzaine d'années, auraient semblé aussi pertinentes pour un département de lettres que, disons, la mécanique quantique.

Schématiquement, on pourrait dire que les *cultural studies* s'intéressent à la relation entre le verbe et le monde. Je prends ces deux termes dans leur sens le plus large, de sorte que « verbe » peut englober toutes les formes d'expression textuelle et que « monde » peut tout signifier, depuis les moyens

95

de production et l'organisation des mondes vécus jusqu'aux relations globalisées de reproduction culturelle discutées ici.

Conçues de cette façon, les *cultural studies* pourraient être à la base d'une ethnographie cosmopolite (globale ? macro ? translocale ?). Traduire la tension entre le verbe et le monde en une stratégie ethnographique productive exige une nouvelle compréhension du monde déterritorialisé qu'habitent nombre de gens, et des vies possibles que ces personnes peuvent désormais envisager. Les termes de la négociation entre vies imaginées et mondes déterritorialisés sont complexes et ne peuvent certes pas être saisis par les stratégies localisantes de la seule ethnographie traditionnelle. Mais un nouveau style d'ethnographie peut saisir l'impact de la déterritorialisation sur les ressources imaginaires d'expériences vécues locales. En d'autres termes, la tâche de l'ethnographie consiste maintenant à élucider une énigme : quelle est la nature du *local* en tant qu'expérience vécue dans un monde globalisé et déterritorialisé ? Comme je vais le suggérer par la suite, un début de réponse à cette question réside dans une approche nouvelle du rôle de l'imagination dans la vie sociale.

Les grands récits qui guident actuellement l'ethnographie s'enracinent tous dans les Lumières, et tous ont été sérieusement questionnés. Après la critique dévastatrice de Michel Foucault sur l'humanisme occidental et ses épistémologies cachées, il est devenu difficile de conserver une foi quelconque en l'idée de progrès, quelles que soient ses manifestations – anciennes ou récentes. Le principal récit de l'évolution, récit central à l'anthropologie américaine, souffre d'un profond écart entre ses versions à court terme, culturellement orientées comme dans les travaux de Marvin Harris, et ses versions à long terme, plus attirantes mais moins anthropologiques, comme les fables biogéologiques de Stephen Jay Gould. L'émergence de l'individu en tant que grand récit souffre non seulement des contre-exemples fournis par les expériences totalitaires du XXe siècle, mais aussi des nombreuses déconstructions de l'idée de moi, de personne et d'agent opérées par la philosophie, la sociologie et l'anthropologie[6]. Les grands récits de la cage de fer et de l'avancée de la rationalité bureaucratique sont constamment réfutés par les irrationalités, les contradictions et la pure brutalité que l'on peut de plus en plus attribuer aux pathologies de l'État-nation moderne[7]. Finalement, la plupart des versions du récit majeur marxiste se trouvent elles-mêmes combattues à mesure que le capitalisme contemporain prend un aspect de plus en plus désorganisé et déterritorialisé[8], et que les expressions culturelles refusent même de se plier aux exigences des approches marxistes les moins sectaires[9].

L'ethnographie cosmopolite, ou macroethnographie, prend un caractère d'urgence au vu des perturbations dont souffrent les grands récits post-Lumières. Il est difficile d'avancer autre chose que des hypothèses sur l'aspect que devrait avoir cette macroethnographie (et ses ethnoscapes). Ce qui suit cherche à en délimiter les contours par l'illustration.

Imagination et ethnographie

Nous vivons dans un monde où coexistent de nombreuses sortes de réalismes : certains sont socialistes, d'autres capitalistes, et d'autres n'ont pas encore reçu de nom. Ces réalismes génériques ont chacun leur province d'origine : le réalisme magique dans la fiction latino-américaine depuis plus d'une vingtaine d'années ; le réalisme socialiste dans l'Union soviétique des années 1930 ; et le réalisme capitaliste, terme forgé par Michael Schudson[10], dans la rhétorique visuelle et verbale de la publicité contemporaine américaine. Dans une bonne part de l'expression esthétique actuelle, les frontières entre ces différents réalismes ont été brouillées. Les controverses sur les *Versets sataniques* de Salman Rushdie, sur l'exposition de photos de Robert Mapplethorpe à Cincinnati et sur bien d'autres travaux artistiques dans diverses parties du monde nous rappellent que les artistes sont de plus en plus désireux de placer de forts enjeux sur ce qui leur apparaît comme la frontière entre leur art et la politique de l'opinion publique.

L'imagination a désormais acquis un pouvoir singulier dans la vie sociale. Exprimée en rêves, en chansons, en fantasmes, en mythes et en histoires, elle a toujours fait partie du répertoire de chaque société sous une forme culturellement organisée. Mais aujourd'hui, l'imagination possède dans la vie sociale une nouvelle force qui lui est spécifique. Davantage de gens, dans de plus nombreuses parties du monde, peuvent envisager un éventail de vies plus large que jamais. Ce changement est notamment dû aux médias, qui présentent un stock riche et toujours changeant de vies possibles, dont certaines pénètrent l'imagination vécue des gens ordinaires avec plus de succès que d'autres. Non moins importants sont les contacts avec, les nouvelles de, les rumeurs concernant ceux qui, dans le voisinage social de chacun, sont devenus les habitants de ces mondes lointains. L'importance des médias ne tient pas tant au fait qu'ils sont une source directe d'images et de scénarios nouveaux pour des vies possibles, qu'au fait qu'ils sont des diacritiques sémiotiques dotées d'un immense pouvoir, infléchissant aussi le contact social avec le monde métropolitain amené par d'autres canaux.

L'un des principaux changements dans l'ordre culturel global créé par le cinéma, la télévision et la technologie de la vidéo (et la façon dont ils encadrent et dopent d'autres médias plus anciens), concerne le rôle de l'imagination dans la vie sociale. Récemment encore, quelle qu'ait pu être la force du changement social, on pouvait soutenir que la vie sociale restait largement inerte, que les traditions fournissaient un ensemble relativement fini de vies possibles, et que le fantasme et l'imagination étaient des pratiques résiduelles, confinées à des personnes ou des domaines particuliers, à des moments et des endroits spécifiques. En général, l'imagination et le fantasme étaient des antidotes à la finitude de l'expérience sociale. Au cours des vingt dernières années, à mesure que la déterritorialisation des personnes, des images et des idées prenait une force nouvelle, ce poids s'est imperceptiblement modifié. Davantage de gens voient leur existence à travers le prisme des vies possibles offertes par les médias sous toutes leurs formes. Cela revient à dire que le fantasme est désormais une pratique sociale : il entre, sous différentes formes, dans la fabrication de la vie sociale d'un grand nombre de personnes dans un grand nombre de sociétés.

Précisons tout de suite que ce n'est pas là une observation joyeuse qui sous-entendrait que le monde serait désormais un endroit plus heureux, offrant de meilleurs choix (au sens utilitaire) à plus de gens, avec une plus grande mobilité et plus de fins heureuses. Ce qui est plutôt en jeu, c'est que même la plus mauvaise et la plus désespérée des vies, même les circonstances les plus brutales et les plus déshumanisées, même les inégalités les plus dures sont aujourd'hui ouvertes au jeu de l'imagination. Prisonniers pour délit d'opinion, enfants travailleurs, femmes qui triment dans les champs et les usines de par le monde, et d'autres qui ne sont pas mieux lotis, ne voient plus leur vie comme un simple résultat du monde tel qu'il va, mais souvent comme le compromis ironique entre ce qu'ils pouvaient imaginer et ce que la vie sociale va leur permettre. Ainsi, les biographies des gens ordinaires sont des constructions (ou fabrications) où l'imagination joue un rôle important. Ce n'est pas celui d'un simple moyen d'évasion (tandis que les conventions qui gouvernent le reste de la vie sociale resteraient fermes sur leur base), car dans l'engrenage entre le déploiement des vies et leur contrepartie imaginée se forme une variété de communautés imaginées[11] qui génèrent de nouveaux types de politique et d'expression collective, et de nouveaux besoins de discipline et de surveillance sociale de la part des élites.

Qu'est-ce que cela implique pour l'ethnographie ? Que les ethnographes ne peuvent plus se contenter de la chair et du contenu qu'ils apportent au local et au particulier. Ils ne peuvent plus supposer qu'en approchant le local, ils approchent quelque chose de plus élémentaire, de plus contingent et, par là, de plus réel que la vie perçue dans une perspective à plus grande échelle. Car ce qui est réel à propos des vies ordinaires est à présent réel de diverses façons, qui vont de la pure contingence des vies individuelles et des écarts de compétence et de talent qui distinguent les personnes dans toutes les sociétés, jusqu'aux réalismes auxquels sont exposés les individus et sur lesquels ils s'appuient dans leur vie quotidienne.

Ces vies complexes, en partie imaginées, doivent désormais former le lit de l'ethnographie, du moins de celle qui désire conserver une voix particulière dans un monde transnational et déterritorialisé. Car le nouveau pouvoir de l'imagination dans la fabrication des vies sociales est fatalement lié aux images, aux idées et aux opportunités venues d'ailleurs, souvent véhiculées par les médias. Ainsi, la reproduction culturelle standard (comme l'anglais standard) est désormais une activité en péril qui ne fonctionne que par un dessein conscient et une volonté politique – quand elle fonctionne. En effet, là où l'isolement par rapport au reste du monde semble avoir réussi et où le rôle de l'imagination globale est refusé aux gens ordinaires (en Albanie, en Corée du Nord et en Birmanie), il semble qu'apparaisse à sa place un curieux réalisme-financé-par-l'État, toujours virtuellement porteur des lubies génocidaires ou totalisantes d'un Pol Pot, ou de désirs longtemps réprimés de critique ou d'exil, tels qu'on les voit émerger en Albanie et à Myanmar (Birmanie).

La question n'est donc pas de savoir comment un texte ethnographique peut s'appuyer sur une plus large gamme de modèles littéraires – modèles qui éludent le plus souvent la distinction entre vie fictionnelle et fictionnalisation des vies –, mais comment le rôle de l'imagination dans la vie sociale peut être décrit par une nouvelle ethnographie qui ne soit plus aussi résolument localisante. Il y a bien sûr beaucoup à dire en faveur du local, du particulier et du contingent, qui ont toujours été les points forts de l'ethnographie à son meilleur niveau. Mais là où les vies sont en partie imaginées dans et à travers des réalismes qui doivent être, d'une façon ou d'une autre, officiels ou à grande échelle dans leur inspiration, l'ethnographe a besoin de trouver de nouvelles façons de représenter les liens entre imagination et vie sociale. Ce problème de représentation n'est pas tout à fait le même que le problème connu du micro et du macro, de l'échelle restreinte ou vaste, bien qu'il ait d'importantes connexions avec lui. Ce rapport entre la difficulté de donner une représentation ethnographique des vies imaginées et celle de passer de réalités locales à des structures à grande échelle est implicite dans l'article de Sherry Ortner, « Reading America[12] ». Pris ensemble, les arguments de Ortner et les miens soulignent la nécessité d'intégrer des réalités à grande échelle dans des mondes vécus concrets, mais ils ouvrent aussi la possibilité d'interprétations divergentes sur ce qu'implique la *localité*.

Selon moi, le lien entre imagination et vie sociale est de plus en plus global et déterritorialisé. Ainsi, ceux qui représentent les vies réelles ou ordinaires doivent se garder de prétendre à un privilège épistémique par rapport aux particularités vécues de la vie sociale. L'ethnographie doit plutôt se redéfinir elle-même comme cette pratique de représentation qui élucide les possibilités de vies imaginées à grande échelle sur des trajectoires vitales spécifiques. C'est de la chair et du contenu avec une différence, et cette différence tient à une conscience nouvelle du fait que, de nos jours, les vies ordinaires ont souvent pour moteur non pas l'état des choses, mais les possibilités que les médias (directement ou non) laissent entrevoir. En d'autres termes, on peut retenir une partie de l'*habitus* de Pierre Bourdieu[13], mais il faut alors insister sur son idée d'improvisation, car l'improvisation ne surgit plus au sein d'un nombre de postures pensables relativement fini, mais ne cesse de prendre son essor, nourrie à tout moment des vues imaginées qu'offrent des grands récits relayés par les médias. Un changement général est intervenu dans les conditions globales des mondes vécus : en bref, là où l'improvisation s'arrachait autrefois péniblement de dessous la couche glacée de l'*habitus*, celui-ci doit maintenant être renforcé à grand-peine face aux mondes vécus soumis à de fréquentes vicissitudes.

Trois exemples illustreront un peu ce que j'ai en tête. En janvier 1988, ma femme (une Américaine blanche, historienne de l'Inde) et moi (un Tamoul brahmane, élevé à Bombay et devenu *homo academicus* aux États-Unis), ainsi que notre fils, trois membres de la famille de mon frère aîné et plusieurs de ses collègues et employés, décidâmes de visiter le temple de Minaski à Madurai, l'un des plus grands pèlerinages du sud de l'Inde. Ma femme avait mené là-bas ses recherches pendant plus de vingt ans.

Nos objectifs n'étaient pas les mêmes. Mon frère et sa femme s'inquiétaient du mariage de leur fille aînée et, dans leur quête d'une bonne alliance, voulaient obtenir les vœux de bon augure de toutes les déités possibles. Pour mon frère, Madurai est un endroit particulier, parce qu'il y a passé

101

l'essentiel de ses vingt premières années dans la famille de ma mère. Il avait donc de vieux amis et des souvenirs dans toutes les rues entourant le temple. Cette fois, il venait à Madurai en tant que responsable de la compagnie de chemins de fer pour rencontrer plusieurs hommes d'affaires qui voulaient le convaincre de la qualité de leurs offres. L'un de ces clients potentiels s'était chargé de retenir pour nous un hôtel moderne de Madurai, situé à un jet de pierre du temple, et fit faire à mon frère le tour de la ville dans une Mercedes tandis que nous autres allions refaire connaissance avec notre Madurai personnel.

Notre fils de onze ans, tout frais débarqué de Philadelphie, savait qu'il était en présence de pratiques d'héritage et plongeait dûment vers le sol, suivant la pratique hindoue de prostration devant les anciens et les déités, chaque fois qu'on le lui demandait. Il prit fort bien le bruit, la foule et l'incroyable agitation qui règne dans un temple hindou d'importance majeure. Moi-même, j'étais là pour renforcer l'entourage de mon frère, pour ajouter une vague force morale à ses vœux d'un heureux mariage pour sa fille, pour réabsorber la ville dans laquelle ma mère avait grandi (j'y étais déjà venu plusieurs fois), pour partager l'excitation de ma femme de revenir dans une ville et un temple qui sont peut-être les parties les plus importantes de son imagination, et pour pêcher ici et là du cosmopolitisme sur le vif.

Nous entrâmes donc dans l'enceinte du temple comme une vaste famille (bien que nous ne fussions pas la seule), et l'un des prêtres qui officient là-bas ne tarda pas à s'approcher de nous. Il reconnut ma femme, qui lui demanda où était Thangam Bhattar – le prêtre avec qui elle avait travaillé le plus souvent. « Thangam Bhattar est à Houston », répondit-il. Il nous fallut quelques secondes pour réaliser, et soudain nous comprîmes. La communauté indienne de Houston, comme de nombreuses communautés indiennes aux États-Unis, avait construit un temple hindou, consacré à Minaski, la déité régnant sur Madurai. Thangam Bhattar s'était laissé persuader d'y aller, laissant sa famille en Inde. Il menait une vie solitaire à Houston, participant à la complexe politique culturelle de reproduction dans une communauté indienne au-delà des mers, gagnant sans doute un modeste salaire, pendant que sa femme et ses enfants restaient dans leur petite maison près du temple. Le lendemain, ma femme et ma nièce se rendirent à la maison de Thangam Bhattar, où sa famille leur parla de son travail à Houston et où ma femme, de son côté, raconta ce que nous avions fait nous-mêmes toutes ces années. Il y a ici une ironie transnationale, bien sûr : Carol Breckenridge, historienne américaine, arrive à Madurai en mourant d'impatience de revoir son meilleur informateur et ami, et découvre que ce prêtre est parti à Houston, qui est encore plus loin que la lointaine Philadelphie.

Mais cette ironie transnationale a de nombreux fils qui se dévident en avant et en arrière dans le temps en larges et fluides structures de signification et de communication. Parmi ces fils, il y a les espoirs de mon frère pour sa fille – qui a ensuite épousé un scientifique enseignant dans une université de l'État de New York et qui est venue elle-même récemment à Syracuse [14] ; il y a aussi la recontextualisation par ma femme de ses expériences de Madurai dans un monde qui, au moins pour l'un de ses acteurs centraux, inclut maintenant Houston ; enfin, il y a ma propre compréhension du fait que le cosmopolitisme historique de Madurai a acquis une nouvelle dimension globale et que certaines vies clés qui constituent le cœur des pratiques rituelles du temple comptent désormais Houston dans leurs biographies imaginées. Chacun de ces fils peut et doit être dévidé. Ils mènent à une compréhension de la globalisation de l'hindouisme, de la transformation des « indigènes » en cosmopolites d'un genre particulier, et du fait que le temple attire non seulement des gens du monde entier, mais qu'il s'étend désormais lui-même. La déesse Minaksi a une présence vivante à Houston.

Depuis, notre fils a dans son répertoire d'expériences un voyage vers les « racines ». Il peut se rappeler cela tout en fabriquant sa propre vie d'Américain d'origine partiellement indienne. Mais il est possible qu'il se rappelle plus vivement encore son soudain besoin d'aller aux toilettes alors que nous nous rendions, en janvier 1989, dans un autre grand temple, et les toilettes d'une fondation charitable où il put enfin se soulager. Mais là encore, c'est une histoire sans fin, qui implique la dynamique de la famille, de la mémoire et du tourisme, pour un Américain naturalisé de onze ans qui doit se rendre régulièrement en Inde, que cela lui plaise ou non, et s'affronter aux nombreux réseaux d'une biographie mouvante qu'il trouve là-bas. Ce récit, comme celui qui suit, doit bien sûr être étoffé et décanté, mais il servira pour l'instant d'aperçu d'une ethnographie centrée sur la séparation entre l'imagination et la localité.

Seconde vignette : le réalisme magique de « Natation en piscine de farine », une nouvelle de Julio Cortázar[15]. Dans la mesure où l'anthropologie récente a beaucoup emprunté de modèles et de métaphores littéraires, alors qu'il y a eu fort peu d'anthropologie de la littérature, un mot sur mon choix s'impose. Comme le mythe, la fiction appartient au répertoire conceptuel des sociétés contemporaines. Les lecteurs de romans et de poèmes peuvent être poussés à une action intense (souvenons-nous des *Versets sataniques* de Salman Rushdie), et leurs auteurs contribuent souvent à la construction de cartes sociales et morales pour leurs lecteurs. Plus pertinent encore pour mon propos, la prose de fiction est la province exemplaire de l'imagination post-Renaissance, ce qui la rend centrale à une ethnographie plus générale de l'imagination. Même de petits fragments d'imaginaire, comme celui que construit Cortázar dans la brève histoire que je vais évoquer, montrent l'imagination contemporaine au travail.

Le réalisme magique n'est pas seulement intéressant comme genre littéraire, il l'est aussi en tant que représentation de la vision qu'ont certaines personnes du monde dans lequel elles vivent[16]. Cortázar est sans aucun doute une personne unique et sa vision du monde n'est pas forcément partagée par tous ; il n'en demeure pas moins qu'elle nous montre que le globe a commencé à tourner autrement. Comme les mythes de la société à petite échelle, tels qu'ils sont rendus dans les vieux classiques de l'anthropologie, les fantasmes littéraires contemporains nous disent quelque chose sur le déplacement, la désorientation et les agents du monde d'aujourd'hui[17].

Parce que nous en savons désormais beaucoup sur l'écriture de l'ethnographie[18], nous sommes en mesure de passer à une anthropologie de la représentation qui tirerait un immense profit des découvertes faites dernièrement sur la politique et la poétique de la « culture écrite ». Dans cette perspective, nous pouvons appliquer aux récentes critiques de la pratique ethnographique les leçons des critiques précédentes de l'anthropologie comme champ de pratiques opérant au sein d'un monde plus vaste de politiques institutionnelles et de pouvoir[19]. La nouvelle de Cortázar est à la fois plus légère et plus brutale que certains romans appartenant au genre du réalisme magique. Elle raconte l'invention en 1964, par le professeur José Miguelete, d'une piscine contenant, non pas de l'eau, mais de la farine de gofio – qui est, nous dit Cortázar, une « farine de pois chiches moulue très fin ». La découverte est bientôt connue dans le monde du sport et, aux Jeux écologiques de Bagdad, le champion japonais Akiro Tashuma pulvérise le record du monde « en couvrant les cinq mètres en une minute quatre secondes ». La nouvelle de Cortázar expose ensuite comment Tashuma a résolu le problème de respirer dans ce milieu semi-solide. La presse entre alors en piste :

Interrogé sur les raisons pour lesquelles de nombreux athlètes internationaux témoignent d'un engouement de plus en plus grand pour la natation en gofio, Tashuma s'est borné à répondre qu'après des millénaires de pratique on avait fini par trouver monotone cette habitude de plonger dans l'eau et d'en ressortir complètement trempé et sans que rien ne change sensiblement dans ce sport-là. Il a laissé entendre que l'imagination est en train de prendre peu à peu le pouvoir et qu'il est temps d'appliquer les formes révolutionnaires aux sports anciens dans lesquels le seul stimulant est d'améliorer les records par fractions de seconde, du moins quand on le peut et l'on peut fort peu. Modestement, il s'est déclaré incapable de proposer des découvertes équivalentes pour le football ou le tennis et il a fait en passant une allusion à une nouvelle possibilité pour un autre sport : lors d'un match de basket-ball, on avait utilisé, paraît-il, un ballon de verre dont le bris accidentel mais éminemment prévisible aurait impliqué le hara-kiri de l'équipe responsable. On peut tout attendre de la culture nippone surtout si elle se met à plagier la tradition mexicaine mais, pour ne pas sortir de l'Occident et du gofio, celui-ci commence à atteindre des prix astronomiques pour le plus grand bonheur des pays producteurs de pois chiches, tous pays du Tiers Monde. La mort par asphyxie de sept enfants australiens qui prétendirent se livrer à des sauts périlleux dans la nouvelle piscine de Canberra montre cependant les limites de cet intéressant produit qui ne devrait pas être utilisé à tort et à travers par des amateurs.

Cette très amusante parabole peut se lire à plusieurs niveaux et selon de multiples points de vue. Pour ma part, je remarque d'abord qu'elle est l'œuvre d'un Argentin né à Bruxelles et qui, de 1952 à 1984, date de sa mort, vécut à Paris. Le lien entre le réalisme magique et l'exil à Paris que se sont imposés beaucoup d'excellents écrivains mérite d'être exploré plus longuement, mais ce n'est pas ici notre propos. Qu'est-ce que cette nouvelle de Cortázar nous offre d'autre qui pourrait éclairer l'étude des nouveaux ethnoscapes du monde contemporain ? L'histoire est en partie celle d'une invention folle qui saisit l'imagination fertile de Tashuma, un homme persuadé que « l'imagination est en train de prendre peu à peu le pouvoir ». Elle traite aussi du parcours transnational d'idées qui, au début, prennent l'allure de méditations amusantes et, à la fin, peuvent se muer en de bizarres réalités techniques susceptibles d'entraîner la mort. Ici, on ne peut s'empêcher de penser à la trajectoire des *Versets sataniques* : au départ, il s'agit d'une méditation satirique sur le bien, le mal et l'Islam ; à l'arrivée, c'est devenu l'arme d'une violence collective en de nombreux points du globe.

La nouvelle de Cortázar traite aussi de l'internationalisation du sport et de l'épuisement spirituel qui découle d'une obsession technique n'aboutissant qu'à de petites différences de performance. Des acteurs peuvent amener leur imagination à aborder le problème du sport de diverses façons. L'histoire des jeux Olympiques fourmille d'incidents qui révèlent les moyens complexes par lesquels des individus, situés sur des trajectoires nationales et culturelles spécifiques, ont imposé leur imaginaire à des publics répartis dans le monde entier. Par exemple, à Séoul en 1988, un boxeur coréen qui avait été déclaré vaincu est resté pendant plusieurs heures assis sur le ring pour proclamer publiquement sa honte en tant que Coréen ; les officiels coréens, quant à eux, se sont précipités sur le ring et sont tombés à bras raccourcis sur l'un des arbitres, originaire de Nouvelle-Zélande, à cause d'une décision qu'ils estimaient injuste ; ce faisant, ils ont abordé, par le biais de leurs vies imaginaires, les récits olympiques officiels du fair-play, de la bonne attitude sportive et de la compétition « propre ». Toute la question des stéroïdes, y compris dans le cas du sprinter canadien Ben Johnson[20], rappelle les absurdités techniques pointées par Cortázar dans son texte, où le corps est manipulé pour obtenir de nouveaux résultats dans un monde du spectacle dominé par la compétition et la marchandise. La vision de sept enfants australiens plongeant dans une piscine de gofio et s'y noyant mérite aussi de prendre place dans les multiples histoires d'abnégation individuelle et d'abus physique qui alimentent parfois les spectacles du sport global.

Cortázar médite également sur les problèmes de l'imitation et du transfert culturel, suggérant qu'ils peuvent mener à des innovations violentes et culturellement singulières. L'adjectif « culturel » peut ici paraître gratuit ; il requiert une justification. Que Tokyo et Canberra, Bagdad et Mexico soient toutes impliquées dans l'histoire ne veut pas dire qu'elles sont devenues les éléments interchangeables d'un monde arbitrairement mouvant et délocalisé. Chacun de ces lieux a bien une réalité locale complexe, de sorte que se noyer dans une piscine signifie quelque chose à Canberra, tout comme le fait, en Irak, d'accueillir de grands spectacles, ou celui, au Japon, de réaliser de bizarres innovations techniques. Quoi que puisse penser Cortázar de ces différences, elles restent culturelles ; mais elles ne le sont plus sur le mode inerte qu'impliquait le monde autrefois. La culture implique bien la différence, mais les différences aujourd'hui ne sont plus taxinomiques, elles sont interactives et réfringentes : concourir dans un championnat de natation prend une connotation particulière à Canberra, notamment à cause de la façon dont certaines forces transnationales ont fini par être configurées dans l'imagination de ses résidents. La culture passe donc d'une sorte de substance locale et inerte à une forme assez volatile de différence. Comme l'a suggéré Lila Abu-Lughod[21], c'est l'une des principales raisons d'écrire contre la culture.

D'autres macrorécits prolongent sûrement ce petit fragment de réalisme magique, mais tous nous rappellent que la vie, aujourd'hui, est autant un acte de projection et d'imagination qu'une mise en œuvre de scénarios connus ou d'issues prévisibles. En ce sens, elle a un point commun avec le spectacle des athlètes internationaux : les travailleurs migrants s'efforcent de satisfaire aux normes d'efficacité dans de nouveaux contextes nationaux ; et leurs épouses, qui se marient très loin de chez elles, s'efforcent de remplir les critères d'hyper-compétence requis fréquemment par ces nouveaux contextes. Le monde déterritorialisé dans lequel vivent de nombreuses personnes – certains y entrant activement, d'autres vivant avec leurs absences ou leurs retours soudains – a, comme la piscine de Cortázar, toujours soif de nouvelles compétences techniques et est souvent cruel envers ceux qui n'y sont pas préparés. La vignette de Cortázar est elle-même une miniparabole ethnographique. Démêler les histoires et les futurs possibles de ses protagonistes peut faire de nos ethnographies de la littérature des exercices d'interprétation du nouveau rôle de l'imagination dans la vie sociale. Ce type d'effort recèle un vertige réflexif qui ne nous amène pas seulement à penser nos propres pratiques de représentation en tant qu'écrivains ; il nous permet aussi d'aborder le mouvement complexe des appropriations imaginatives qui sont impliquées dans la construction de l'action dans un monde déterritorialisé.

Toute déterritorialisation ne revêt pas forcément une dimension globale. De même, les vies imaginées n'ont pas toutes pour toile de fond de vastes panoramas internationaux. Le monde en mouvement affecte aussi de minuscules espaces géographiques et culturels. On trouve dans le cinéma contemporain plusieurs manières de représenter ces petits mondes en déplacement. Prenons par exemple les films de Mira Nair, et plus particulièrement l'un d'entre eux, intitulé *India Cabaret*. Ce film est un ethnodrame[22]. Tourné en 1984, il parle d'un petit groupe de femmes ayant quitté leurs bourgs et leurs villages, situés en général dans le sud de l'Inde, pour venir travailler à Bombay comme danseuses de cabaret dans un minable bar-night-club de banlieue appelé le Meghraj. Il présente (dans un style qui rappelle le jeune Jean-Luc Godard) de longues conversations entre la cinéaste et certaines de ces femmes qui, filmées de face, semblent s'adresser directement au spectateur. Ces segments d'entretiens richement narratifs sont entrecoupés de séquences tournées dans le cabaret, où l'on voit ces femmes danser, ainsi que de longs exposés sur le sordide paradoxe que constitue la vie de certains habitués du bar. Le film suit également l'une de ces femmes qui, de retour dans son village natal, où chacun sait pertinemment ce qu'elle fait à Bombay, subit douloureusement l'ostracisme des villageois. La rumeur veut que cette scène ait été jouée pour les besoins du film, mais ce jeu ne fait qu'ajouter à l'étrangeté et à la douleur qui émanent de la séquence. Le film n'a pas de *happy end* ; il nous laisse simplement entrevoir plusieurs vies possibles pour ces femmes. Toutes sont *de facto* des prostituées qui, à la fois honteuses et fières, méfiantes et dignes, se sont fabriqué une identité d'artistes.

India cabaret, et c'est ce qui nous intéresse ici, montre que le cabaret n'est pas qu'un simple marché du désir, mais aussi un endroit où sont négociées des vies imaginées : les danseuses affichent le sentiment précaire qu'elles ont d'elles-mêmes en tant que danseuses, l'orchestre de seconde zone tente de faire passer ses passions musicales, nourries des aspirations de la communauté catholique de Goa (Inde occidentale) à bien jouer de la musique instrumentale européenne et américaine. Les clients se perçoivent visiblement eux-mêmes comme participant à quelque chose de plus-grand-que-la-vie et se comportent exactement comme les clients des scènes de cabarets de nombreux films indiens. En fait, le scénario qui offre à tous ces personnages un terrain de rencontre est fourni par les séquences de bar que l'on trouve dans le cinéma commercial indien.

Dans ce genre de scènes, un quartet clinquant joue une mélodie oppressante et sensuelle, combinant les instruments et les tonalités occidentales et indiennes, alors que le méchant et ses copains consomment ostensiblement de mauvaises boissons alcoolisées en regardant une vamp s'exhiber dans un numéro de danse tristement explicite. Le héros est en général inséré dans l'action d'une façon qui souligne à la fois sa virilité et sa supériorité morale sur cet environnement sordide. Ces scènes emploient aussi de nombreux figurants qui s'efforcent de prendre l'expression sophistiquée des gens habitués à fréquenter la haute société. L'approche de la

109

boisson et de la danse est là un stéréotype de l'imaginaire ; les clients, les danseuses et l'orchestre du Meghraj semblent jouer une version légèrement décalée et somnambulique de ces séquences classiques des films indiens.

La vie du Meghraj repose sans doute sur des images du cinéma commercial, mais celles-ci ne suffisent pas à rendre compte de l'angoisse, du sentiment de dégradation et de tout le drame du loisir dans lequel sont engagés les personnages. Pourtant, l'image et l'idée que ceux-ci ont d'eux-mêmes ne sont pas de simples résultats contingents de leur vie ordinaire (ou encore de pures évasions), mais des fabrications fondées sur une subtile complicité avec les conventions de langage et de représentation du cinéma indien. Ainsi, bien que ce film soit théoriquement un documentaire, c'est aussi un ethno-drame en ce sens qu'il nous montre la structure dramatique et les personnages qui constituent l'un des modes de vie de Bombay. Ces acteurs sont aussi des personnages, non pas tant parce que d'évidentes idiosyncrasies sont attachées à eux, que parce qu'ils sont des fabrications négociées dans la rencontre entre les efforts du cinéma pour représenter le cabaret et ceux des vrais cabarets pour saisir l'excitation du cinéma. C'est cette négociation, et pas seulement celle des corps, qui constitue le véritable business du Meghraj. Les femmes de ce cabaret sont des travailleuses migrantes à Bombay, donc déterritorialisées et mobiles. Il est difficile de voir en elles le discours de la résistance (bien qu'elles fassent preuve, comme toutes les autres prostituées dans le monde, de cynisme à l'égard des hommes), alors que leurs postures corporelles, l'agressivité de leur langage et leur jeu impudique, presque lesbien, impliquent une sorte de contre-culture consciente de type Quart Monde. Elles donnent l'impression de faire de leur propre vie une construction, de fabriquer leur personnage à l'aide des matériaux cinématographiques et sociaux dont elles disposent.

Il est clair qu'il y a des individus là-dedans, et des agents aussi, mais ces individus et leurs actes sont menés par les réalismes complexes qui les animent : un réalisme cru sur les hommes et ce qui les motive ; une sorte de réalisme capitaliste qui inspire leur discours sur la richesse et l'argent ; un curieux réalisme socialiste qui sous-tend leur propre catégorisation d'elles-mêmes comme de dignes travailleuses du commerce de la chair (pas très différentes des ménagères de Bombay). Elles constituent un exemple ethnographique frappant pour ce chapitre parce que le déplacement même qui est la racine de leurs problèmes (bien qu'elles soient d'abord parties pour fuir des horreurs domestiques pires encore) est aussi le moteur de leurs rêves de richesse, de respectabilité et d'autonomie.

Ainsi, le passé dans ces vies construites est aussi important que l'avenir, et plus nous dévoilons ces passés, plus nous approchons de mondes de moins en moins cosmopolites, de plus en plus locaux. Pourtant, même le plus localisé de ces mondes, du moins dans des sociétés comme l'Inde, a été infléchi – voire affligé – de scénarios cosmopolites qui dirigent le comportement des familles, les frustrations des travailleurs, les rêves des caciques locaux. Une fois encore, nous devons nous garder de supposer qu'à mesure que nous retournons en arrière dans ces vies imaginées, nous allons toucher un quelconque substrat local, culturel, fait d'un ensemble fermé de pratiques reproductrices et vierge des rumeurs du vaste monde[23]. Le film de Mira Nair est une illustration saisissante de la manière dont l'ethnographie pourrait gérer dans un monde déterritorialisé les problèmes de personnage et d'acteur. Il montre en effet que l'autofabrication se produit dans un univers de types et de typification. Il saisit parfaitement la tension entre global et local qui sous-tend la reproduction culturelle aujourd'hui.

À travers les exemples qui précèdent, j'ai voulu montrer deux choses. D'abord, quels types de situations permettent de détecter le travail de l'imagination dans un monde déterritorialisé. Ensuite, que de nombreuses vies sont désormais inextricablement liées à des représentations et qu'il nous faut donc intégrer les complexités de la représentation expressive (films, romans, récits de voyage) dans nos ethnographies, non plus seulement à titre d'ajouts techniques, mais comme un matériel primaire avec lequel construire et interroger nos propres représentations.

Bien que les cosmopolitismes émergents aient des histoires locales complexes et que leur dialogue translocal ait également une histoire complexe (le pèlerinage islamique n'en étant qu'un exemple), il semble judicieux de traiter le présent comme un moment historique et d'utiliser la compréhension que nous en avons pour éclairer et guider la formulation de problèmes historiques. Il ne s'agit pas là d'un libéralisme pervers, mais plutôt d'apporter une réponse à un problème pratique : bien souvent, il n'est tout simplement pas évident de savoir comment et où repérer une base chronologique aux phénomènes que nous voulons étudier. La stratégie qui consiste à commencer par le commencement est encore plus vouée à l'échec quand on cherche à analyser les relations vécues entre les vies imaginées et les réseaux de cosmopolitismes où elles se déploient. Nous avons donc besoin d'une ethnographie qui soit sensible à la nature historique de ce que nous voyons aujourd'hui (ce qui implique aussi une grande prudence dans les comparaisons, comme le savent tous les bons historiens), et je suggère de trancher le problème à travers le présent historique.

Sur les relations entre histoire et anthropologie, de nombreux textes ont été publiés depuis les années 1980 par des praticiens des deux disciplines. Mais peu d'entre eux se sont vraiment penchés sur ce que signifie le fait de construire des généalogies du présent. Il est en particulier très difficile de commencer par le commencement lorsque l'on aborde les divers cosmopolitismes alternatifs qui caractérisent le monde actuel, ainsi que les flux culturels complexes et transnationaux qui les relient. Ces cosmopolitismes combinent la pratique de divers médias avec plusieurs formes d'expérience – cinéma, vidéo, restaurants, spectacles sportifs, tourisme, etc. – ayant des généalogies nationales et transnationales différentes. Certaines de ces formes peuvent commencer par être extrêmement globales et finir par devenir très locales. La radio en est un exemple. D'autres, comme le cinéma, pourraient avoir la trajectoire inverse. Dans tout ethnoscape particulier (expression que je souhaiterais substituer aux anciens ensembles que sont les villages, les communautés et les localités), les généalogies du cosmopolitisme tendent à être différentes de ses histoires : alors que les généalogies révèlent les espaces culturels où de nouvelles formes peuvent s'indigéniser (par exemple, quand le tourisme vient occuper l'espace du pèlerinage en Inde), les histoires de ces formes peuvent mener vers l'extérieur, à des sources et des structures transnationales. Ainsi, les ethnoscapes les plus appropriés au monde d'aujourd'hui, avec ses modernités alternatives et interactives, devraient permettre une confrontation entre la généalogie et l'histoire, laissant ainsi le terrain ouvert à l'interprétation des manières dont les trajectoires historiques locales aboutissent à des structures nationales complexes. Bien sûr, ce dialogue a lui-même une histoire, mais de celle-ci nous ne possédons encore aucun récit majeur. Les nouveaux ethnoscapes globaux sont les briques grâce auxquelles ce récit pourrait être construit. Michel-Rolph Trouillot suggère que le rôle historique de l'anthropologie a été de remplir le « créneau sauvage » par un dialogue entre Occidentaux sur l'utopie[24]. Une anthropologie qui serait guérie de ce travers doit reconnaître que, désormais, le génie est sorti de la bouteille et que les spéculations sur l'utopie sont la prérogative de tout un chacun. L'anthropologie peut certainement offrir à une étude plus large, transdisciplinaire, des processus culturels globaux son propre point d'appui sur l'expérience vécue. Mais, pour ce faire, elle doit d'abord relever un défi : contribuer aux *cultural studies* sans profiter de ce qui a été jusqu'ici son principal fonds de commerce – donner à voir le sauvage.

CHAPITRE III

Consommation, durée, histoire

En tant que sujet de réflexion, la consommation s'est toujours accompagnée d'une illusion d'optique. Cette illusion, forgée notamment par l'économie néoclassique du XIXe siècle, fait que la consommation serait la fin du chemin pour les biens et les services, le terminus de leur vie sociale, la conclusion d'une sorte de cycle matériel. Je voudrais montrer ici que ce point de vue est bien une illusion et que, pour nous en débarrasser, il faut restituer la consommation dans le temps – un temps multiple, conçu à la fois comme histoire, périodicité et processus. D'où une série de suggestions méthodologiques et une proposition préliminaire sur la façon de conceptualiser le nouveau dans le consumérisme après l'avènement des médias électroniques.

Répétition et régulation

La consommation est une habitude. En général, donc, nous ne lui prêtons pas attention. Elle ne redevient perceptible que dans l'ostentation. Là réside un premier piège méthodologique qu'il nous faut éviter – piège qui, d'ailleurs, n'est pas spécifique à ce thème, puisqu'on le retrouve aussi bien lorsque l'on aborde d'autres sujets de réflexion. Je veux dire par là que nous devons résister à la tentation de construire une théorie générale de la consommation autour de ce que Neil McKendrick et ses collègues ont appelé l'effet Veblen[1], c'est-à-dire la tendance des modèles de mobilité à être organisés autour de l'imitation des supérieurs sociaux. Le fait que la consommation puisse être parfois ostentatoire et imitative ne doit pas nous pousser à considérer qu'il en va toujours ainsi. Diverses formes d'abstinence peuvent aussi, en effet, être ostentatoires et riches de conséquences sociales[2].

La consommation est une caractéristique générale de l'économie culturelle. En tant que telle, elle doit tomber – et tombe en effet – dans le mode de la répétition, de l'habitude. À cet égard, l'observation de Fredric Jameson, qui, s'appuyant sur Baudrillard, Freud, Kierkegaard et quelques autres, note que la répétition caractérise la culture marchande du consommateur capitaliste, peut être replacée dans une anthropologie plus large de la relation entre consommation et répétition[3]. Comme nous le verrons, même dans les contextes les plus soumis à la mode, la consommation incline à l'accoutumance par le biais de la répétition. Quel que soit le contexte social, elle est en effet centrée sur ce que Marcel Mauss[4] a appelé « les techniques du corps ». Or, le corps requiert des disciplines sinon répétitives, du moins périodiques. Ce n'est pas qu'il soit partout le même fait biologique et exige donc les mêmes disciplines. Au contraire, parce qu'il constitue pour les pratiques de reproduction une arène intime, le corps est un site idéal pour l'inscription de disciplines sociales qui peuvent être extrêmement variées. En jouant sur l'une des racines étymologiques du verbe « consommer », il est intéressant de noter que le fait de manger – contrairement, par exemple, à celui de se tatouer – exige une habitude même dans les environnements les plus élevés de l'échelle sociale, ceux où la nourriture est davantage dominée, aujourd'hui, par des normes de beauté corporelle et de comportement que par des normes d'énergie et de satiété[5].

Même là où des pratiques hédonistes et antinomiennes de consommation se sont implantées profondément, celles qui sont les plus proches du corps (nourriture, vêtement, coiffure) conservent une tendance à acquérir une uniformité par le biais de l'habitude. J'insiste sur la force de l'habitude, que l'on a trop souvent délaissée au profit des forces d'imitation ou d'opposition. Ces forces-là peuvent être parfois très importantes, mais elles rencontrent toujours l'inertie sociale des techniques corporelles. Ainsi, même chez les moines, les végétariens, les maniaques de régimes alimentaires et les contre-consommateurs de toutes sortes, il est extrêmement difficile de maintenir un régime anarchique de consommation. Les techniques du corps, même particulières, innovatrices et antisociales, ont besoin de devenir des disciplines sociales[6], de faire partie d'un certain *habitus*, sans artifice ni coercition externe, pour atteindre leur pleine puissance. Le corps étant au centre des pratiques de consommation, l'accoutumance, qui exige la réussite des disciplines corporelles, suscite des modèles de consommation qui tendront toujours à la répétition, du moins à certains égards. C'est là le paradoxe interne de l'hédonisme, surtout dans ses dimensions anarchiques : même la consommation hédoniste exige ses disciplines corporelles et, de par leur nature, celles-ci encouragent la répétition et découragent l'inventivité[7]. Même une barbe négligée doit être taillée.

Certes, toute la consommation n'a pas besoin d'être répétitive ou habituelle. Mais, comme je vais m'efforcer de le montrer, tout système de consommation qui cherche à se libérer de l'habitude est poussé vers une esthétique de l'éphémère. Cela vaut pour certains traits importants de la relation entre consommation, mode et plaisir que je discuterai à la fin de ce chapitre. Toutes les pratiques de consommation qui durent un peu doivent payer un tribut à l'inertie corporelle, même si cette inertie affecte des zones très différentes et s'ancre dans des idéologies diamétralement opposées dans le temps et l'espace. Sur cette base d'inertie peuvent se construire toute une gamme de périodicités et de rythmes temporels différents, dont certains ont pour moteur le type de consommation ostentatoire de Thorstein Veblen.

Dans tout complexe socialement régulé de pratiques de consommation, celles qui sont centrées sur le corps, et notamment sur le nourrissage de celui-ci, ont pour fonction de structurer le rythme temporel, de poser la mesure temporelle minimale (par analogie avec la musique) sur laquelle vont se construire des modèles beaucoup plus complexes et chaotiques. Poussons l'analogie : les petites habitudes de consommation, généralement des habitudes alimentaires, peuvent jouer un rôle dans l'organisation de modèles de consommation à grande échelle, lesquels sont parfois constitués d'ordres beaucoup plus complexes de répétition et d'improvisation.

D'où une morale méthodologique : là où l'imitation semble dominer, la répétition n'est pas loin.

La logique d'inertie de la répétition est une ressource sur laquelle les sociétés et leurs classes dominantes bâtissent, généralement autour d'une forme quelconque de saisonnalité, des régimes plus vastes de périodicité. Notre expérience de la folie des cadeaux de Noël en fournit une illustration. Dans de nombreuses sociétés, d'importants rites de passage s'accompagnent de marqueurs de consommation. Ceux-ci sont la plupart du temps regroupés autour de modèles obligatoires, ou quasi obligatoires, de dons de présents entre des catégories prédésignées de personnes unies par un lien social – la famille le plus souvent. Cela n'implique pas mécaniquement un mariage entre Arnold van Gennep et Marcel Mauss[8]. En fait, les saisonnalités qui organisent la consommation sont plus compliquées et moins mécaniques qu'il ne semble à première vue.

Les actes de consommation qui entourent les rites de passage sont souvent moins mécaniquement prescriptifs qu'ils n'en ont l'air. Pierre Bourdieu l'a fort bien montré en traitant du don de cadeaux entre parents par alliance dans les mariages kabyles en Algérie[9]. Ce qu'il appelle les « improvisations régulées de l'*habitus* » est le fait que ce qui nous apparaît comme un ensemble fixe de prescriptions gouvernant les échanges de cadeaux entre parents est en réalité gouverné par un ensemble extrêmement complexe d'interactions stratégiques dont la séquence, en raison de son improvisation, est imprévisible, bien que sa morphologie sociale générale soit connue des acteurs dès le départ. Le *laps de temps* entre différents dons est une source cruciale d'incertitude qui peut être traitée comme une ressource stratégique par les acteurs concernés. En 1922, Bronislaw Malinowski avait déjà remarqué ce rôle clé du délai dans le don de cadeaux ; Marcel Mauss aussi ; Marshall Sahlins lui a donné une plus grande force typologique[10]. Pour notre propos, cela suggère que les rythmes d'accumulation et de dépossession qui génèrent des états particuliers de richesse matérielle dans de nombreuses sociétés sont les produits non pas de distributions mécaniques de biens ou de modèles prévisibles de dons, mais de séquences de calcul complexes, construites, comme les autres formes agonistiques, sur une compréhension partagée du style qui laisse néanmoins une latitude considérable dans la stratégie.

Cette dimension de calcul dans le don de présents offre une perspective plus complexe sur la relation entre consommation et rites de passage. Les actes d'échange de cadeaux, avec leurs implications sur la consommation et la production, sont souvent vus dans le contexte de rites de passages comme des marqueurs hautement conventionnels de ces rites, c'est-à-dire, pour reprendre les termes de Charles Pierce, comme des icônes. Mais il est peut être plus utile de considérer ces stratégies de consommation comme des *indices* de rites de passage : elles créent la signification de ces rites par la manière dont elles désignent cette signification. Je m'explique. Les rites de base décrits par Arnold van Gennep[11], qui concernent la naissance, l'initiation, le mariage et la mort, sont généralement considérés comme des régularités culturelles dotées d'un remarquable degré d'universalité qui, selon van Gennep, tient aux uniformités physiologiques et cosmologiques sur lesquelles ils sont construits. Utilisant les idées de Mauss sur les techniques du corps, je suggère que les périodicités de consommation, par la médiation des stratégies d'accumulation et de dépossession, constituent souvent la signification première de ces événements « naturels » au lieu de simplement les marquer d'une façon vaguement « symbolique ». C'est très clair dans l'initiation et le mariage, où les questions de temps et de calendrier sont évidemment cruciales, étant donné le degré de jeu dont disposent les acteurs pour déterminer qui ces événements affecteront, et quand. Avec la naissance et la mort, l'horloge biologique semble primordiale. Et pourtant, même dans ce cas, nous savons que c'est le rituel marquant ces événements – lequel peut être long, objet de débats et hautement idiosyncrasique – qui définit leur importance sociale[12]. Ce qui affecte l'importance sociale, ce sont la nature, le calendrier, l'échelle et la visibilité sociale des transactions matérielles qui constituent le processus de ces rites. L'argument serait encore plus simple dans le cas des autres rites de passage discutés par van Gennep, qui impliquent des transitions dans l'espace, le territoire, l'appartenance au groupe, l'agriculture, etc. En un mot, les périodicités socialement organisées de consommation et les stratégies calculées qui leur donnent acte et amplitude sont des éléments constituants de la signification sociale des rites de passage, et non pas simplement des marqueurs symboliques de ces significations. Ainsi, sur les échelles saisonnières plus vastes des saisons, des biographies et des histoires de groupes discutées par van Gennep et d'autres, la consommation régule les périodicités plus serrées des rites de passage temporels. En ce sens, la consommation crée du temps au lieu de se contenter de s'y soumettre.

Revenons à Noël et les choses seront encore plus claires. Aux États-Unis, la gamme de marchandises disponibles s'élargissant, les familles se retrouvant avec des listes plus longues de biens et de services susceptibles de satisfaire les désirs de leurs membres, et les modes, notamment pour les plus jeunes, changeant à une vitesse folle, on fait ses courses de Noël de plus en plus tôt. Trouver le meilleur moment pour les faire pose un problème délicat, puisque chacun veut avoir terminé ses achats avant la ruée de Noël, au point que l'idéal serait de faire les courses de Noël alors que vous suez à grosses gouttes en juin ou juillet ! À cette absurdité s'ajoute une autre difficulté : ce n'est pas avant septembre ou octobre que le cycle de la mode, notamment pour des objets comme les jouets d'enfants, commence à émettre des signaux clairs. Le problème consiste donc à savoir à quel moment l'on décide que la liste de Noël est close, tout en ne perdant pas de vue que si l'on attend trop longtemps, les objets de cette liste auront disparu des magasins. À l'autre bout du processus, tous les grands magasins organisent des soldes d'après-Noël, mais souvent, du fait du manque de consommateurs dans certaines parties du pays, il existe aussi des soldes d'avant-Noël, ce qui contribue à déformer encore plus la périodicité des prix et des sentiments avec lesquels doivent jongler les familles. Le client malin sait depuis toujours que le meilleur moment pour faire ses achats de Noël – surtout s'ils ne concernent pas des biens soumis à des cycles de mode courts – est celui des potlatchs de l'immédiat après-Noël dans les grands magasins. Ainsi, Noël n'est manifestement pas un simple fait saisonnier. D'un certain point de vue, cette célébration porte sur l'année entière, avec des périodes plus ou moins frénétiques d'activité consciente. La différence tient dans les logiques sociales plus larges d'acquisition et de dépossession qu'il faut coordonner pour la réussite de ce rite de passage particulier. Cette fois, la maxime méthodologique complique quelque peu la précédente : là où la répétition dans la consommation semble déterminée par des saisonnalités de passage naturelles ou universelles, considérons toujours la chaîne causale inverse, dans laquelle les saisonnalités de la consommation détermineraient en fait le style et la signification des passages « naturels ».

Périodicités et histoires

Mais les saisonnalités de la consommation s'inscrivent elles-mêmes dans des processus temporels plus ouverts, plus circonstanciels, plus contingents, que nous choisissons généralement d'appeler historiques. Dans toutes les sociétés – chaudes ou froides, et qu'elles aient ou non connaissance de l'écriture –, l'histoire est par définition celle de la longue durée, quel que soit notre degré de connaissance de toutes les histoires que nous rencontrons. En ce qui concerne la consommation, les structures du long terme n'ont pas été étudiées de façon aussi élaborée dans le monde extérieur à l'Occident qu'elles ne l'ont été pour l'Europe et le monde qu'a rencontré l'Europe après 1500. Pourtant, nous en savons assez sur certaines histoires du reste du monde sur de longues périodes de temps[13] pour dire que, plutôt que de claires unités spatio-temporelles, le monde a pendant très longtemps été constitué de masses partiellement superposées d'œcuménismes culturels. La force dirigeante des marchands, du commerce et des biens – surtout des biens de luxe – a été le moteur de l'économie culturelle de la distance[14]. Néanmoins, les structures du long terme ne sont pas toutes caractérisées par les mêmes tours, ou contingences, qui prennent rétrospectivement l'apparence de la nécessité. L'écriture n'est pas apparue partout, pas plus que la peste bubonique ou l'idée de droits démocratiques. Aussi les modèles sur la longue durée doivent-ils être considérés tout d'abord au niveau local, c'est-à-dire dans des sphères d'interaction bien observées et bien documentées. En ce qui concerne la consommation, le changement à long terme ne s'effectue pas partout avec la même rapidité, bien qu'il semble de plus en plus vain d'opposer les sociétés statiques aux sociétés qui changent. La question semble être celle du rythme et de l'intensité du changement, ainsi que celle de l'alacrité avec laquelle celui-ci est invité.

Ce que nous savons de l'Europe nous permet d'observer une société de loi somptuaire se transformer lentement en une société de mode. En général, toutes les formes socialement organisées de consommation semblent tourner autour d'une combinaison des trois modèles suivants : interdiction, loi somptuaire et mode. Le premier modèle, typique des sociétés à petite échelle, à faible technologie et structurées selon des rites, organise la consommation à travers une assez longue liste d'injonctions – « faire et ne pas faire » –, dont beaucoup combinent la cosmologie et l'étiquette d'une façon qui leur est propre. Dans certaines sociétés, ce que les anthropologues d'un autre âge avaient coutume d'appeler des « tabous » régule souvent la consommation pour certaines catégories sociales, certains contextes temporels et certains biens[15]. Il semble que la vie sociale des choses dans les sociétés à petite échelle ait été largement régie par la force de l'interdiction. Pourtant, les découvertes récentes de l'archéologie nous apprennent que de petites sociétés, par exemple en Mélanésie, auraient été longtemps caractérisées par des flux de longue distance, maritimes et terrestres, pour au moins quelques types de marchandises. Dans ces sociétés, les diverses structures d'interdiction semblent avoir intégré avec succès de nouveaux biens aux structures existantes d'échange et de disposition des biens, notamment parce que l'explosion quantitative associée au monde de la marchandise n'avait pas encore eu lieu. Même dans ces sociétés à faible technologie, des conjonctures particulières de flux et d'échange de biens peuvent susciter des changements imprévus dans les structures de valeurs[16].

À ce point, il est tentant de présenter, pour souligner le côté consommation des choses, la version que Colin Campbell a donnée de la question weberienne des conditions historiques de la montée du capitalisme. Des deux côtés de l'Atlantique, il semble que la plupart des historiens et des sociologues soient d'accord pour dire qu'une transformation majeure de la demande serait survenue en Europe peu après le XVe siècle [17]. Toutefois, il n'y a pas d'unanimité sur la nature des conditions qui ont permis cette révolution du consommateur, si ce n'est le sentiment général qu'elle a tenu aux relations entre les aristocraties traditionnelles et les bourgeoisies montantes au début de la période moderne. Mais y a-t-il une façon mieux articulée de poser la question suivante : quand et dans quelles conditions les révolutions du consommateur se produisent-elles ?

En définitive, l'idée même de révolution du consommateur ne me paraît pas très adéquate à notre présent électronique. Définir cette révolution est un bon préliminaire, mais il faut le faire d'une manière suffisamment étroite pour que la comparaison soit justifiée, et assez large pour éviter la question tautologique de savoir pourquoi l'histoire de l'Europe (ou de l'Angleterre) s'est produite uniquement en Europe (ou en Angleterre). Voici ma proposition : la révolution du consommateur est un ensemble d'événements dont le caractère clé est un glissement *généralisé* du règne de la loi somptuaire à celui de la mode. Cette définition détache les révolutions du consommateur de toute séquence temporelle particulière impliquant une société mobile, une commercialisation sophistiquée selon le modèle de Josiah Wedgwood, de hauts salaires, des techniques marchandes de masse et des conflits de classe. Elle détache également les révolutions du consommateur des séquences historiques spécifiques et des conjonctures impliquant les capacités de lire, d'écrire et de calculer, l'expertise, l'industrie du livre, ainsi que d'autres formes d'information-marchandise pertinentes pour l'Angleterre, la France et les États-Unis depuis trois siècles. Ce faisant, elle ouvre la possibilité que des changements de consommation à grande échelle soient associés à diverses séquences et conjonctures de tous ces facteurs. En Inde, les grands magasins se sont développés très tardivement, alors que la publicité était déjà depuis une quarantaine d'années une pratique commerciale bien établie ; en France, au contraire, ils semblent avoir précédé la forme moderne de l'industrie publicitaire, en conjonction avec les expositions universelles et d'autres phénomènes de loisir et de spectacle[18]. Cette relation de conjoncture et de séquence entre les révolutions de la consommation anglaise et française semble elle-même complexe et contestable. Au Japon, après la Seconde Guerre mondiale, il semble que la consommation de masse ait surtout émergé sous l'influence de la télévision (souvent de comédies venues des États-Unis) et que la publicité ait suivi comme un mode postmoderne de commenter cette consommation plutôt que comme un facteur causal primaire[19]. De telles différences tiennent en partie aux complexités du flux culturel d'après 1800, grâce auquel de nombreux pays ont développé des technologies sophistiquées de marketing avant de devenir des économies massivement industrielles. Ainsi, si l'on compare l'Angleterre élisabéthaine et l'Inde, il faut que ce soit l'Inde de la fin du XVIIIe siècle, époque où la portée somptuaire du souverain Moghol fut à la fois imitée et contestée par toutes sortes de groupes commerciaux et politiques en Inde du Nord[20]. De même, les conflits de classe et les batailles somptuaires entre les anciennes et les nouvelles aristocraties peuvent avoir un poids très différent si l'on compare le Japon et l'Inde, pays où la dissolution des idées monarchiques et la montée du capitalisme industriel ont des causes internes et des relations temporelles très différentes. On pourrait multiplier ce genre d'exemples.

Le point méthodologique général est clair : nous avons appris, notamment à travers le débat sur la proto-industrialisation, à ne pas préjuger des liens entre les formes commerciales européennes et la montée des modes capitalistes de production et d'échange ; c'est exactement la même chose avec la consommation : nous devons à tout prix éviter de rechercher des séquences préétablies de changement institutionnel, définies de façon axiomatique comme constitutives de *la* révolution du consommateur. Cela devrait encourager la multiplication de scénarios sur l'apparition de la société de consommation qui ne voient plus le reste du monde comme répétant ou imitant simplement les précédents conjoncturels de l'Angleterre et de la France. Une fois explorées ces variations conjoncturelles au sein des relations entre classe, production, marketing et politique sur de longs fragments d'histoires spécifiques, il devrait être plus facile de construire des modèles d'interaction globale dans le domaine de la consommation, aussi bien avant qu'après la grande expansion maritime de l'Europe du XVIᵉ siècle.

En comparant de cette manière les révolutions du consommateur entre elles, nous pouvons maintenir la tension entre la longue durée des localités et la durée variable de divers processus mondiaux en établissant une distinction qui s'est révélée utile dans un autre contexte (*cf.* chapitre II) : la distinction entre histoire et généalogie. Chacun de ces deux termes possède toute une palette de significations (selon le jargon de votre choix) ; pour ma part, j'en ferai l'usage suivant : l'histoire vous mène vers le dehors, reliant des modèles de changement à des univers de plus en plus larges d'interactions ; la généalogie vous mène vers l'intérieur, vers les dispositions et les styles culturels qui peuvent se nicher avec entêtement à la fois dans les institutions locales et dans l'histoire de l'*habitus* local. Ainsi, l'histoire de la relation ascétique du Mahatma Gandhi au monde de la marchandise pourrait mener au-dehors vers John Ruskin, Henry David Thoreau et d'autres penseurs occidentaux qui ont esquissé la vision d'un monde pastoral et anti-industriel. Mais la généalogie de l'hostilité de Gandhi aux biens et à l'individualisme possessif en général mène probablement vers l'intérieur, vers un très ancien malaise indo-aryen envers l'attachement à l'expérience sensorielle en général. En outre, l'histoire et la généalogie peuvent, par rapport aux pratiques particulières ou aux institutions, se renforcer l'une l'autre. En témoigne l'exemple suivant. Quand les Indiens ont commencé à entrer dans le monde de l'habillement britannique au XIXᵉ siècle, certaines de ces pièces d'habillement ont acquis une histoire attirante aux yeux des élites indigènes tout en conservant une généalogie beaucoup plus troublante. Pour les élites brahmanes, par exemple, l'histoire du port du chapeau les liait à un récit de leur propre passé cosmopolite et colonial, mais sa généalogie était sans doute moins confortable, puisqu'elle juxtaposait des idées très différentes sur les cheveux et la coiffure, idées cruciales aussi pour l'*habitus* brahmane. En général, dans tout lieu social et temporel donné, l'étude de la longue durée en matière de consommation devrait impliquer l'exploration simultanée des histoires et des généalogies de pratiques particulières. Cette double historicisation est susceptible de révéler les multiples processus qui sous-tendent toute conjoncture donnée, tout en permettant la comparaison sans sacrifier le contraste dans l'étude des révolutions du consommateur.

Revenant, donc, à la relation entre les cycles courts, ancrés dans les techniques du corps, qui constituent le cœur de toute pratique de consommation durable, et les séquences plus ouvertes dans lesquelles ils sont nichés, il est important de voir que le tempo de ces périodicités à petite échelle peut être installé dans plus d'une longue durée, les processus impliqués par l'histoire et la généalogie créant de multiples temporalités pour toute pratique donnée[21]. Il s'ensuit qu'en étudiant les pratiques de consommation de différentes sociétés, nous devons nous attendre à rencontrer toute une palette d'histoires et de généalogies présentes au même moment. Ainsi, en France, la consommation de parfum en 1880[22] peut être le résultat d'un certain type d'histoire de la discipline corporelle et de l'esthétique, alors que la consommation de viande peut résulter de bien d'autres histoires et généalogies. Plus une société est diverse et plus l'histoire de ses interactions avec d'autres sociétés est complexe, plus l'histoire de ses pratiques de consommation est susceptible d'être fragmentée, même si l'on y discerne des styles, des tendances et des modèles généraux. Le passage de petits à de grands rythmes temporels de consommation est un mouvement de plus à moins de périodicités modélisées. Écrire l'histoire de la « distinction » (au sens de Bourdieu) entraîne l'ouverture à une telle multiplicité. Dans les pages suivantes, je me limiterai à ces sociétés où la mode, au moins pour certaines classes, est devenue le mécanisme dominant d'encouragement à la consommation, et où la marchandisation est une caractéristique capitale de la vie sociale.

Mode et nostalgie

Si l'on a beaucoup écrit sur la mode[23], celle-ci n'est pas encore pleinement comprise comme une caractéristique des rythmes temporels des sociétés industrielles et postindustrielles. Bien que l'on ait largement noté qu'elle est le lien crucial entre production, techniques marchandes et consommation dans les sociétés capitalistes, la relation de la mode à ce que Grant McCracken appelle la « patine » n'a pas été complètement explorée. Le problème de la patine, que McCracken propose comme terme général pour désigner cette propriété des marchandises par laquelle leur âge devient un signe clé de leur statut élevé, masque un dilemme plus profond, celui de la distinction entre l'usagé et l'usé. En effet, si l'usagé est souvent le signe, dans la vie sociale des choses, de la bonne durée, le simple délabrement ou la décrépitude ne le sont pas. L'usagé, en tant que propriété d'objets matériels, est donc en soi une propriété très compliquée qui exige une maintenance considérable. Le polissage du vieil argent, l'époussetage de meubles anciens, les reprises de vieux vêtements, la patine de vieilles surfaces, tout cela fait partie de la pratique incarnée des classes supérieures – ou plus exactement de leurs domestiques – dans de nombreuses sociétés. Nous pourrions dire, en paraphrasant un aphorisme bien connu : « Quant à la patine, nos domestiques y pourvoiront. » Mais une patine mal entretenue peut elle-même devenir un signe de mauvaise éducation, de contrefaçon sociale [24], ou, pire encore, de complète pénurie. Bref, la patine est une propriété fuyante de la vie matérielle qui peut toujours signifier la contrefaçon ou le maniement brutal. La patine des objets ne prend sa pleine signification que dans un contexte approprié, comportant d'autres objets et d'autres espaces pour ces assemblages d'objets et de personnes qui savent comment indiquer, à travers leurs pratiques corporelles, leurs relations à ces objets. La maison de campagne anglaise est un bon exemple de ce nœud complexe de relations. Quand toutes ces conditions sont heureusement réunies, la transposition de temporalité, le glissement subtil de la patine de l'objet à son propriétaire ou son voisin se produit avec succès, et la personne (ou la famille, ou le groupe social) prend elle-même la patine invisible de la reproduction bien gérée, de la continuité temporelle non troublée. Mais la patine, le brillant de l'âge, ne peut suffire en soi à générer les bonnes associations temporelles pour les êtres humains. Ici, comme dans tant d'autres matières impliquant la vie matérielle, le contexte est tout. La distinction entre un meuble de famille et un meuble sans valeur n'est pas la patine en tant que telle, mais la gestion sémiotique réussie du contexte social. Il y a là aussi un délicat rythme temporel à gérer, notamment lorsque l'appartenance aux élites se construit en partie par le biais de la patine. Parce que toutes les choses ont une « biographie culturelle [25] », même les objets dotés de la patine la plus parfaite ont diverses histoires possibles, parmi lesquelles le vol, la vente, ou d'autres modes impropres d'acquisition. Comme le savent les nouveaux riches, l'important est de réguler le rythme auquel un groupe d'objets patinés sont assemblés. Si vous êtes trop lent, seuls vos descendants connaîtront le plaisir du juste brillant ; trop rapide, le sort de George Babbitt vous attend, si entouré que vous puissiez être par les choses justes. La gestion des rythmes temporels est donc cruciale pour l'exploitation de la patine.

Comme clé de la vie matérielle des aristocraties (et des aspirants aristocrates), la patine nourrit un courant plus profond dans la vie sociale des choses, à savoir la capacité de certaines d'entre elles à évoquer la nostalgie, syndrome immortalisé par Marcel Proust. Les objets patinés sont des rappels permanents du passage du temps qui, telle une épée à double tranchant, donne créance aux gens « comme il faut » tout en menaçant leur mode de vie. Chaque fois que les modes de vie aristocratiques sont menacés, la patine acquiert une double signification : elle indique aussi bien le statut spécial de son propriétaire que la relation particulière de celui-ci à un mode de vie qui n'existe plus. C'est cette dernière caractéristique qui fait de la patine une ressource vraiment rare, car elle est le signe certain qu'un mode de vie a désormais disparu pour toujours. Pourtant, ce fait même est une garantie contre les nouveaux venus, car ils peuvent acquérir des objets patinés, mais jamais l'angoisse subtile de ceux qui peuvent légitimement se lamenter de la perte d'un mode de vie. Naturellement, les bons imposteurs chercheront à imiter aussi cette posture nostalgique, mais ici, les performances et les commentaires sont une affaire soumise à des règles plus strictes. Il est plus difficile de faire semblant d'avoir perdu quelque chose que de l'avoir en effet perdu, ou d'affirmer l'avoir trouvé. Ici, l'usagé matériel ne peut dissimuler la fracture sociale.

L'effort pour inculquer la nostalgie est une caractéristique centrale des techniques marchandes modernes. On en trouve une excellente illustration dans les catalogues de vente par correspondance aux États-Unis. Ces catalogues utilisent toute une variété de dispositifs théoriques, mais lorsqu'il s'agit de vêtements, de meubles et de décoration, ils jouent avant tout sur différents types de nostalgie : nostalgie pour des styles de vie disparus, des assemblages matériels, des stades de la vie (l'enfance par exemple), des paysages (les cartes postales de Currier et Ives), des scènes du quotidien (les petites villes de Norman Rockwell), etc. On a beaucoup écrit sur ces questions et nous disposons à présent d'excellents travaux sur la relation de la nostalgie et de l'authenticité aux collections, aux jouets et aux spectacles[26]. Mais ce qui n'a pas été exploré, c'est le fait qu'une telle nostalgie, du moins en ce qui concerne le marketing de masse, ne cherche pas en premier lieu à évoquer un sentiment auquel pourraient réagir les consommateurs qui ont réellement perdu quelque chose. Ces formes de publicité de masse apprennent plutôt au consommateur à souffrir de la perte de choses qu'il n'a jamais perdues[27]. Autrement dit, elles créent des expériences de durée, de passage et de perte qui réécrivent les histoires vécues des individus, des familles, des groupes ethniques et des classes sociales. Avec ces expériences de pertes qui n'ont jamais eu lieu, ces publicités créent ce que l'on pourrait appeler une « nostalgie imaginée », c'est-à-dire une nostalgie pour ce qui n'a jamais été. Cette nostalgie imaginée inverse donc la logique temporelle de la rêverie (qui apprend au sujet à imaginer ce qui pourrait arriver) et suscite des désirs bien plus profonds que ne pourraient le faire la simple envie, le désir d'imitation, ou encore la pure rapacité.

La torsion finale de cette logique particulière de la nostalgie dans les politiques de consommation de masse suscite ce que Fredric Jameson appelle « la nostalgie pour le présent », expression qu'il utilise pour discuter certains films récents qui présentent un futur à partir duquel la vie actuelle est non seulement historicisée, mais aussi faussement reconnue comme quelque chose que le spectateur aurait déjà perdu[28]. L'idée de Jameson, qui éclaire certaines tendances du cinéma et de la littérature populaires d'aujourd'hui, peut être étendue au monde des techniques commerciales de masse. La nostalgie pour le présent, cette présentation stylisée du présent comme s'il s'était déjà enfui, caractérise un très grand nombre de publicités télévisées, en particulier celles qui s'adressent aux jeunes. Toute une nouvelle esthétique vidéo a émergé, notamment dans les campagnes pour Pepsi, les jeans Levi's et les vêtements Ralph Lauren, où les scènes contemporaines sont éclairées, chorégraphiées et tournées de façon à créer une sorte d'ethos du « retour-vers-le-futur » : dingue, surréel, digne de la science-fiction, mais évoquant aussi les années 1960 ou 1950. On pourrait dire que cette esthétique s'appuie sur une sorte d'« histoire noire ». En mettant ainsi le présent entre parenthèses, donc en en faisant déjà l'objet d'une sensibilité historique, ces images placent le consommateur dans un présent déjà périodisé, le rendant encore plus disposé à suivre la vélocité de la mode. Mais cette fois, non pas parce que, sinon, il serait bientôt passé de mode, mais parce que son temps lui-même sera bientôt passé de mode.

Ainsi, la nostalgie et la mode se surprennent mutuellement sans le savoir, non pas seulement parce que la nostalgie est un instrument intelligent dans la boîte à outils des marchands, mais parce que le changement continu de petites caractéristiques (ce qui est au cœur de la mode) a désormais acquis, notamment aux États-Unis, une dimension de recyclage vraiment remarquable. Farfouiller dans l'histoire est devenu un standard technique de la publicité, surtout des spots visuels et électroniques, un moyen de s'appuyer sur l'authentique nostalgie de certains groupes d'âge pour des passés qu'ils connaissent en fait à travers d'autres expériences, mais aussi comme une façon de souligner le caractère éphémère inhérent au présent. Les catalogues qui exploitent l'expérience coloniale à des fins marchandes fournissent un excellent exemple de cette technique[29]. Ce sentiment inculqué, calculé pour intensifier le rythme d'achat en jouant sur la version marchande de la fin de l'histoire, est la toute dernière torsion du pacte entre nostalgie et imaginaire dans le marketing moderne. Plutôt que d'attendre que le consommateur fournisse des souvenirs tandis que le vendeur fournit le lubrifiant de la nostalgie, le spectateur n'a plus désormais qu'à apporter la faculté de nostalgie à une image qui lui fournira le souvenir d'une perte qu'il n'a jamais soufferte. On pourrait appeler cette relation « la nostalgie en pantoufles » : une nostalgie sans expérience vécue ni mémoire collective historique. Une question méthologique se pose ici pour l'interprétation : quand nous considérons ces images auxquelles réagissent les consommateurs modernes, nous devons distinguer entre différentes textures de temporalité. Nous devons discriminer entre la force de la nostalgie sous sa forme première et l'ersatz de nostalgie sur lequel s'appuient de plus en plus les techniques marchandes de masse, puis examiner comment la nostalgie et son ersatz entrent en relation dans les modèles de consommation de différents groupes. L'autre problème méthodologique consiste simplement à remarquer la régularité paradoxale avec laquelle la patine et la mode se nourrissent et se renforcent mutuellement dans des sociétés de consommation de masse. Les techniques marchandes de masse non seulement construisent le temps, comme on l'a suggéré plus haut, mais influencent la périodisation en tant qu'expérience de masse dans les sociétés contemporaines.

Revenons brièvement à la question de la répétition, que j'ai abordée au début de ce chapitre. Comment pouvons-nous relier le problème de la répétition à ceux de l'imaginaire, de la nostalgie et de la consommation dans la société d'aujourd'hui ? Dans la mesure où la consommation a de plus en plus pour moteur le farfouillage dans des histoires imaginées, la répétition ne s'appuie pas simplement sur le fonctionnement de simulacres *dans* le temps, mais aussi sur la force des simulacres *du* temps. Non seulement la consommation crée le temps à travers ses périodicités, mais le fonctionnement de l'ersatz de nostalgie crée le simulacre de périodes qui constituent le flux du temps, conçu comme perdu, absent, ou lointain. Ainsi, l'accoutumance par avance à des styles, des formes et des genres prévisibles, qui est le moteur de la consommation de marchandises en tant qu'activité multiplicatrice et ouverte, est alimentée par une construction implosive, rétrospective du temps, où la répétition est elle-même un artefact de l'ersatz de nostalgie et de moments précurseurs imaginés.

Le temps-marchandise

Non seulement la consommation crée du temps, mais les révolutions du consommateur sont également responsables, à divers titres, de la transformation du temps en marchandise. Partant de Karl Marx, E. P. Thomson a montré comment les disciplines du site de travail industriel créent des besoins de planification du travail par la restructuration préalable du temps lui-même. Si l'on fait de la transformation même du travail une marchandise, le temps de travail devient une dimension abstraite du temps perçue comme fondamentalement productive et industrielle. Thompson identifie la logique qui mène ensuite aux idées de Taylor sur le corps, le mouvement et la productivité[30]. Au cœur des idées modernes de production, on trouve donc le temps comme une entité vendable. « Le temps, c'est de l'argent », disait Benjamin Franklin.

Mais nous en savons beaucoup moins sur le temps-marchandise du point de vue du consommateur. Dans les premières sociétés industrielles, où le temps industriel règle le rythme du cycle de travail, la production définit le travail et la consommation devient résiduelle, de même que le loisir, qui en vient à être reconnu logiquement comme la récompense d'un temps de production bien utilisé. La consommation évolue comme le marqueur phénoménologique du temps laissé par le travail, produit par le travail et justifié par le travail. Les activités de loisir deviennent la définition même de la consommation à discrétion[31] et la consommation devient le processus qui crée les conditions de renouvellement de la force de travail ou de l'énergie d'entreprise nécessaire à la production. La consommation est donc perçue ici comme l'intervalle requis entre deux périodes de production.

Une fois le temps devenu marchandise, il affecte la consommation de nouvelles façons. D'abord, le degré de temps sur lequel on exerce un contrôle discrétionnaire devient un signe permettant de classer et distinguer divers types de travail, de classe et d'occupation. Le temps « libre », qu'il soit celui des ouvriers, des professions qualifiées ou des écoliers, est perçu comme le temps par essence de la consommation. Parce que la consommation à discrétion réclame à la fois du temps libre (du temps libéré de contraintes marchandes) et de l'argent libre, du moins à un certain degré, la consommation devient un marqueur temporel du loisir, du temps hors du travail. Lorsque la consommation est transformée en formes contemporaines de loisir, où l'espace et le temps marquent une distance par rapport au travail, nous entrons dans le monde de la croisière de luxe et des voyages organisés, mis sur le marché comme « du temps hors du temps ». Mais quiconque a pris des vacances dans les conditions de fortes contraintes d'une société industrielle sait que l'horloge marchande du temps productif ne cesse jamais de tourner. Cela mène parfois au paradoxe de plus en plus caractéristique du loisir industriel : des vacances sans répit, dont l'objectif est de créer un hypertemps de loisir, remplies d'une telle quantité d'activités, de scènes et de choix qu'elles sont en réalité une forme de travail, de loisir frénétique et pourtant toujours conscient de son rendez-vous prochain avec le temps de travail.

En fait, il n'y a guère d'échappatoires aux rythmes de la production industrielle, car partout où le loisir est vraiment disponible et socialement acceptable, ce qui est requis n'est pas seulement le temps libre, mais le revenu dont l'individu peut disposer. Pour consommer, que ce soit de la subsistance ou du loisir, nous devons apprendre à retenir l'argent, la plus fluide de toutes les valeurs. Comme l'a souligné Mary Douglas, l'argent menace toujours de glisser à travers les fissures des structures que nous bâtissons pour endiguer, domestiquer et restreindre ses flux erratiques[32]. Dans les sociétés industrielles où la dette du consommateur a atteint une taille monstrueuse, les institutions financières ont exploité la tendance des consommateurs à dépenser avant, plutôt qu'après avoir épargné. De leur côté, les consommateurs ne se perçoivent pas comme de simples dupes d'un système exploiteur de prêt financier. L'économie de crédit est aussi une façon de renforcer le pouvoir d'achat face à d'énormes différences de salaire, à la croissance explosive des biens et de services achetables, à la vitesse accélérée avec laquelle les modes changent, etc. La dette est une expansion du revenu par d'autres moyens. Bien sûr, d'un certain point de vue, payer de forts intérêts pour rembourser des crédits à la consommation n'est pas sain. Mais du point de vue de qui ? Le consommateur peut enfiler ses achats, les institutions financières font un tabac et il existe des soupapes périodiques, sous la forme soit d'effondrements majeurs comme la récente catastrophe de l'épargne et du prêt aux États-Unis, soit d'augmentations brutales des taux d'intérêt qui asphyxient les dépenses de consommation pendant un moment.

En fait, comme en atteste l'immense popularité de magazines comme *Money* aux États-Unis, la consommation dans les sociétés industrielles modernes est devenue une compétence très complexe exigeant la connaissance d'une grande variété de mystères économiques et fiscaux, depuis les volatilités de la bourse jusqu'aux soubresauts de l'immobilier. Jamais, jusqu'à cette dernière décennie, autant de consommateurs américains n'avaient dû devenir connaisseurs des arcanes de la macroéconomie, au moins pour s'orienter dans le dédale du prêt à la consommation. Bien sûr, il y a tout en bas un groupe qui ne cesse d'augmenter, dont notamment les sans-abri, qui ont dépensé tous leurs jetons et n'ont plus qu'à regarder, ou mourir sur le bas-côté, tandis que leurs amis et collègues luttent avec la roulette de la gestion de la dette à la consommation. La pertinence de ces processus pour notre propos est la suivante : il est en train d'émerger dans des sociétés comme les États-Unis une bataille gigantesque, bien que silencieuse, entre consommateurs et prêteurs, qui a pour enjeu des compréhensions rivales du futur en tant que marchandise. Là où les banquiers et d'autres prêteurs s'empressent d'encourager l'emprunt (leur problème essentiel étant de minimiser les mauvais prêts), le consommateur doit définir un horizon temporel ouvert dans lequel l'escompte sur l'avenir est une affaire extrêmement épineuse. Des débats récents aux États-Unis sur la réduction de l'impôt pour la sécurité sociale révèlent que la plupart des consommateurs américains ont une perception totalement déformée des impôts auxquels ils sont soumis. Une bonne part de cette confusion tient à la déformation de l'expérience du temps par les structures qui organisent actuellement la dette à la consommation. Il faut noter parmi celles-ci un type de crédit, calqué sur le *home equity*[33], qui permet aux consommateurs de rédiger simplement des chèques contre une somme spécifiée qui définit l'estimation par la banque de leur capacité à payer. Ce qui se passe ici, c'est que l'on prend les courtes périodicités de la carte de crédit moyenne pour les transformer en une vision séduisante d'un pouvoir d'achat flexible qui profite finalement à la banque et aux commerces de détail, tout en mettant une pression croissante sur les rentrées des ménages pour payer ces prêts.

Cette création d'une discipline temporelle du côté de la consommation dans les sociétés industrielles avancées n'est pas un simple réflexe, ou une inversion de la logique de la production industrielle. La transformation particulière de l'avenir en marchandise, qui se trouve au cœur de l'actuelle dette à la consommation, est intimement liée à la structure des techniques marchandes, de la mode et de l'imaginaire qui ont été discutés plus haut. La consommation industrielle tardive s'appuie sur une tension particulière entre imagination et nostalgie qui incarne (et nourrit) l'incertitude du consommateur quant aux biens, à l'argent et à la relation entre travail et loisir. Ce n'est pas simplement, comme l'a soutenu Jean Baudrillard, que la consommation joue désormais un rôle central dans des sociétés où la production jouait autrefois ce rôle[34] ; c'est plutôt que la consommation est devenue le travail civilisateur de la société postindustrielle[35]. Dire des sociétés industrielles contemporaines qu'elles sont des sociétés de consommateurs, c'est créer l'illusion qu'elles sont de simples extensions des révolutions de consommateurs qui les ont précédées. Mais la consommation actuelle transforme l'expérience du temps d'une façon qui la distingue fondamentalement de ses formes précédentes du XVIIIe et du XIXe siècle.

Ainsi, les innovations à grande échelle dans le prêt ont eu un effet culturel remarquable. Elles ont créé pour l'emprunt à la consommation un climat ouvert, plutôt que cyclique : elles ont donc lié l'emprunt à une vie entière de gains potentiels et à l'acquisition de biens de valeur croissante – des maisons, par exemple – plutôt qu'aux cycles courts et par nature restrictifs des revenus mensuels ou annuels. Pour un grand nombre de consommateurs des sociétés industrielles contemporaines, la consommation est devenue non plus l'horizon du gain, mais son moteur. Pour l'anthropologue, ce qui est frappant ici (outre les nombreuses implications pour l'épargne, la productivité, l'investissement, la transmission d'une génération à l'autre, etc.), c'est que les petites périodicités (en général quotidiennes) de consommation ont subtilement glissé dans le contexte ouvert, linéaire de la vie même du consommateur. L'équivalent de la discipline du temps de Thompson règne désormais non plus dans le seul domaine de la production, mais aussi dans celui de la consommation. Mais bien qu'elles soient liées à des périodicités inégales, complexes et souvent longues, ces disciplines temporelles de la consommation sont plus puissantes parce qu'elles sont moins transparentes que les disciplines de production. Quiconque a tenté de se figurer la logique exacte de la charge financière par mois sur une facture de carte bleue comprendra de quelle incertitude je parle.

La consommation est donc devenue le moteur essentiel de la société industrielle. Mais ce n'est pas là le point le plus important. Ce qui importe, c'est qu'elle est à présent la pratique sociale qui amène les individus au travail de l'imagination[36]. La consommation est la pratique quotidienne par laquelle la nostalgie et l'imagination sont tirées l'une et l'autre dans le monde de la marchandise. J'ai soutenu plus haut qu'une sorte d'ersatz de nostalgie – la nostalgie sans mémoire – était de plus en plus centrale au marketing de masse, d'où un paradox, celui de l'interaction de la patine et de la mode. Je voudrais suggérer maintenant que le temps-marchandise, en ce qui concerne la consommation, implique plus que la simple expansion de désirs, de styles, d'objets et de choix qui caractérisait les précédentes révolutions du consommateur. Nous avons dépassé ce stade et sommes dans ce que l'on peut appeler une « révolution de la consommation », où la consommation est devenue le principal travail de la société industrielle tardive.

Je ne veux pas dire par là que d'importants changements dans la production ou dans les sites, les méthodes, les technologies et les modes d'organisation de la fabrication de marchandises ne se soient pas produits. Toutefois, la consommation est devenue une forme sérieuse de travail, si par « travail » nous entendons la production disciplinée (qualifiée et semi-qualifiée) des moyens de subsistance du consommateur. Le cœur de ce travail est la discipline sociale de l'imagination, qui consiste à apprendre à lier l'imagination et la nostalgie au désir de nouvelles marchandises. Il ne s'agit pas de réduire ici le travail à une pâle métaphore qui refléterait simplement son puissant ancrage dans la production, mais de dire qu'apprendre à naviguer sur les flux temporels ouverts du crédit à la consommation et de l'achat, dans un paysage où la nostalgie a divorcé de la mémoire, implique de nouvelles formes de travail : déchiffrer les messages toujours changeants de la mode, gérer ses dettes et ses découverts, apprendre comment gérer au mieux des finances domestiques aux complexités nouvelles, acquérir une connaissance des complexités de la gestion de l'argent. Ce travail n'est pas essentiellement ciblé sur la production de biens ; il consiste plutôt à produire les conditions conscientes dans lesquelles *l'achat* peut intervenir. Toute ménagère sait que tenir une maison est un travail aussi réel qu'un autre. Nous sommes tous des maîtresses de maison désormais, travaillant chaque jour à pratiquer les disciplines de l'achat dans un paysage où les structures temporelles sont devenues radicalement polyrythmiques. Connaître ces multiples rythmes (du corps, des produits, des modes, des taux d'intérêt, des cadeaux et des styles) et apprendre à les intégrer n'est pas une tâche de tout repos ; c'est même le travail le plus dur qui soit – celui de l'imagination. Nous revenons donc à Durkheim et Mauss, et à la nature de la conscience collective, mais cette fois avec une distorsion. Le travail de la consommation est aussi symbolique que social. Ce n'est pas parce qu'il intègre la discipline de l'imagination qu'il n'est pas un travail. Cependant, de plus en plus libéré des techniques du corps, le travail de la consommation est d'autant plus ouvert, situé dans des histoires et des généalogies qui doivent, hélas, être examinées au cas par cas. L'étude de la consommation devra s'intéresser aux conditions historiques, sociales et culturelles dans lesquelles se déroule ce travail qui est aujourd'hui la préoccupation centrale de sociétés par ailleurs très différentes les unes des autres.

À partir de deux trajectoires très différentes, l'une issue de Max Weber et l'autre de Norbert Elias, Colin Campbell et Chris Rojek suggèrent que la clé des nouvelles formes de consommation est le *plaisir*, et non pas le loisir (l'alternative cruciale pour Rojek) ou la satisfaction (l'alternative cruciale pour Campbell). Le plaisir comme principe organisateur de la consommation moderne converge avec les arguments développés dans les deux dernières sections de ce chapitre ; mais il reste maintenant à montrer comment le type de plaisir auquel je pense est lié à mes arguments sur le temps, le travail et le corps.

En ce qui concerne l'expérience du temps, le plaisir qui se tient au centre de la consommation moderne n'est ni celui de la tension entre l'imaginaire et l'utile (comme le suggère Campbell), ni la tension entre désir individuel et disciplines collectives (proposition de Rojek), bien que ces dernières oppositions soient pertinentes pour tout compte rendu plus large du consumérisme moderne. Le plaisir inculqué aux sujets agissant comme des consommateurs doit se trouver dans la tension entre nostalgie et imagination, où le présent est représenté comme s'il était déjà du passé. Cette inculcation du plaisir de *l'éphémère* est au cœur du dressage du consommateur moderne. La valorisation de l'éphémère s'exprime à toute une série de niveaux sociaux et culturels : la vie brève des produits et des styles de vie, la vitesse de changement de la mode, la rapidité des dépenses ; les rythmes multiples du crédit, de l'acquisition et du don ; l'aspect éphémère des images produites par la télévision ; l'aura de périodisation accompagnant tant les produits que les modes de vie dans l'imagerie des médias. On a vanté le fait que la consommation moderne était caractérisée par la recherche de la nouveauté, mais ce trait n'est que le symptôme d'une discipline plus profonde de consommation où le désir est organisé autour de l'esthétique de l'éphémère. Les poches de résistance sont partout : les aristocrates ferment les écoutilles, les classes laborieuses et les groupes écartés de la citoyenneté s'approprient l'esthétique de masse et y résistent, et les États recherchent l'immortalité en bloquant la différence culturelle. Mais la force dominante, répandue à travers les classes consommatrices du monde entier, semble être l'éthique, l'esthétique et la pratique matérielle de l'éphémère.

Si cette valorisation de l'éphémère est bien la clé de la consommation moderne, alors les techniques du corps diffèrent dans ce que l'on a opposé sous les termes de régime somptuaire et régime de mode. Dans les régimes somptuaires, le corps est un lieu d'inscription pour toute une gamme de signes et de valeurs sur l'identité et la différence, ainsi que sur la durée (par les rites de passage). Dans les régimes de mode, le corps est le lieu d'inscription pour un désir généralisé de consommer dans le cadre de l'esthétique de l'éphémère. Les techniques du corps appropriées à ce régime moderne de consommation impliquent ce que Laura Mulvey[37] appelle la scoptophilie (l'amour du regard), soit une série de techniques (allant des régimes alimentaires aux opérations de changement de sexe) visant à modifier le corps et à rendre le corps même du consommateur potentiellement éphémère et manipulable ; et un système de pratiques de mode liées au corps dans lesquelles ce n'est pas l'indexation, mais la *personnification* (d'autres sexes, classes, rôles et occupations) qui est la clé de la distinction[38].

Cette notion de manipulation du corps, ainsi que mon argument général sur la consommation comme travail, soulèvent la question de savoir comment l'esthétique de l'éphémère, le plaisir du regard (notamment par rapport à la publicité télévisée) et l'aspect manipulable du corps ajoutent quelque chose de fondamentalement nouveau. Après tout, la consommation, notamment au niveau du foyer domestique, a toujours impliqué l'esclavage, le plaisir visuel n'a rien d'une prérogative moderne, et manipuler le corps est aussi ancien que la gymnastique à Sparte et la pratique du yoga dans l'Inde ancienne. Ce qui est nouveau, c'est le lien systématique et généralisé de ces trois facteurs en un ensemble de pratiques qui impliquent une relation radicalement nouvelle entre vouloir, se souvenir, être et acheter. Les histoires et les généalogies qui s'entrecroisent dans le monde du présent pour constituer cette nouvelle relation sont profondément variables, bien qu'elles aient toutes en leur cœur la valorisation de l'éphémère. La consommation crée du temps, mais la consommation moderne cherche à remplacer l'esthétique de la durée par celle de l'éphémère.

Bien que l'exploration complète de la relation entre les corps, la consommation, la mode et la temporalité dans le capitalisme tardif dépasse l'objet de ce chapitre, il est bon de faire une suggestion en matière de conclusion. Dans son essai sur l'imagerie du système immunitaire dans les discours scientifique et populaire actuels aux États-Unis, Emily Martin[39] s'est appuyée notamment sur les travaux de David Harvey[40] pour montrer que, dans le contexte de la flexibilité demandée par le capitalisme global contemporain, il y a eu une grande compression d'espace et de temps, et que le corps en vient à être perçu comme un lieu chaotique, hyperflexible, mené par les contradictions et la guerre. Le présent chapitre suggère que l'on peut aussi considérer cette situation du point de vue de la logique de la consommation dans un capitalisme tardif hautement globalisé et déréglé. Dans cettte perspective, l'esthétique de l'éphémère devient la contrepartie civilisante de l'accumulation flexible et le travail de l'imagination consiste à lier l'aspect éphémère des marchandises au plaisir des sens. La consommation devient donc le lien privilégié entre la nostalgie pour le capitalisme et la nostalgie capitaliste.

DEUXIÈME PARTIE

Les colonies modernes

CHAPITRE IV

Jouer avec la modernité :
la décolonisation du cricket indien

La décolonisation, pour une ancienne colonie, ne consiste pas simplement à démanteler les habitudes et les modes de vie coloniaux, mais aussi à dialoguer avec le passé colonial. Rien ne donne une meilleure idée des complexités et des ambiguïtés de ce dialogue que les vicissitudes du cricket dans les pays qui ont autrefois constitué l'Empire britannique. Prenons le cas de l'Inde. Les aspects culturels de la décolonisation y affectent profondément chaque domaine de la vie publique, depuis le langage et les arts jusqu'aux idées sur la représentation politique et la justice économique. Chaque débat public de quelque importance est toujours plus ou moins sous-tendu par la question suivante : que faire des fragments et des lambeaux épars de l'héritage colonial ? Certains de ces lambeaux sont institutionnels, d'autres idéologiques et esthétiques.

Malcolm Muggeridge a dit un jour en plaisantant que « les Indiens sont les derniers Anglais vivants ». Il saisissait ainsi le fait – vrai au moins pour les élites indiennes urbanisées et occidentalisées – que, tandis que l'Angleterre elle-même se dénaturait progressivement en perdant son Empire, certains aspects de son héritage s'étaient profondément enracinés dans les colonies. En politique et en économie, la relation particulière qui unissait l'Inde et l'Angleterre n'a plus guère de sens, à présent que les Anglais se battent pour surmonter le désastre économique et que les Indiens émigrent de plus en plus aux États-Unis, au Moyen-Orient et dans le reste du monde asiatique. Il reste qu'une partie de la culture indienne d'aujourd'hui semble incarner l'Angleterre éternelle – et c'est le cricket. Il est donc intéressant d'examiner la dynamique de décolonisation de cette sphère où le besoin de couper les liens avec le passé colonial semble moins fort.

Pour bien percevoir le processus par lequel le cricket s'est progressivement indigénisé dans l'Inde coloniale, il convient d'établir une distinction entre formes culturelles « dures » et « douces ». Les formes culturelles dures sont celles qui s'accompagnent d'un réseau de liens entre valeur, signification et pratique qui sont aussi difficiles à briser qu'à transformer. Les formes culturelles douces, en revanche, sont celles qui permettent de séparer assez facilement la performance pratique de la signification et de la valeur, et donc de permettre une transformation relativement réussie à chaque niveau. En suivant cette distinction, je dirais que le cricket est une forme culturelle dure qui modifie plus vite ceux qui sont socialisés en son sein qu'elle ne se modifie elle-même.

L'une des raisons pour lesquelles le cricket n'est pas aisément accessible à la réinterprétation, alors même qu'il franchit les barrières sociales, est que les valeurs qu'il représente sont des valeurs profondément puritaines, où l'adhérence rigide aux codes externes est partie intégrante de la discipline morale de l'individu[1]. Assez proche des principes de construction du Bauhaus, la forme suit ici de près la fonction (morale). Dans une certaine mesure, tout sport gouverné par des règles a quelque chose de cette dureté, qui reste cependant plus présente dans les formes de compétition qui ont fini par représenter les valeurs morales fondamentales de la société dans laquelle nous sommes nés.

En tant que forme culturelle dure, le cricket aurait dû résister à l'indigénisation. Il s'est au contraire profondément indigénisé et décolonisé, et l'Inde est souvent perçue comme souffrant d'une véritable « fièvre » du cricket[2]. Il y a deux façons de rendre compte de cette énigme. La première, proposée par Ashis Nandy, est qu'il existe des structures mythiques sous-tendant ce sport qui le rendent profondément indien en dépit de ses origines occidentales[3]. L'autre approche, qui n'est d'ailleurs pas totalement contradictoire avec celle de Nandy, soutient que le cricket s'est indigénisé à travers un ensemble de processus complexes et contradictoires, parallèles à l'émergence d'une « nation » indienne issue de l'Empire britannique. Dans ce chapitre, je soutiendrai que l'indigénisation est souvent le produit d'expériences collectives et spectaculaires avec la modernité, et non pas nécessairement de l'affinité sous-jacente des nouvelles formes culturelles avec les modèles existants du répertoire culturel.

L'indigénisation d'un sport comme le cricket a de multiples dimensions. Elle dépend notamment de la façon dont il est géré, financé et porté à la connaissance du public ; de l'origine de classe des joueurs indiens et, partant, de leur capacité à imiter les valeurs de l'élite victorienne ; de la dialectique entre esprit d'équipe et sentiment national, qui est inhérente à ce sport tout en étant implicitement corrosive pour l'Empire ; de la création et du maintien d'un réservoir de talents en dehors des élites urbaines, permettant à ce sport de survivre sur un mode autarcique ; des diverses façons dont les médias et le langage contribuent à séparer le cricket de son anglitude ; et enfin de la constitution d'un public postcolonial de spectateurs masculins qui peuvent charger le cricket des fonctions de la compétition corporelle et du nationalisme viril. Chacun de ces processus a interagi avec les autres pour indigéniser le cricket en Inde, d'une façon distincte de processus parallèles qui se sont déroulés dans d'autres colonies britanniques[4].

À l'évidence, l'histoire du cricket dépend du point de vue selon lequel on la raconte. Ses remarquables effets dans les Caraïbes ont été immortalisés dans un recueil de C. L. R. James[5]. Les Australiens ont mené un long combat – qui s'est exprimé à travers le cricket – pour se libérer du regard protecteur et condescendant que portaient sur eux les Anglais. L'Afrique du Sud trouve dans le cricket une nouvelle façon de réconcilier ses origines boer et anglaise. Mais c'est dans les colonies occupées par les peuples noirs ou à peau foncée que l'histoire du cricket est la plus angoissée et la plus subtile : dans les Caraïbes, au Pakistan, en Inde et au Sri-Lanka[6]. Je ne prétends pas que les liens entre cricket et décolonisation soient les mêmes en Inde et dans toutes les autres colonies, mais c'est à n'en pas douter un fragment d'une histoire plus vaste, celle de la construction d'un cadre culturel postcolonial et global pour les sports d'équipe.

L'œcuménisme colonial

Il n'est pas exagéré de dire que le cricket en Angleterre a pu, mieux que toute autre forme publique, constituer les valeurs des classes victoriennes aisées et les instiller aux gentlemen anglais à titre d'éléments de leur pratique de classe, tout en permettant à d'autres d'appréhender les codes de classe de cette époque. Son histoire en Angleterre remonte à la période précoloniale et il ne fait guère de doute que ce sport est d'origine anglaise. C'est dans la seconde moitié du XIXe siècle que le cricket a acquis l'essentiel de sa morphologie actuelle, tout en se révélant la condensation la plus puissante des valeurs de l'élite victorienne. Ces valeurs, sur lesquelles on a beaucoup écrit, peuvent se résumer comme suit. Le cricket était par essence une activité masculine, qui exprimait les codes censés gouverner tout le comportement masculin : goût du sport, sens du *fair play* et contrôle des sentiments sur le terrain, subordination des sentiments et des intérêts personnels à ceux du groupe, loyauté sans faille envers l'équipe.

Bien que le cricket soit devenu un instrument central de socialisation pour l'élite victorienne, il contenait dès le début un paradoxe social. Peaufiné à titre d'instrument de formation de l'élite, il a, comme toutes les formes complexes et puissantes de jeu, en même temps confirmé et créé des solidarités sportives qui transcendaient les classes. Ainsi a-t-il toujours été ouvert aux éléments les plus talentueux (et utiles) des basses classes et des classes moyennes. Ceux parmi les prolétaires de l'Angleterre victorienne qui étaient capables de se soumettre aux disciplines morales et sociales du terrain de jeu pouvaient entrer dans une intimité limitée avec leurs supérieurs. Le prix de l'admission était une totale dévotion au sport et, le plus souvent, un grand talent sur le terrain. Dans l'Angleterre victorienne, le cricket était une voie limitée vers la mobilité sociale. Bien sûr, quel que puisse être le nombre de matchs partagés, aucun Anglais ne risquait de prendre un ouvrier joueur professionnel du Yorkshire pour un Oxford Blue. Mais sur le terrain, où la coopération est indispensable, il y avait un certain répit à la brutalité des classes en Angleterre. On a aussi remarqué que c'était la présence de ces joueurs des basses classes qui avait permis aux élites victoriennes d'intégrer les techniques dures indispensables pour gagner, tout en conservant l'idée d'un esprit « sport », soit un détachement patricien vis-à-vis de l'esprit de compétition. Les joueurs professionnels des basses classes se chargeaient du sale boulot subalterne de gagner, permettant ainsi à leurs supérieurs de classe de préserver l'illusion d'un sport non compétitif de gentlemen[7]. Ce paradoxe inhérent – un sport d'élite dont le code du *fair play* dictait une ouverture aux hommes d'humble origine pourvus de talent et d'une vocation – est une clé pour comprendre les débuts de l'histoire du cricket en Inde.

Pendant l'essentiel du XIXe siècle, le cricket fut en Inde un sport ségrégatif. Les Anglais et les Indiens jouaient dans des équipes adverses lorsqu'il leur arrivait de disputer le même match. Le cricket était associé aux clubs, aux institutions sociales centrales des Britanniques en Inde. Les clubs de cricket indien (et les équipes qui leur sont associées) sont largement le produit du dernier quart du XIXe siècle, bien qu'il y ait eu un certain nombre de clubs parsi à Bombay dès les années 1840. En cela, comme à bien d'autres égards, les Parsi sont la communauté qui a servi de pont entre les goûts culturels indiens et anglais. Les équipes parsi firent des tournées en Angleterre dès les années 1880 et, en 1888-1889, la première équipe anglaise fit une tournée en Inde (bien qu'elle ait disputé la majorité de ses matchs contre des équipes entièrement formées d'Anglais, et quelques-uns seulement contre des équipes d'Indiens). Bombay a été le lieu de naissance du cricket pour les Indiens et garde encore aujourd'hui une place prééminente dans la culture du cricket indien.

Jamais le régime colonial n'a soutenu consciemment la pratique du cricket en Inde. Cela n'a pourtant pas empêché ce sport de se transformer en un instrument non officiel de la politique culturelle de l'État. Pourquoi ? En grande partie à cause de l'investissement culturel des membres de l'élite victorienne qui occupaient des positions clés dans l'administration, l'éducation et le journalisme indiens. Ils considéraient que le cricket était le meilleur moyen de transmettre les idéaux victoriens de force de caractère et de forme physique à la colonie. Lord Harris, gouverneur de Bombay entre 1890 et 1893, a sans doute été la figure la plus marquante de ce soutien quasi officiel au cricket. Les gouverneurs qui lui succédèrent, à Bombay comme ailleurs, estimaient que ce sport remplissait les fonctions suivantes : renforcer les liens de l'Empire ; lubrifier les rapports de l'État avec diverses « communautés » indiennes, rapports qui risquaient autrement de dégénérer en émeutes (Hindous contre Musulmans) ; implanter les idéaux anglais de virilité et de vigueur chez les groupes indiens, perçus comme paresseux, débiles et mous. À cet égard, le cricket a été l'un des nombreux champs de bataille sur lesquels s'est constituée et réifiée une sociologie coloniale. Celle-ci voyait l'Inde comme un amas de communautés antagonistes, peuplée d'hommes (et de femmes) ayant divers défauts psychologiques. Le cricket était pour elle le meilleur moyen de socialiser les indigènes dans de nouveaux modes de conduite entre groupes et de nouveaux critères de comportement public. Si le jeu lui-même était ostensiblement tourné vers le divertissement et la compétition, sa charte sous-jacente quasi officielle était morale et politique. La contradiction implicite entre la constitution d'équipes sur la base des « communautés » et l'idéal d'un renforcement des liens civiques a influencé le développement du cricket de sa naissance à nos jours. Nous reviendrons sur ce point.

De 1870 à 1930 environ, pendant la grande période du Raj, jouer au cricket équivalait pour les Indiens à expérimenter les mystères de la vie des hautes sphères britanniques. Que ce soit par le biais des équipes venues d'Angleterre, qui comptaient dans leurs rangs des hommes s'étant connus à Eton, à Harrow, à Oxford ou à Cambridge, ou par le biais de tournées en Angleterre, une petite fraction des sportifs indiens fut initiée à la morale, aux mystères et aux rituels sociaux du cricket victorien[8].

Les biographies et les autobiographies des meilleurs joueurs de cricket indiens de cette époque (Vijay Hazare, L. P. Jai et Mushtaq Ali), dont la carrière s'est déroulée dans les années 1940, montrent clairement qu'ils ont été exposés, malgré des origines sociales très différentes, aux valeurs associées au cricket victorien – sens du *fair play*, oubli de soi, esprit d'équipe – ainsi qu'à l'hagiographie et aux arcanes du cricket à travers tout l'Empire, et plus particulièrement en Angleterre [9].

Mais la classe et la race ont conspiré de façon très complexe dans « l'œcuménisme victorien [10] » et les structures edwardiennes qui lui ont succédé. J'ai déjà mentionné que le cricket victorien s'appuyait sur de fortes distinctions de classe en Angleterre. Ces distinctions affectent encore aujourd'hui les relations entre gentlemen et joueurs professionnels, entraîneurs et joueurs, équipes locales et sélections de championnat. Les hommes blancs de toutes les classes réunies ont contribué à créer et incarner un code sportif dont la morale patricienne était fondamentale pour les classes supérieures et dont les compétences « ouvrières » étaient déléguées à la classe laborieuse [11]. La complexité de ce type particulier de discours colonial illustre aussi une variante de ce qui a été perçu, dans un contexte assez différent, comme l'ambivalence de ce discours [12].

Comme dans bien d'autres domaines – l'art, les convenances, le langage et le comportement –, il est désormais clair que, durant les beaux jours des colonialismes modernes, un système complexe de valeurs et de pratiques hégémonisantes et hiérarchisantes a évolué simultanément dans les métropoles et dans leurs colonies [13]. Dans le cas de l'Inde, la clé des flux complexes qui ont lié le cricket, la classe et la race dans l'œcuménisme colonial est l'histoire du financement et de l'entraînement dans ce sport. Les biographies citées plus haut, ainsi qu'une excellente synthèse réalisée par Cashman [14], montrent bien que, durant la période qui s'étend de 1870 à 1930, l'investissement britannique dans le cricket indien a été très complexe : il impliquait des officiers de l'armée stationnés en Inde, des hommes d'affaires anglais et des fonctionnaires du gouvernement qui contribuèrent tous à implanter l'idée du cricket dans des milieux indiens très divers. Dans le même temps, néanmoins, les princes indiens ramenaient en Inde des joueurs professionnels anglais et australiens pour former leurs propres équipes.

La phase princière du financement du cricket indien est à certains égards la plus importante dans l'analyse de l'indigénisation de ce sport. Tout d'abord, le cricket, en tant que sport d'élite, exigeait un temps et un argent dont ne disposaient pas les élites bourgeoises de l'Inde coloniale. Les princes, d'autre part, virent aussitôt dans le cricket une nouvelle extension de leurs traditions royales ; ainsi absorbèrent-ils ce sport, mais aussi le polo, le tir et le golf dans leurs répertoires aristocratiques traditionnels. Cela leur permit d'offrir de nouveaux types de spectacles à leurs sujets[15], de former avec l'aristocratie anglaise des liens nouveaux et potentiellement fructueux, et de s'attirer les bonnes grâces des autorités coloniales qui, en Inde, à l'image de Lord Harris, favorisaient le cricket comme un moyen de discipliner moralement les Orientaux. Les princes qui soutenaient le cricket étaient souvent des membres mineurs de l'aristocratie indienne, ce sport étant moins cher à financer que d'autres formes de spectacle. Ajouté au style de vie et à l'ethos des petits royaumes indiens, le cricket avait trois attraits : d'abord, son rôle, notamment dans le Nord, en tant qu'art viril de la culture aristocratique du loisir ; ensuite, ses crédits victoriens, ouvrant en Angleterre des portes qui, autrement, seraient peut-être restées obstinément closes (comme dans le cas de Ranjitsinhji) ; enfin, son rôle en tant qu'extension utile d'autres spectacles royaux qui avaient constitué une part importante des obligations et de la mystique de la royauté en Inde. Ainsi de petits et de grands princes de nombreux royaumes indiens ont-ils, au cours du XIXe siècle, importé des entraîneurs d'Angleterre, organisé des tournois et des coupes, financé des équipes et des entraîneurs, installé des terrains, importé des équipements et des experts, et accueilli des équipes anglaises.

Surtout, les princes fournissaient à de nombreux joueurs de cricket d'humble origine, ou à leur famille, un soutien direct et indirect, ce qui permettait à ceux-ci de faire leur chemin dans de plus grandes villes, des équipes plus importantes, et d'acquérir parfois un renom national ou international. Pour beaucoup de joueurs indiens vivant en dehors des grandes villes coloniales dans l'entre-deux-guerres, les subsides d'une maison princière étaient la clé pour entrer dans le monde cosmopolite du cricket de haut niveau. Ces joueurs étaient ainsi en mesure d'atteindre une certaine mobilité et d'introduire un degré considérable de complexité de classe dans le cricket indien – complexité qui persiste de nos jours.

L'indianisation du cricket s'est donc effectuée à travers un entrecroisement hiérarchisé de gentlemen britanniques en Inde, de princes indiens, d'Indiens mobiles qui faisaient souvent partie de l'administration et de l'armée, et, surtout, de ces joueurs blancs professionnels (venus principalement d'Angleterre et d'Australie) qui furent les véritables entraîneurs des grands joueurs de cricket indiens de la première moitié du XXe siècle. Ces professionnels, dont les plus éminents sont Frank Tarrant, Bill Hitch ou Clarrie Grimmet, ainsi que des militaires britanniques et des directeurs d'université un peu mieux établis socialement, et des hommes d'affaires qui finançaient leurs compatriotes, semblent avoir été les liens cruciaux entre vedettariat, aristocratie et compétences techniques dans le monde du cricket colonial en général. Ces entraîneurs professionnels fournissaient les compétences indispensables pour que les subventions capricieuses des princes indiens (lesquels obéissaient à leurs propres fantasmes d'un idéal d'empire monarchique et aristocratique) se traduisent en équipes indiennes compétitives et réellement composées d'Indiens. Bien qu'il n'y ait pas de preuve décisive à l'appui de cette interprétation, il est très probable que des garçons tels que Mushtaq Ali, Vijay Lazare et Lala Amarnath, originaires de petites villes, auraient eu du mal à pénétrer le monde assez fermé du cricket (encore dominé par les codes sportifs anglais et victoriens) si ce sport ne s'était pas traduit en une pratique technique incarnée par ces Blancs professionnels issus des basses classes. Ainsi, on ne peut pas dire qu'un drame de classe anglophone se soit simplement reproduit en Inde. Mais grâce à la circulation de princes, d'entraîneurs, d'officiers de l'armée, de vice-rois, de directeurs d'université et de joueurs d'humble origine entre l'Inde, l'Angleterre et l'Australie, il s'est formé un régime complexe de classe impérial, au sein duquel les hiérarchies sociales indienne et anglaise se sont entrelacées pour produire, au cours des années 1930, un cadre d'Indiens n'appartenant pas à l'élite, mais se considérant à la fois comme d'authentiques joueurs de cricket et d'authentiques « Indiens ».

Le grand batteur princier Ranjitsinhji (1872-1933) est sans doute une triste exception. Pour lui, le cricket et l'anglicité étaient si profondément liés qu'il ne prit jamais très au sérieux l'idée que ce sport pût être un jeu indien. Il était le Jamsaheb de Nawanagar, un petit royaume du Saurashtra situé sur la côte ouest de l'Inde. Ranji occupe une place mythique dans les annales du cricket. Aujourd'hui encore, il est considéré (avec une poignée d'autres joueurs tels W. G. Grace, Don Bradman et Gary Sobers) comme l'un des plus grands batteurs de tous les temps. Cela vaut la peine de s'attarder un instant sur lui, car il nous fournit une bonne illustration de ce qu'était le cricket colonial. Ironiquement, ce fut sans doute cette profonde identification à l'Empire et à la Couronne qui lui permit de devenir le trope vivant et la quintessence d'une forme « orientale » de technique de cricket.

Ranji n'était pas seulement un grand joueur. Dans le monde du cricket, on pensait qu'il avait une aura particulière. C. B. Fry disait de lui qu'« il bougeait comme s'il n'avait pas d'os ; on n'aurait pas été surpris de voir des traces d'herbe brûlée sur le trajet de l'une de ses passes, ou une flamme bleue former un halo autour de sa batte lorsqu'il frappait l'un de ses fameux coups ». Selon Neville Cardus, « lorsqu'il frappa la balle, on vit une étrange lumière pour la première fois sur les terrains anglais ». Clem Hill, le champion international, disait simplement : « C'est plus qu'un batteur, c'est un jongleur ! » Bill Hitch, le fameux lanceur du Surrey et d'Angleterre, parlait de lui comme du « maître, du magicien [16] ».

On a vu en lui un génie indien de la batte, d'où la référence à la magie et au jonglage, à l'étrange lumière et aux flammes bleues. En fait, Ranji représentait l'envers séducteur du caractère efféminé, de la paresse et du manque d'énergie qu'incarnaient les Indiens pour de nombreux théoriciens coloniaux [17]. Chez lui, la fourberie se transformait en astuce, la ruse en magie, la faiblesse en souplesse et l'efféminé en grâce. Cette aura orientale avait bien sûr beaucoup à voir avec l'impeccable pedigree social de Ranji, sa totale dévotion aux institutions anglaises (des collèges d'université jusqu'à la Couronne) et sa loyauté sans faille à l'Empire. Non seulement il révolutionna le cricket et offrit aux foules un spectacle extraordinaire quand il était à la batte, mais le public anglais put toujours voir dans ses performances une offrande loyale de l'Orient mystérieux aux terrains de jeux d'Eton. Ranji fut le modèle même de l'Anglais à peau foncée. Il est clair toutefois qu'il appartenait à cette génération de princes indiens pour qui la loyauté à la Couronne et leur fierté d'Indien étaient coextensives l'une à l'autre, bien qu'un analyste ait récemment suggéré que les fidélités de Ranji aient pu être l'expression de profonds doutes et conflits personnels[18]. Son histoire n'est qu'un cas extrême d'une ironie plus générale : les princes indiens, qui étaient en majorité opposés au mouvement nationaliste, ont soutenu le cricket parce qu'ils avaient trouvé là un moyen de pénétrer le monde patricien victorien ; ce faisant, ils ont posé les bases de la maîtrise de ce sport chez les Indiens ordinaires, laquelle devait, dans les années 1930, s'épanouir en une véritable fierté de la compétence indienne en la matière.

Cricket, Empire et nation

De nos jours, l'extraordinaire popularité du cricket en Inde est clairement liée à un sentiment nationaliste. Mais, comme nous l'avons vu, ce sport a suscité, au début de son histoire dans ce pays, deux autres sortes de loyauté. La première était – et demeure – la loyauté envers les identités religieuses (communautaires). La deuxième, illustrée d'une façon plus abstraite dans le sport, était la loyauté envers l'Empire. La question qui nous intéresse ici est de savoir comment l'idée de nation indienne a émergé en tant qu'entité caractéristique du cricket.

À l'époque où les Parsi de Bombay organisaient les premiers clubs, c'est-à-dire au milieu du XIXe siècle, l'appartenance aux communautés religieuses devint le principe visible autour duquel les Indiens se regroupèrent pour jouer au cricket. Ce principe organisateur allait rester en place jusqu'aux années 1930. Les Hindous, les Parsi, les Musulmans, les Européens et, finalement, « le Reste » (expression qui qualifiait les groupes non marqués par une communauté réunis en équipes de cricket) furent organisés en clubs. Dès le départ, il y eut de puissants débats pour ou contre cette organisation du cricket en communautés. Bien que partout ailleurs dans l'Inde princière les protecteurs du sport fussent les princes eux-mêmes, qui ne s'intéressaient pas, lorsqu'ils effectuaient des recrutements, aux principes communautaires, on avait, dans les États de l'Inde britannique, divisé les joueurs en groupes ethniques et religieux dont certains étaient antagonistes dans la vie publique en général. Ainsi le cricket devint-il un vaste champ de bataille où les joueurs et le public apprirent à se penser comme Hindous, Parsi et Musulmans, par opposition aux Européens.

De nombreux travaux historiques ont montré que ces catégories sociales étaient à la fois la création et l'instrument d'une sociologie coloniale de gouvernement[19]. Mais le fait est qu'elles ont profondément pénétré l'image de soi des Indiens, ainsi que la politique et la vie culturelle indiennes. S'il est vrai que les classifications censitaires, le contrôle des fondations religieuses et le problème des électorats séparés ont constitué les principaux champs de bataille où les problèmes d'identité communautaire ont été réifiés en tant qu'éléments d'une sociologie coloniale de l'Inde, le rôle du cricket dans ce processus ne doit pas être sous-estimé. En Inde occidentale du moins, les fonctionnaires britanniques, tel le Gouverneur Harris, voyaient volontiers dans le cricket une soupape de sécurité à l'hostilité entre communautés et un moyen d'apprendre aux Indiens à vivre en harmonie dans la diversité. Mais enfoncés qu'ils étaient dans leurs propres fictions sur la fragmentation de la société indienne, ils ne comprirent pas que, sur le terrain de cricket comme ailleurs, ils perpétuaient des conceptions d'identité communautaire qui, dans les villes indiennes, auraient pu devenir plus fluides. D'où ce paradoxe que Bombay, qui est peut-être la ville coloniale la plus cosmopolite, ait vu son sport d'élite organisé sur des bases communautaires.

Ce principe communautaire allait devenir superflu à mesure qu'augmentaient le sérieux et la qualité du cricket en Inde. De son côté, le cricket anglais reposait sur un système au sein duquel la nation était l'unité de référence, les comtés (et non les communautés) en formant les sous-constituants. En d'autres termes, le territoire et l'idée de nation pour l'Angleterre, la communauté et la spécificité culturelle pour l'Inde (voir *infra*, chapitre v). Aussi, quand les équipes anglaises entamèrent leurs tournées en Inde, la question fut de savoir comment constituer une équipe « indienne » qui fût un opposant convenable. Lors des premières tournées, qui datent des années 1890, ces équipes indiennes étaient largement composées d'Anglais. Mais plus il y eut d'Indiens pour jouer à ce jeu, plus les sponsors et les entrepreneurs organisèrent d'équipes et de tournois : il était donc inévitable que se constituât un pool de talents indiens pour former une équipe indienne de premier plan. Ce processus, par lequel les Indiens ont de plus en plus tendu à représenter l'Inde dans le cricket, suit comme on peut s'y attendre l'histoire de l'évolution du nationalisme indien en tant que mouvement de masse. Dans le contexte colonial indien, le cricket jette ainsi une lumière inattendue sur la relation entre empire et nation. L'Angleterre n'étant pas superposable à l'Empire, il devait bien y avoir dans les colonies des entités parallèles contre lesquelles l'État-nation anglais pût jouer. Ainsi dut-on inventer l'« Inde » – au moins pour répondre aux objectifs du cricket colonial.

Pourtant, il y avait remarquablement peu de communication explicite entre ceux qui avaient pour tâche d'organiser le cricket en Inde sur une base tout-indienne et ceux qui, dans le parti du Congrès tout-indien (et ailleurs), étaient à partir des années 1880 professionnellement acquis à l'idée d'une nation indienne libre. L'idée de talents indiens, d'une équipe indienne et d'une présence indienne dans le cricket international a émergé de façon relativement indépendante, sous la stimulation non officielle des soutiens financiers et des publicitaires de ce sport. Ainsi, le nationalisme du cricket a émergé comme une excroissance paradoxale, bien que logique, du développement du cricket en Angleterre. Plutôt qu'un sous-produit de la communauté imaginée des politiciens nationalistes en Inde, le cricket organisé sur une base nationale était une exigence interne de l'entreprise coloniale

155

et nécessitait donc des entreprises parentes, nationales ou protonationales, dans les colonies.

Entre 1900 et 1930, la popularité du cricket ne fit que croître. Simultanément, le mouvement nationaliste, notamment avec Gandhi et le Congrès national indien, atteignit son apogée. Le nationalisme du cricket et une politique explicitement nationaliste entrèrent alors en contact dans la vie quotidienne des jeunes Indiens. N. K. P. Salve, célèbre politicien indien qui subventionnait le cricket, rappelle ainsi comment, au début des années 1930, ses amis et lui furent intimidés et empêchés de jouer sur un bon terrain de cricket, à Nagpur, par un certain Mr Thomas, un sergent anglo-indien chargé du terrain qui « ressemblait à un buffle africain, massif et trapu, possédant par ailleurs ses caractéristiques offensives, frustes et vulgaires[20] ». Après plusieurs épisodes avec ce Thomas (une figure subalterne classique chargée d'écarter les petits voyous indigènes des espaces sacro-saints de la performance impériale), le père de Salve et ses amis, tous partisans influents, au niveau local, de Gandhi, intervinrent en faveur de leurs fils auprès d'un haut fonctionnaire de Nagpur et obtinrent pour ceux-ci le droit de jouer sur le terrain quand il n'était pas utilisé de façon officielle. Le récit de Salve nous restitue la puissante sensation de crainte que leur inspirait le subalterne anglo-indien, l'attraction sensuelle de jouer sur un terrain officiel, l'outrage en tant qu'Indiens d'être écartés d'un espace public et la saveur nationaliste de leur ressentiment. Sans doute le nationalisme du cricket et la politique nationaliste officielle ont-ils rarement été accouplés consciemment dans les débats ou les mouvements publics, mais il est certain qu'ils ont affecté l'expérience du jeu, de la compétence, de l'espace et des droits pour de nombreux jeunes Indiens dans les petites villes et sur les terrains de sport de l'Inde d'avant l'indépendance. Mais la montée de la conscience et de l'excitation liées au cricket ne peut être comprise sans une référence au rôle du langage et des médias.

Vernacularisation et médias

Les médias ont joué un rôle capital dans l'indigénisation du cricket, et tout d'abord à travers les commentaires en langue anglaise que l'on pouvait écouter sur All-India Radio, créée en 1933. Retransmis essentiellement en anglais durant les années 1930, 1940 et 1950[21], les commentaires radio le furent de plus en plus souvent, à partir des années 1960, également en hindi, en tamoul et en bengali. Le commentaire radio multilingue est sans doute l'instrument majeur de l'acquisition par le public indien des subtilités du cricket. Si la couverture des matchs internationaux (l'Inde contre d'autres pays) est restée confinée à l'anglais, à l'hindi, au tamoul et au bengali, d'autres matchs de premier plan s'accompagnent désormais d'un commentaire radio dans toutes les langues majeures du sous-continent. Aucune étude systématique n'a encore été faite sur le rôle du commentaire vernaculaire dans la sensibilisation des Indiens non urbains à la culture cosmopolite du cricket, mais il ne fait pas de doute que ce point a constitué un facteur majeur de l'indigénisation de ce sport.

À travers les radios, qui sont accessibles à tous et attirent de vastes foules dans les gares, les cafétérias et d'autres lieux publics, les Indiens ont absorbé la terminologie anglaise du cricket, notamment sa structure de substantifs, dans toute une gamme de modèles syntaxiques vernaculaires. Ce genre de « pidgin » sportif est capital pour l'indigénisation du sport, puisqu'il permet le contact avec une forme étrangère tout en domestiquant cette forme au niveau linguistique. Ainsi, le vocabulaire élémentaire des termes de cricket en anglais est connu dans toute l'Inde, jusque dans le moindre village.

Les émissions en langue vernaculaire sont à l'origine d'expériences linguistiques complexes, hybrides et parfois déroutantes, dont la conversation suivante, rapportée par Richard Cashman, fournit une bonne illustration. La scène se passe durant le championnat 1972-1973. Les protagonistes en sont Lala Amarnath (l'expert) et le commentateur hindou. Leur échange se situe après que le joueur Ajit Wadekar a réussi un très beau coup.

LE COMMENTATEUR : Lalaji, aap wo back foot straight drive ke bare me kya kahena chahte hain ?

LALA AMARNATH : Wo back foot nahin front foot drive thi... badi sunder thi... *wristy* thi.

LE COMMENTATEUR : Han Badi *risky* thi. Wadekar ko aisa nahin khelna chahiye.

LALA AMARNATH : Commentator sahib, *risky* nahin *wristy*. Wrist se mari hui...

[Traduction anglaise :]

LE COMMENTATEUR : Lala, what would you like to say about that straight drive off the back foot ?

LALA AMARNATH : That was a front and not a back foot drive... it was beautiful... was wristy.

LE COMMENTATEUR : So that was risky. Wadekar shouldn't have played like that.

LALA AMARNATH : Mr. Commentator, risky is not wristy. It was hit with the wrist...[22]

Bien que la traduction de Cashman ne soit pas parfaite, elle montre assez clairement que la vernacularisation du cricket a ses pièges linguistiques. En revanche, Cashman ne note pas qu'à travers la discussion de telles erreurs, les commentateurs hindous arrivent à maîtriser, avec *wristy*, un terme de cricket relativement ésotérique *.

L'hégémonie médiatique du cricket, dont se plaignent souvent les partisans des autres sports, s'est renforcée avec l'arrivée de la télévision. Après de très modeste débuts à la fin des années 1960, la télévision a désormais complètement transformé la culture du cricket en Inde. Comme l'ont souligné plusieurs commentateurs, ce sport, avec ses nombreuses pauses et la concentration spatiale de son action, est parfaitement adapté à la télévision. Pour le public comme pour les annonceurs, c'est le modèle même du sport télévisé.

La télévision est à la pointe de la privatisation du loisir, en Inde comme ailleurs. À mesure que les espaces publics

---

* *Wristy* signifie « frappé avec le poignet ». Le commentateur hindou a confondu ce terme avec le mot *risky*, « risqué », ce qui l'a mené à dire que le joueur aurait dû jouer autrement. *(N.d.T.)*

se font plus violents, plus désordonnés et inconfortables, ceux qui peuvent s'offrir la télévision consomment leurs spectacles en compagnie de leurs amis et de leur famille. C'est vrai des deux grandes passions du public : le sport et le cinéma. Grâce aux retransmissions pour l'un, aux reprises et aux cassettes pour l'autre, le stade et la salle de cinéma sont remplacés par le salon. Les matchs internationaux réunissent encore de nombreux spectateurs, mais les foules qui y assistent sont plus volatiles. Le spectacle du stade n'est plus une expérience complexe partagée par les riches et les pauvres ; c'est une expérience plus populaire et chaotique, à laquelle beaucoup préfèrent l'écran télévisé, calme, privé et omniscient. Comme partout dans le monde pour les spectacles à grande échelle, le public des matchs est lui-même un accessoire, celui d'une performance plus vaste donnée au bénéfice des téléspectateurs. La foule n'est pas là pour apprécier l'aspect vivant du spectacle, mais pour en fournir la preuve au public de la télévision. Public du spectacle selon son propre point de vue, il fait partie du spectacle pour ceux qui sont chez eux. Cela aussi fait partie du processus d'indigénisation et de décolonisation.

La télévision réduit les équipes étrangères et les vedettes à une dimension accessible ; elle domestique visuellement la nature exotique du sport, notamment pour ceux qui n'ont jusque-là suivi les matchs qu'à la radio. Et pour un pays dont les stars de cinéma sont les plus grandes célébrités, la télévision prête une autorité cinématographique au spectacle du sport. Dans une civilisation où le regard (*darsan*) est l'instrument sacré de la communion, la télévision a intensifié le statut de star des grands joueurs de cricket indiens. Ceux-ci n'ont jamais été autant adulés qu'au cours des dix dernières années, avec l'expansion de la télévision. Elle a approfondi la passion nationale pour le cricket nourrie par la radio, mais les retransmissions radio et télévisée ont été l'une et l'autre renforcées, en termes d'audience et de participation, par une nette croissance de la consommation de livres, de journaux et de magazines sportifs, non plus seulement en anglais, mais dans les langues vernaculaires.

La prolifération d'informations, de biographies de stars,

de commentaires et d'une littérature pédagogique, notamment dans les régions qui pratiquent le plus le cricket, pose la toile de fond nécessaire à la pénétration de la télévision. Tandis que ce matériel vernaculaire est lu, ou entendu par ceux qui ne savent pas lire, la radio permet d'imaginer l'événement en direct et la télévision opère la dernière transition jusqu'au spectacle. Ces formes médiatisées ont créé un public extrêmement large, expert de bien des façons dans les subtilités du sport, qui apporte au cricket les passions générées par la lecture, l'ouïe et la vue.

Le rôle de la littérature vernaculaire de masse est crucial dans ce processus. Ces livres, ces magazines et ces brochures créent en effet un pont entre les langues vernaculaires et l'anglais, transcrivent les noms et les biographies des joueurs étrangers dans l'écriture et la syntaxe indiennes, et renforcent le corpus de termes communs (mots anglais traduits littéralement en hindi, en marathi et en tamoul). Ces matériaux possèdent également un volet pédagogique : ils contiennent des schémas accompagnés d'explications détaillées sur les différents coups, les styles, les règles et la logique du cricket pour des lecteurs qui ne connaissent pas tous l'anglais. Ce processus de vernacularisation, que j'ai examiné de plus près sur un corpus en marathi[23], offre un répertoire verbal qui permet à une masse d'Indiens de percevoir le cricket comme une forme linguistiquement familière, libérant ainsi ce sport de l'anglitude qui lui avait donné au départ son autorité morale et sa trame narrative.

Le commentaire vernaculaire à la radio – et plus tard à la télévision – est le premier pas vers l'appropriation du vocabulaire du cricket, parce qu'il n'offre pas seulement un vocabulaire de contact, mais aussi un lien entre ce vocabulaire et l'intensité du jeu entendu ou vu, de ses coups, de son rythme, de son excitation physique. L'anglitude de la terminologie du cricket est ainsi saisie dans les mondes de l'hindi, du marathi, du tamoul et du bengali, tout en étant mise en contact intime avec le jeu réel, qui se joue dans les rues, les cours, les cités de l'Inde urbaine et les prés communaux de nombreux villages. L'acquisition de la terminologie du cricket dans la langue vernaculaire renforce ainsi le sentiment d'une compétence physique dans ce sport, sentiment à son tour rendu plus profond et maintenu par des spots réguliers à la télévision. On imite les grandes stars du cricket, on donne leur surnom aux enfants, et la terminologie du cricket, ses coups et ses stars, ses règles et ses rythmes deviennent partie intégrante d'une pratique vernaculaire et d'un sentiment de compétence physique vécue.

Le vaste corpus de matériaux imprimés en langue vernaculaire renforce ce lien entre contrôle terminologique, excitation corporelle et expertise en offrant des informations, des statistiques et des savoirs généraux qui viennent augmenter la compétence linguistique et picturale d'Indiens qui ne sont qu'à moitié à l'aise dans le monde anglophone. Dans les nombreux livres, magazines et brochures en langue vernaculaire, les règles, les coups et la terminologie du cricket (souvent traduits directement de l'anglais, de sorte qu'ils demeurent au sein de l'œcuménisme linguistique du cricket international) s'accompagnent souvent de schémas. Discuter à fond la vie et le style des joueurs de cricket indiens et étrangers, et intégrer ces discussions dans des débats approfondis sur des questions de jugement et de règles (comme l'arbitrage neutre), ont pour effet d'intégrer la terminologie du cricket au corps en tant que lieu du langage et de l'expérience. En outre, ce matériel pédagogique est livré au milieu d'indiscrétions sur la vie des stars et de commentaires sur les événements sensationnels du cricket, ce qui a pour effet de tirer celui-ci vers un monde plus vaste de célébrités, de controverses et de contextes autres que le sport, et de l'intégrer plus encore dans un terrain linguistique familier.

Le magazine en hindi *Kriket-Kriket* offre un excellent exemple du monde « interoculaire » du lecteur vernaculaire[24]. Il contient en effet des publicités pour des romans de gare, des bandes dessinées en hindi, divers produits corporels comme des lentilles de contact et des lotions indigènes, et des albums photo de stars du cricket. Il présente aussi des publicités pour des livres pratiques du type « faites-le vous-même » qui expliquent l'électricité ou la sténo, voire des sujets plus étranges, comme l'art de fabriquer de la graisse à outils. Enfin, de nombreuses photos couleur de joueurs de cricket et diverses informations sur des matchs et des tournois placent ce sport dans un monde splendide de vedettes proche de la métropole, dans lequel le cricket offre la suture textuelle d'un collage de matériaux beaucoup plus variés ayant une relation quelconque avec les styles de vie et les fantasmes modernes. Les magazines comme *Kriket-Kriket* étant produits et vendus assez bon marché, leur papier et leur graphisme sont de basse qualité, et il n'est pas toujours facile de saisir la différence entre les informations et les commentaires d'un côté, et de l'autre les publicités pour d'autres types de littérature ou de services. L'effet général est celui d'un réseau sans faille d'impressions verbales et visuelles d'un cosmopolitisme dont le cricket est le tissu conjonctif. D'autres magazines vernaculaires sont plus chastes et moins « interoculaires » que celui-ci, mais comme ils viennent parmi d'autres matériaux imprimés et s'accompagnent des expériences adjacentes de la radio, de la télévision et des journaux filmés sur les matchs de cricket, il fait peu de doute que la culture du cricket consommée par les semi-anglophones est résolument postcoloniale et polyglotte.

Les biographies de stars du cricket – actuelles ou passées – que l'on trouve dans les journaux, les magazines et les livres sont encore plus significatives. Ces histoires en langue vernaculaire ont pour fonction d'intégrer la compétence et l'excitation du sport dans des narrations linguistiquement abordables. Ce n'est donc pas seulement la vie des stars qu'elles rendent compréhensible, mais tout ce qui touche au cricket. Elles fournissent ainsi la base d'une intimité renouvelée dans la réception des retransmissions radiophoniques et télévisées des matchs de cricket, et l'*hexis* corporel même du plus rustre des garçons, jouant avec un mauvais équipement sur un terrain en friche, est lié sur le terrain du langage et du corps au monde des spectacles de cricket de haut niveau. Le fait que beaucoup de ces livres et brochures soient rédigés par des « nègres », ou en collaboration avec des professionnels, n'enlève rien à leur force en tant qu'instruments de compréhension du cricket pour de nombreux lecteurs situés hors du monde anglophone. En reliant la vie d'une star à des lieux, des événements, des écoles, des professeurs, des entraîneurs et des joueurs familiers, une structure narrative se crée dans laquelle le cricket devient plus vivant, et ses stars plus accessibles[25].

La force générale de l'expérience des médias est ainsi puissamment synesthésique. Le cricket est lu, entendu et vu. La force de ces expériences quotidiennes, les aperçus occasionnels de matchs et de stars vivantes, et les événements plus prévisibles du spectacle du cricket à la télévision, tout concourt non pas simplement à vernaculariser le cricket, mais à introjecter les termes et les tropes du cricket dans les pratiques et les fantasmes corporels de beaucoup de jeunes Indiens. L'imprimé, la radio et la télévision se renforcent puissamment les uns les autres pour créer un environnement dans lequel le cricket est à la fois plus-grand-que-la-vie (par ses stars, ses spectacles et son association avec la brillance des matchs mondiaux et de la narration internationale), et proche de la vie, parce qu'il a été rendu dans des vies, des manuels et des informations qui ne sont plus transmises par l'anglais. Lorsque des Indiens issus de diverses régions linguistiques de l'Inde voient et entendent les récits de la radio et de la télévision sur le cricket, ils ne sont plus des néophytes s'efforçant de saisir une forme anglaise, mais des spectateurs culturellement informés, pour qui le cricket a été profondément vernacularisé. Il se crée ainsi un ensemble complexe de boucles sensitives et pédagogiques à travers lequel la réception du cricket devient un instrument crucial de la subjectivité et de l'action dans le processus de décolonisation.

L'Empire contre-attaque

À l'arrivée, la décolonisation implique l'acquisition d'un savoir culturel en matière de cricket par un public de masse, et cet aspect de la décolonisation suppose un mode d'appropriation des compétences que nous sommes tous enclins à applaudir. Mais il existe aussi une dimension de production de la décolonisation, et nous entrons ici dans le monde complexe de l'esprit d'entreprise et du spectacle, de la subvention d'État et des immenses profits privés.

S'il est vrai que les Indiens les plus pauvres et les plus ruraux ont pu pénétrer le monde cosmopolite du cricket à l'aide d'un soutien royal ou officiel dans l'entre-deux-guerres, la base de classe relativement large même des meilleures équipes indiennes n'aurait pu se maintenir après la Seconde Guerre s'il n'avait pas existé un modèle fascinant et fort inhabituel de financement du cricket par les plus grandes entreprises, notamment à Bombay, mais pas seulement. Le subventionnement du cricket par les grandes entreprises est un facteur intriguant dans la sociologie du sport indien. Ses points essentiels sont les suivants : de nombreuses compagnies prestigieuses choisirent d'embaucher des joueurs de cricket exceptionnels au début de leur carrière, de leur laisser une liberté considérable pour qu'ils puissent respecter les rigoureux calendriers d'entraînement, se maintenir en forme et, surtout, d'avoir un emploi régulier à la fin de leur carrière dans le cricket. On a vu cette embauche de joueurs de cricket, originellement à Bombay dans les années 1950, comme une forme bénéfique de publicité sociale, assurant la popularité de firmes qui soutenaient un sport de plus en plus populaire, la renommée de certaines stars, et une bonne image nationale dans la compétition internationale. Cette embauche des joueurs a permis en premier lieu la promotion de talents dans les grandes villes ; mais en outre, dans le cas de la Banque d'État indienne (une énorme part du service public), d'excellents joueurs ont été recrutés dans diverses agences à travers tout le pays, de sorte que ce financeur a suscité à lui seul le cricket loin de ses bases urbaines. Le financement du cricket par l'industrie a donc permis d'offrir un système quasi professionnel de sécurité dans un sport dont l'amateurisme est l'un des plus puissants idéaux, tout en permettant d'attirer de jeunes aspirants joueurs issus des classes les plus pauvres dans les régions semi-rurales de l'Inde.

En retour, ce soutien de l'industrie a permis à l'État de faire un investissement relativement bas dans le cricket et d'en tirer pourtant un large profit en termes de sentiment national. Si le financement du cricket depuis la Seconde Guerre mondiale a été surtout une entreprise commerciale de la part des grandes firmes (entrant dans leurs budgets de relations publiques et publicitaires), l'État indien s'est montré généreux en augmentant son soutien médiatique à ce jeu. Cette alliance entre des investissements contrôlés par l'État – par le biais des médias, de la loi et de l'ordre, d'intérêts commerciaux privés offrant une sécurité aux joueurs – et un organisme public complexe (bien que non gouvernemental) appelé le *Board of Control* a créé l'infrastructure qui a transformé le cricket en une passion nationale majeure depuis l'indépendance en 1947.

La phase télévision de l'histoire du cricket indien fait bien sûr partie de la récente et intense commercialisation du cricket et de la marchandisation de ses stars qui l'accompagne. Comme d'autres figures du sport dans le monde capitaliste, les meilleurs joueurs indiens sont désormais des métamarchandises, eux-mêmes mis en vente tout en favorisant la circulation d'autres marchandises. Le sport est de plus en plus entre les mains de publicitaires, de promoteurs et d'entrepreneurs, la télévision, la radio et les journaux nourrissant de leur côté la passion nationale pour ce jeu. Cette marchandisation des spectacles publics apparaît à première vue comme la simple expression indienne d'un processus global et semble donc représenter non pas la décolonisation ou l'indigénisation, mais la recolonisation par les forces du capital international. Mais ce qu'elle représente surtout, c'est le désir agressif des capitalistes indiens de s'approprier le potentiel du cricket à des fins commerciales.

Transformé en une passion nationale par le processus du spectacle, le cricket est devenu au cours des vingt dernières années une question de divertissement de masse et de mobilité pour certains, et s'est donc auréolé d'une image de victoire[26]. Les foules indiennes sont soudain devenues plus gourmandes de victoires indiennes dans les matchs internationaux et plus sévères à l'égard des échecs, que ce soit à l'étranger ou en Inde. Ainsi, les joueurs, les entraîneurs et les managers marchent sur un fil plus étroit qu'il ne l'a jamais été. Tout en empochant les bénéfices de la starisation et de la commercialisation, ils doivent se montrer de plus en plus attentifs aux critiques et au public, qui ne tolèrent pas les revers, même temporaires. Il en est résulté une pression de plus en plus forte pour l'excellence technique.

Après une sérieuse dégringolade du milieu des années 1950 à la fin des années 1960, les joueurs indiens ont remporté plusieurs victoires exceptionnelles en 1971 sur les Caraïbes et l'Angleterre, chez eux comme chez leurs opposants. Bien que l'équipe de 1971 ait été saluée par le public et les critiques, on a laissé entendre que ces victoires devaient beaucoup à la chance et à la mauvaise forme des adversaires. Néanmoins, 1971 a marqué un tournant pour le cricket indien, sous la direction d'Ajit Wadekar. L'équipe a ensuite connu plusieurs revers, mais il reste que les joueurs indiens avaient montré qu'ils pouvaient battre leurs anciens maîtres coloniaux et les formidables joueurs caribéens chez eux. Ces victoires de 1971 ont marqué psychologiquement l'avènement d'une puissance nouvelle dans le cricket indien.

Dans les années 1970, chaque championnat était dominé par les Caraïbes, qui semblaient trop imposantes pour être touchées, avec leurs brillants batteurs, leurs extraordinaires (et effrayants) lanceurs, et leur vitesse sur le terrain. Le cricket est devenu le sport par excellence des Caraïbes, les autres équipes s'efforçant péniblement de rester au niveau. Dans ces conditions, le plus beau moment pour le cricket indien a été sa victoire sur une puissante équipe des Caraïbes dans les championnats de 1983. Avec cette victoire, l'Inde s'est établie comme une force mondiale du cricket international, dont les véritables protagonistes étaient les Caraïbes et le Pakistan plutôt que l'Angleterre et l'Australie. L'Afrique du Sud, la Nouvelle-Zélande et le Sri Lanka sont restés largement en dessous du niveau des championnats de cricket. Vers 1983, l'Angleterre apparaissait comme une étoile morte en cricket (à part quelques stars occasionnelles comme Ian Botham) et l'Inde comme une force majeure.

Les anciennes colonies noires et foncées dominent désormais le cricket mondial, mais il est surtout significatif que leur triomphe coïncide avec une période où l'impact des médias, la commercialisation et la passion nationale ont presque totalement érodé les vieilles valeurs victoriennes associées au cricket. C'est maintenant un sport agressif, spectaculaire, souvent assez peu fair play, avec un public avide de victoires nationales et des joueurs et des promoteurs avides d'argent. Il est difficile d'éviter la conclusion que la décolonisation du cricket ne se serait pas produite si ce sport n'avait pas été détaché de son origine morale victorienne. Ce processus n'est pas limité aux colonies : on a remarqué que le thatchérisme en Angleterre a beaucoup fait pour éroder l'idéologie du fair play qui dominait autrefois le cricket dans son propre pays d'origine[27].

Le cricket appartient désormais à un autre monde moral et esthétique, fort éloigné de celui imaginé par Thomas Arnold of Rugby. Rien ne marque autant ce changement d'ethos que l'avènement de ce phénomène professionnalisé, strictement commercial, qu'est le World Series Cricket (WSC), un package de cricket global, centré sur les médias, créé par un Australien du nom de Kerry Packer. Cette compétition a été la première menace majeure à la fois contre l'œcuménisme colonial du sport amateur et l'éthique d'après-guerre du nationalisme du cricket, centrée comme elle l'est sur la plus grande innovation dans ce sport depuis la guerre – le « cricket en un jour », dans lequel une seule journée de jeu (au lieu de cinq ou plus) décide de l'issue du tournoi. Le cricket en un jour encourage la prise de risques, l'agressivité et la bravade, tout en convenant parfaitement à l'attention soutenue que demande la publicité télévisée et à un plus grand nombre d'événements sur le terrain. Le World Series Cricket de Packer a contourné la loyauté nationale au nom du divertissement médiatisé et de rapides bénéfices économiques pour les joueurs. Les joueurs caribéens, anglais, australiens et pakistanais ont été prompts à en voir les avantages. Mais en Inde, les joueurs ont été plus lents à réagir, puisque leur structure de financement leur offrait une bien plus grande sécurité que n'en avaient leurs homologues ailleurs. Pourtant, l'entreprise de Packer a été le signal que le cricket s'était déplacé dans une nouvelle phase, postnationaliste cette fois, où la valeur du divertissement, la couverture des médias et la commercialisation des joueurs allaient transcender la loyauté nationale du début de l'indépendance, et l'éthique victorienne d'amateurisme de la période coloniale.

Aujourd'hui, le cricket indien représente une configuration complexe de chacune de ces transformations historiques. La structure des règles du jeu et les codes de comportement sur le terrain sont toujours régulés en théorie par les valeurs victoriennes classiques de retenue, d'esprit « sport » et d'amateurisme. En même temps, la loyauté nationale constitue une puissante contrepartie à ces idéaux, tandis que les foules et le public de la télévision réclament, eux, la victoire à tout prix. Mais du point de vue des joueurs et des promoteurs, le souci du code victorien et nationaliste est subordonné au flux transnational de talents, de célébrité et d'argent.

Ce nouvel ethos est parfaitement illustré par la Coupe d'Australasie, de création récente, qui se déroule dans le minuscule État du Golfe Sharjah, lequel accueille une considérable population d'immigrés indiens et pakistanais. Cette coupe fait ressortir la logique à la fois commerciale et nationaliste du cricket contemporain. Au cours de la séquence finale du match décisif de 1986, regardé par quinze millions de téléspectateurs, il a fallu quatre tours au Pakistan pour gagner par un coup contre la dernière balle du match. Parmi les spectateurs du stade se trouvaient des vedettes de cinéma et d'autres célébrités d'Inde et du Pakistan, ainsi que des migrants sud-asiatiques gagnant leur vie dans le Golfe.

La coupe Sharjah est bien loin du terrain de jeu d'Eton. Avec son financement par l'argent du pétrole, son public semi-prolétarien de travailleurs migrants indiens et pakistanais du golfe Persique, les stars de cinéma venues du sous-continent assises sur ses gradins créés par la richesse pétrolière islamique, son énorme public de téléspectateurs sur le sous-continent, l'argent de sa coupe avec des sponsors publicitaires comme s'il en pleuvait et son cricket assoiffé de sang, elle est bien le dernier coup asséné au code des classes supérieures victoriennes, au sein d'un œcuménisme global tout différent. Après Sharjah, tout le cricket est du cricket trobriand, non à cause des changements de règle spectaculaires associés à cette célèbre forme de cricket, mais du fait d'avoir réussi à détourner un rituel de son hégémonie anglaise et de sa morale victorienne originelles. Du point de vue de Sharjah, ce sont les Etoniens qui apparaissent comme les Trobriandais d'aujourd'hui.

La décolonisation du cricket est aussi la corrosion du mythe du Commonwealth, cette alliance souple de nations unies par leur ancien statut de parties de l'Empire britannique. Le Commonwealth est largement devenu une communauté sportive. Politiquement, il n'est plus que l'ombre pâle des civilités de l'empire. En matière de commerce, de politique et de diplomatie, il n'est plus qu'une farce. Les Fidjiens excluent les immigrés indiens de la citoyenneté des Fidji ;

les Sinhalas et les Tamouls s'entretuent au Sri Lanka (pendant que le cricket sinhala est en tournée en Inde) ; le Pakistan et l'Inde sont en permanence au bord de la guerre ; les nouvelles nations africaines mènent une série de combats entre voisins.

Pourtant, les Jeux du Commonwealth sont une entreprise internationale et sérieuse, et le cricket mondial est encore l'affaire du Commonwealth. Mais le Commonwealth constitué par le cricket de nos jours n'est pas une communauté ordonnée d'anciennes colonies, retenues ensemble par une adhésion commune à un code victorien et colonial. C'est une réalité agonistique, dans laquelle une série de pathologies (et de rêves) postcoloniaux s'inscrivent sur la toile de fond d'un héritage colonial commun. N'étant plus un instrument destiné à socialiser les hommes noirs et foncés sous l'étiquette publique de l'Empire, c'est désormais un instrument pour mobiliser le sentiment national au service de spectacles et d'une marchandisation transnationaux.

La tension particulière entre nationalisme et décolonisation se perçoit particulièrement dans la diplomatie du cricket entre l'Inde et le Pakistan, qui implique des niveaux multiples de compétition et de coopération. Peut-être le meilleur exemple de coopération dans l'esprit de la décolonisation est-il le très complexe processus à travers lequel les politiciens et les bureaucrates au plus haut niveau des deux nations antagonistes ont coopéré dès le milieu des années 1980 pour que la prestigieuse Coupe du monde d'Angleterre se déroule cette fois (1987) sur le sous-continent, avec l'appui financier du Reliance Group of Industries (l'une des entreprises les plus vastes et les plus agressives de l'Inde contemporaine) et l'approbation des dirigeants des deux pays[28]. Pourtant à Sharjah, ainsi qu'à chaque rencontre en Inde, au Pakistan ou ailleurs depuis la partition, les matchs de cricket entre l'Inde et le Pakistan sont des guerres nationales à peine déguisées. Le cricket n'est pas tant une soupape de sécurité pour l'hostilité entre les deux populations, qu'une arène complexe où se réactive le curieux mélange d'animosité et de fraternité qui caractérise les relations entre ces deux États-nations précédemment unis. L'Angleterre, en tout cas, ne fait plus partie

de l'équation, que ce soit dans la politique tendue du Cachemire ou sur les terrains de cricket de Sharjah.

La couverture journalistique récente de l'Australasia Cup
à Sharjah[29] suggère que les États du Golfe ont pris une prééminence croissante en tant que sites du cricket international,
et que la rivalité entre l'Inde et le Pakistan a été délibérément
à la fois encouragée et contenue pour créer un simulacre de
leur tension actuelle à propos du Cachemire. Alors que les
armées se font face de part et d'autre de la frontière, les
équipes de cricket offrent un simulacre de guerre parsemé de
stars sur le terrain de jeu.

Les moyens de la modernité

Il nous reste maintenant à revenir aux problèmes généraux
posés au début de ce chapitre. L'exemple du cricket donne
une indication sur ce qu'il faut pour décoloniser la production
de la culture dans le cas des formes culturelles dures. Ici, et
notamment du point de vue indien, les forces clés qui ont
érodé le cadre moral et didactique victorien du cricket sont
les suivantes : indigénisation du subventionnement – à savoir
trouver des financeurs indigènes dont le style puisse contenir
la forme, ainsi que des publics à amener dans le spectacle
lui-même ; un soutien de l'État par le biais de subsides massifs aux médias ; et un intérêt commercial, soit dans la diversité contemporaine des formes possibles de marchandisation,
soit sous la forme moins habituelle d'un subventionnement
des joueurs par l'industrie. Seule cette puissante alliance de
forces a permis dans le cas indien de séparer progressivement
le cricket de son cadre de valeurs victoriennes et de l'animer
par de nouvelles forces associées au marketing et au spectacle.

Pourtant, tous ces facteurs ne suffisent pas à expliquer
pourquoi le cricket est une passion nationale. Pourquoi, au
lieu de simplement s'indigéniser, est-il devenu le symbole
d'une pratique sportive qui semble incarner l'Inde elle-
même ? Pourquoi, de Sharjah à Madras, est-il regardé avec
une telle attention dans les stades comme dans tous les autres

contextes médiatiques ? Pourquoi les stars du cricket sont-elles adorées, peut-être plus encore que leurs homologues du cinéma ?

La réponse à ces questions tient sans doute, en partie, aux liens profonds entre les idées de jeu dans la vie humaine[30], de sport organisé mobilisant à la fois des sentiments puissants de nation et d'humanité[31], et de sport agonistique recalibrant la relation entre loisir et plaisir dans les sociétés industrielles modernes[32]. On peut donc voir le cricket comme une forme de jeu agonistique qui s'est emparé de façon décisive de l'imagination indienne.

Mais pour rendre compte de la place centrale qu'occupe le cricket dans l'imagination indienne, il faut comprendre comment ce sport établit des liens entre la différence sexuelle, la nation, l'imagination et l'excitation corporelle. Il est vrai que parmi les hautes classes indiennes, surtout dans la mesure où elles peuvent s'isoler des masses (soit dans leurs propres demeures, soit dans des tribunes réservées au stade), les femmes sont devenues à la fois des joueuses et des fans de cricket. Pourtant, pour la nation en général, le cricket est une activité dominée par les hommes – les joueurs, les managers, les commentateurs, les supporters et le public du stade. Les spectateurs masculins, même lorsqu'ils ne forment pas la majorité du public au stade ou devant la télévision, sont les spectateurs privilégiés du jeu, parce que les championnats ou les grands matchs de finale ne comptent que des joueurs masculins. Le regard de la femme indienne, du moins jusqu'ici, est deux fois repoussé, puisqu'elle regarde le plus souvent des hommes jouer, mais aussi des hommes regardant d'autres hommes jouer. Pour le spectateur masculin, regarder du cricket est une activité où il s'engage profondément sur le plan de l'*hexis* corporel[33], puisque la plupart des Indiens de moins de quarante ans ont vu des matchs de cricket, ou ont joué eux-mêmes une version locale de ce jeu, ou ont lu et vu quelque chose de sa pratique. Ainsi, le plaisir de voir du cricket pour un Indien, que n'égale aucun autre sport, est ancré dans le plaisir corporel de jouer, ou d'imaginer jouer au cricket.

Mais dans la mesure où le cricket, à travers l'énorme convergence de l'État, des médias et des intérêts du secteur privé, a fini par être identifié à l'« Inde », avec des compétences « indiennes », des tripes « indiennes », un esprit d'équipe « indien » et des victoires « indiennes », le plaisir corporel qui est au cœur de l'expérience masculine du regard est en même temps part de l'érotisme de la nation. Cet érotisme, notamment pour les jeunes hommes de la classe ouvrière et du lumpen, est profondément lié à la violence, pas seulement parce que tout sport agonistique encourage l'agressivité, mais parce que les exigences contradictoires de classe, d'ethnicité, de langage et de région font en fait de la nation une communauté profondément contestée. Le plaisir érotique de regarder du cricket pour des sujets masculins indiens est le *plaisir du passage à l'acte* dans une communauté imaginée, plaisir violemment contesté dans la plupart des autres arènes[34]. Ce plaisir n'est ni pleinement cathartique ni totalement par procuration, parce que jouer au cricket est proche de, ou fait partie de l'expérience de nombreux Indiens mâles. Il est toutefois magnifié, politisé et spectacularisé sans perdre ses liens avec l'expérience vécue de la compétence corporelle et du lien agonistique. Cet ensemble de liens entre différence sexuelle, imagination, nation et excitation ne pourrait exister sans un groupe complexe de contingences historiques impliquant l'empire, les subventions, les médias et le commerce – contingences posant les conditions de l'intérêt actuel pour le cricket en Inde.

Nous pouvons maintenant revenir au puzzle par quoi nous avons commencé. Comment le cricket, une forme culturelle dure, reliant fermement la valeur, la signification et la pratique, est-il devenu si profondément indianisé, ou, d'un autre point de vue, dé-victorianisé ? Parce que dans le processus de sa vernacularisation (par le biais des livres, des journaux, de la radio et de la télévision) il est devenu un emblème de la nation indienne en même temps qu'il s'inscrivait, en tant que pratique, dans le corps indien (masculin). La décolonisation dans ce cas n'implique pas seulement la création de communautés imaginées à travers le fonctionnement du capitalisme de l'imprimé comme l'a suggéré Anderson[35], mais implique aussi l'appropriation de compétences corporelles agonistiques susceptibles ensuite de prêter une passion et un objectif à la communauté ainsi imaginée. Ceci peut être la contribution spécifique du sport de spectacle (opposé aux nombreuses autres formes de culture publique) à la dynamique de la décolonisation.

Le genre sexuel, le corps et l'érotisme du désir de nation pouvant entrer dans une puissante conjoncture à travers d'autres sports (comme le foot-ball et le hockey, qui sont très populaires en Inde même aujourd'hui), on peut se demander une fois encore : pourquoi le cricket ? Je dois ici faire un bond spéculatif et proposer que le cricket est le centre idéal de l'attention nationale et de la passion nationaliste, parce qu'il permet à une grande variété de groupes au sein de la société indienne d'expérimenter ce que l'on pourrait appeler « les moyens de la modernité ». À ces groupes qui constituent l'État, notamment à l'aide du contrôle qu'ils exercent sur la télévision, il offre le sentiment de pouvoir manipuler le sentiment nationaliste. Aux technocrates, publicitaires, journalistes et éditeurs qui contrôlent directement les médias, il offre le sentiment de leur compétence dans le maniement des techniques du sport télévisé, de la publicité du secteur privé, du contrôle de l'attention du public et, en général, la maîtrise des médias eux-mêmes. Au secteur privé, le cricket offre un moyen de lier le loisir, le vedettariat et le nationalisme, offrant ainsi un sentiment de maîtrise sur les techniques marchandes et la promotion. Au public, le cricket offre le sentiment d'un savoir culturel dans un sport mondial (associé au sentiment encore vivant de la supériorité technologique de l'Occident) et le plaisir plus diffus de l'association au *glamour*, au cosmopolitisme et à la compétitivité nationale. Au spectateur des classes élevées et moyennes, le cricket offre les plaisirs privatisés du vedettariat et du sentiment nationaliste introduits jusque dans l'atmosphère tranquille et assainie de son propre salon. À la classe ouvrière et aux jeunes lumpen, il offre le sentiment d'appartenance à un groupe, la violence potentielle et l'excitation corporelle qui caractérisent le foot-ball en Angleterre. Aux ruraux, le cricket (correctement vernacularisé) donne la sensation d'avoir un contrôle sur la vie des stars, le destin des nations, et l'électricité des villes. Dans tous les cas, alors que les objectifs de la modernité peuvent être compris (et contestés) diversement, comme la paix mondiale, la compétence nationale, la célébrité individuelle, et la virilité ou la mobilité d'équipe, les moyens de la modernité contenus dans le cricket impliquent une confluence d'intérêts vivants, où les producteurs et les consommateurs de cricket peuvent partager l'excitation de l'Indianité sans ses nombreux éléments de division. Finalement, bien que peut-être de façon moins consciente, le cricket donne à tous ces groupes et acteurs le sentiment d'avoir dépouillé ce jeu de son habitus anglais dans les colonies, tant au niveau du langage, du corps et de l'action que de la compétition, de la finance et du spectacle. Si le cricket n'existait pas en Inde, quelque chose de ce genre aurait sans doute été inventé pour la conduite d'expériences publiques avec les moyens de la modernité.

CHAPITRE V

Le nombre dans l'imaginaire colonial

À la fin de l'année 1990, dans les derniers mois du régime de V.P. Singh et au cours de la turbulente transition qui a remis le pouvoir entre les mains de S. Chandrasekhar, l'Inde (et notamment le Nord, d'expression hindi) a été secouée par deux explosions majeures. La première, conséquence du Rapport de la Commission Mandal, a jeté les uns contre les autres les membres de différentes castes avec une telle violence que l'on a cru que la nation n'y résisterait pas. La seconde, qui concerne la ville sainte de Ayodhya, a vu s'affronter Hindous et Musulmans pour le contrôle d'un site sacré. Ces problèmes, dont l'interaction fut remarquée et largement analysée, posaient à la fois la question de la légitimité (quels sont vos droits ?) et celle de la classification (à quel groupe appartenez-vous et où se situe ce groupe sur l'échiquier politique ?). Ce chapitre explore les racines coloniales d'une dimension de la politique volatile des communautés et de la classification dans l'Inde contemporaine. Ce faisant, il s'inscrit dans le droit fil d'auteurs récents qui ont retracé la politique des castes et des communautés jusqu'aux politiques de représentation des groupes au XXe siècle [1] et étudié le rôle dans ce processus des recensements coloniaux [2]. Les liens précis et caractéristiques entre énumération et classification dans l'Inde coloniale n'ayant pas encore été spécifiés, je me propose de le faire ici.

Dans *L'Orientalisme*, Edward Said s'intéresse principalement aux formes de savoir qui constituent ce qu'il a défini sous le terme d'orientalisme, mais sans préciser quels liens unissent le projet de savoir orientaliste et le projet colonial de domination et d'exploitation. Il n'en demeure pas moins qu'il pose de deux manières les bases de l'argumentation que je veux développer ici. Discutant des diverses façons dont le discours de l'orientalisme a créé une vision d'exotisme, d'étrangeté et de différence, il estime que « d'un point de vue rhétorique, l'orientalisme est absolument anatomique et *énumératif* : utiliser son vocabulaire, c'est s'engager dans la particularisation et la division des choses de l'Orient en parties traitables[3] ». Un peu plus loin, il suggère qu'en exhumant les langues mortes orientales, les orientalistes se sont lancés dans un processus où « la précision, la science et même *l'imagination* de la reconstitution peuvent préparer la voie pour ce que les armées, les administrations et les bureaucraties feront plus tard sur le terrain, en Orient[4] ».

Je voudrais montrer que l'exercice du pouvoir bureaucratique lui-même a intégré l'imaginaire colonial et que, dans cet imaginaire, le nombre a joué un rôle capital. Je soutiens que l'exotisation et l'énumération ont été les tendances complexes d'un projet colonial unique et que leur interaction explique en partie la violence de groupe et la terreur communautaire dans l'Inde contemporaine[5].

Ma question est simple. Le décompte systématique des corps sous les régimes coloniaux de l'Inde, de l'Afrique et de l'Asie du Sud-Est a-t-il eu une force particulière, ou n'a-t-il été qu'une simple extension logique du souci de taxinomie de la métropole, c'est-à-dire de l'Europe des XVIe et XVIIe siècles ? En posant cette question et en cherchant à y répondre, j'ai été inspiré par deux essais, l'un de Benedict Anderson et l'autre de Sudipta Kaviraj, qui ont ouvert des voies nouvelles à la critique du gouvernement colonial des Européens[6]. Prenant pour ma part l'expérience du colonialisme indien, je vais tenter d'élaborer l'idée que nous nous sommes beaucoup intéressés à la logique classificatoire des régimes coloniaux, mais beaucoup moins aux façons dont ils ont utilisé la quantification dans les recensements et certains autres instruments de mesure, tels que les cartes, les relevés agraires, les études raciales, ainsi que diverses autres productions de l'archivage colonial.

Qu'on me permette d'anticiper brièvement sur ma démonstration. Je pense que l'État colonial britannique a utilisé, lorsqu'il dominait le sous-continent indien, la quantification autrement qu'il ne l'avait fait en Angleterre au cours du XVIIIe siècle[7] et que ne l'avaient fait les États qui l'avaient précédé en Inde, notamment les Moghols, qui avaient dû élaborer des dispositifs pour compter, classer et contrôler les vastes populations placées sous leur autorité. Pour appuyer ma démonstration, je construis deux arguments et soulève un certain nombre de questions que je réserve à une recherche ultérieure. La première discussion, et la plus longue, cherchera à identifier la place de la quantification et de l'énumération dans les activités classificatrices des Britanniques dans l'Inde coloniale. La seconde, qui sera simplement esquissée ici, suggère pourquoi, contrairement aux apparences, cette variété de « nominalisme dynamique[8] » différait des précédents exercices d'énumération menés par l'État, en métropole comme dans les colonies.

Les stratégies d'énumération

On a beaucoup écrit sur l'obsession de l'État britannique de classifier sa population indienne. Le grand classique de cette littérature est l'essai de Bernard Cohn, *The Census, Social Structure and Objectification in South Asia*[9], où il montre que le recensement indien, loin d'être un instrument passif de recueil de données, crée de par sa logique et sa forme pratique un nouveau sens de l'identité de catégorie en Inde, ce qui crée à son tour les conditions de nouvelles stratégies de mobilité et de nouvelles politiques de statut et de bataille électorale en Inde. La dimension classificatoire du travail de Cohn a été reprise par de nombreux chercheurs[10]. Tous ces historiens ont montré que les classifications coloniales ont eu pour effet de réorienter d'importantes pratiques indigènes dans de nouvelles directions, en donnant un poids et une valeur différents aux conceptions préexistantes d'identité de groupe, de corporation et de productivité agraire. Mais on s'est moins intéressé à la question du nombre, des mesures et de la quantification dans cette entreprise.

Le vaste océan de chiffres concernant la terre, les champs, les récoltes, les forêts, les castes, les tribus, etc., collecté sous le régime colonial dès le début du XIXe siècle n'était pas une entreprise utilitaire au sens classique du terme. Son utilitarisme faisait partie d'un complexe incluant des techniques informationnelles, justificatoires et pédagogiques. Des fonctionnaires spécifiques, à des niveaux spécifiques du système, remplissant des formulaires conçus pour fournir des données numériques brutes, voyaient bien leur tâche comme utilitaire au sens bureaucratique classique. Les chiffres récoltés par l'État avaient souvent une issue pratique – par exemple fixer le montant de l'impôt agraire, régler les conflits sur les terres, évaluer diverses options militaires et, plus tard dans le siècle, évaluer les demandes indigènes de représentation et de changements politiques. Les chiffres étaient certainement utiles en ce sens. Mais ce qui est moins évident, c'est que ces statistiques étaient générées en quantités surpassant de loin les besoins bureaucratiques. Les statistiques agraires, par exemple, n'étaient pas seulement bourrées d'erreurs classificatoires et techniques ; elles encourageaient aussi de nouvelles formes de pratique agraire et d'autoreprésentation[11].

Ainsi, bien que les premières politiques coloniales de quantification aient eu un objectif utilitaire, je suggère que les chiffres ont occupé avec le temps une part plus importante de l'illusion d'un contrôle bureaucratique. Ils sont devenus l'une des clés d'un imaginaire colonial pour lequel des abstractions comptables, énumérant des gens et des ressources à chaque niveau imaginable et pour tout objectif concevable, créaient le sentiment que la réalité indigène était contrôlable. La pratique des nombres était une expérience historique récente du savoir pour l'élite coloniale[12] qui en était donc venue à penser la quantification comme socialement utile. Nous avons largement la preuve que ces chiffres étaient souvent dépourvus de signification, qu'ils étaient des objets de pure autosatisfaction plutôt que les référents d'une réalité complexe, extérieure aux activités de l'État colonial. À long terme, ces stratégies énumératives ont contribué à réveiller les identités communautaires et nationalistes qui ont en fait miné le régime colonial. Nous devons donc nous demander comment l'idée du nombre comme instrument du contrôle colonial a pu pénétrer l'imagination de l'État.

En ce qui concerne l'Angleterre, il faut faire remonter la réponse à cette question à l'histoire de la numération, de l'expertise, du fiscalisme d'État et de la pensée actuaire des XVIIe et XVIIIe siècles[13]. C'est là une histoire extrêmement complexe, mais vers la fin du XVIIIe siècle, le nombre, comme le paysage, l'héritage et le peuple, était devenu partie intégrante du langage de l'imagination politique britannique[14] – et l'idée s'était fermement implantée qu'un État puissant ne pouvait survivre sans faire de l'énumération une technique centrale de contrôle social. Ainsi, le recensement en Angleterre fit de rapides progrès techniques tout au long du XIXe siècle, offrant à l'évidence l'ossature de base du recensement indien de la fin du même siècle. Une revue générale du matériel utilisé dans le recensement en Grande-Bretagne[15] suggère que, opérant ainsi dans le cadre de classifications de bon sens partagées par les autorités comme par la population, ce recensement n'eut pas les mêmes effets réfractifs et générateurs qu'en Inde.

S'il est impossible de démontrer de façon décisive que les opérations du recensement en Angleterre n'ont pas été les mêmes qu'en Inde, il y a trois solides raisons pour supposer qu'il existait d'importantes différences. Tout d'abord, la base du recensement britannique était essentiellement territoriale et corporatiste plutôt qu'ethnique ou raciale[16]. Ensuite, dans la mesure où les préoccupations étaient d'ordre sociologique en Angleterre, le recensement tendait à être directement lié aux politiques de représentation, comme dans le problème des quartiers difficiles. Enfin, et surtout, les projets de recensement français et britannique (ainsi que les sciences sociales embryonnaires auxquelles ils étaient associés) tendaient à réserver leurs investigations les plus poussées à leurs marges sociales : les pauvres, les déviants sexuels, les fous et les criminels. Dans les colonies, en revanche, la population entière était perçue comme différente sur un mode problématique, cette différence se situant au cœur même de l'orientalisme[17]. En outre, cette inclination orientaliste a rencontré en Inde sa contrepartie indigène dans la différence cardinale apparente de l'idéologie indigène des castes, telle qu'elle apparaissait aux yeux occidentaux. Les similarités et les différences entre les projets coloniaux anglais et français à cet égard doivent encore être éclaircies, mais il est clair que le souci de la déviance et de la marginalité en métropole a été étendu à la gestion de populations entières en Orient[18]. Alors qu'il existait en métropole et dans les colonies de claires et importantes connexions entre les entreprises de classification, la science, la photographie, la criminologie, etc., il ne semble pas que les activités d'énumération aient pris la même forme culturelle en Angleterre et en Inde, au moins pour cette bonne raison que les Anglais ne se percevaient pas eux-mêmes comme un vaste édifice de communautés exotiques, privé d'une politique digne de ce nom.

Dans un cadre colonial comme celui de l'Inde, la rencontre avec un ensemble de groupes radicalement autres sur le plan religieux a dû s'effectuer sur la base de l'intérêt métropolitain pour le métier, la classe, la religion – autant de choses ayant une place de choix dans le recensement britannique du XIXᵉ siècle. Il en est résulté une situation dans laquelle la chasse aux informations et aux archives a pris des proportions énormes, les données numériques devenant alors cruciales pour cette tendance empiriste. À cette époque, la pensée statistique était devenue une alliée du projet de contrôle civique, tant en Angleterre qu'en France, dans des projets d'assainissement, de planification urbaine, de lois sur la criminalité et de contrôle de la démographie[19]. Il était donc tentant pour les bureaucrates européens d'imaginer que de bonnes données numériques les aideraient à s'embarquer dans des projets de contrôle social ou de réforme des colonies.

Cet argument soulève deux problèmes distincts mais néanmoins indissociables. L'Inde était-elle un cas *spécial* ou un cas *limite* pour le rôle de l'énumération, de l'exotisation et de la domination dans les techniques de l'État-nation moderne ? Je soutiens que c'était un cas spécial, parce qu'en Inde, le regard orientaliste a rencontré un système indigène de classification qui semblait virtuellement inventé par une forme précédente, indigène, d'orientalisme. Je ne souscris pas à l'idée que les anciens textes hindous constituent une simple variation de textes orientalistes plus tardifs, justifiant ainsi, par exemple, les tendances exotisantes des textes juridiques coloniaux. Discuter de cette question à fond m'emmènerait trop loin, mais qu'on me permette de noter au moins que l'essentialisme, lui aussi, est une question de contexte et que la relation entre stéréotypes hindous et essentialisme anglais sur la question des castes ne peut être considérée en dehors d'une comparaison générale des formations étatiques et religieuses dans le contexte historique propre à chacune des deux nations.

Néanmoins, il serait stupide de prétendre que l'orientalisme britannique n'a pas rencontré en Inde un imaginaire social indigène qui semblait valoriser à l'extrême la différence de groupe. Le système de castes en Inde, même s'il s'agissait d'une part très complexe de l'imaginaire social indien, réfractée et réifiée en outre de bien des façons par les techniques britanniques d'observation et de contrôle, n'était pas néanmoins une pure invention de l'imaginaire politique britannique. À cet égard, l'essentialisation de l'Orient en Inde a porté une force sociale qui ne peut surgir que lorsque deux théories de la différence partagent un présupposé capital : que les institutions de certains groupes sont porteuses de la différence sociale et du statut moral. C'est en cela que l'Inde est un cas particulier. Mais de nos jours, on peut aussi voir l'Inde comme un cas limite de la tendance de l'État-nation moderne à s'appuyer sur des idées existantes de différence linguistique, religieuse et territoriale pour « produire le peuple[20] ».

Le rôle du nombre, dans des dispositifs de recueil des données aussi complexes que le dispositif colonial en Inde, avait deux aspects qu'il faut distinguer rétrospectivement. Le premier peut être décrit comme justificatoire, et l'autre comme disciplinaire. Une très grande part de l'information statistique recueillie par les fonctionnaires britanniques en Inde ne se bornait pas à faciliter l'apprentissage ou la découverte en vue de gouverner les territoires indiens. Ces données statistiques servaient aussi à argumenter et à enseigner dans le cadre du discours et de la pratique bureaucratiques, d'abord entre la Compagnie des Indes orientales et le Parlement anglais, et plus tard entre les fonctionnaires de la Couronne en Inde et leurs patrons à Londres[21]. Les chiffres ont été une part critique du discours de l'État colonial, parce que ses interlocuteurs métropolitains en étaient venus à dépendre de données numériques, si douteuses qu'aient pu être leur exactitude et leur pertinence, pour des initiatives sociales ou des politiques relatives aux ressources à grande échelle. Cette dimension justificatoire de l'usage du nombre dans la politique coloniale est également liée aux différents niveaux de l'État britannique en Inde, pour lesquels les chiffres ont été le moteur d'une série de luttes entre responsables indiens à travers tout le système bureaucratique, du plus bas niveau en remontant jusqu'au gouverneur-général de l'Inde ; toute une série de comités, de conseils transversaux et de postes individuels menaient là un débat interne permanent sur la plausibilité et la pertinence de diverses classifications et des chiffres qui allaient avec[22].

Les chiffres concernant les castes, les villages, les groupes religieux, les récoltes, les distances et les points d'eau faisaient partie d'un langage politique pour lequel les référents perdirent rapidement de leur importance au profit de leur valeur discursive pour ou contre différents mouvements classificatoires. Notons ici que les chiffres permettaient d'établir des comparaisons entre des types de lieux et de gens par ailleurs fort différents, qu'ils étaient la façon la plus concise de convoyer de vastes corpus d'information, et étaient en somme une forme abrégée pour saisir et s'approprier certains caractères récalcitrants du paysage social et humain de l'Inde. Certes, les chiffres servaient aussi un objectif purement référentiel dans la pratique coloniale, indiquant les caractères du monde social indien aux bureaucrates et aux politiciens ; mais cet objectif référentiel avait souvent moins d'importance que l'objectif rhétorique. Ceci tient en partie au fait que l'importance des chiffres impliqués dans les débats politiques majeurs du XIXe siècle les rendait souvent impossibles à manier en tant qu'éléments de référence ou d'information.

Pourtant, les fonctions justificatives de ces stratégies numériques ne semblent pas avoir été plus importantes que leur fonction pédagogique et disciplinaire. Sur cette dernière fonction, les idées de Foucault sur la biopolitique sont sans doute les plus pertinentes, l'État colonial se voyant lui-même comme une partie du corps politique indien, alors qu'il s'appliquait au même moment à réécrire la politique du corps indien, notamment par rapport au sati, aux pratiques de

182

suspension par des crochets, aux rites de possession et à toutes les formes de manipulation corporelle[23]. Je reviendrai plus tard sur ce point. Mais la question numérique complique quelque peu les choses. Car ce qui est en jeu ici, ce ne sont pas simplement les besoins logistiques de l'État, mais aussi ses besoins discursifs, perçus par le pouvoir central comme des besoins statistiques.

En outre, il ne s'agissait pas simplement de fournir de l'avoine numérique à un dispositif politique dont la forme discursive s'était construite au long d'un développement européen complexe, doté d'une pensée probabiliste et d'une politique civique. Il s'agissait aussi de discipliner la vaste bureaucratie de l'État colonial[24] en même temps que la population indienne qu'elle souhaitait contrôler et réformer, afin que les chiffres deviennent une part indispensable de sa pratique et de son style bureaucratique.

Le nombre et la politique cadastrale

L'instance de rupture entre le moment empiriste et le moment disciplinaire de la numérologie coloniale se perçoit bien dans les nombreux documents techniques produits au milieu du XIXe siècle. Il existe diverses façons de conceptualiser ce tournant, dont celle qui le perçoit comme « la transformation du recensement d'un instrument de taxation en un instrument de connaissance », selon les termes de Richard Smith[25], qui situe ce tournant au Penjab vers 1850. Dans la discussion qui suit, j'utilise un document issu de la même période en Inde occidentale pour illustrer la formation du nouveau type de regard numérique de l'État colonial au milieu du XIXe siècle.

Ce document, publié sous le titre *The Joint Report of 1847*, a été publié sous forme de livre en 1975 par le Land Records Department de l'État de Maharashtra en Inde occidentale[26]. Il a pour sous-titre *Measurement and Classification Rules of the Deccan, Gujarat, Konkan and Kanara Surveys*. Il fait partie de ces documents montrant comment la Compagnie des Indes orientales a cherché à standardiser ses pratiques d'exploitation des sols sur la totalité de ses territoires, et à rationaliser des pratiques nées dans le feu de la conquête, à la fin du XVIIIᵉ siècle et au début du XIXᵉ. C'est, par excellence, un document de rationalisation bureaucratique, qui s'efforce de créer et de standardiser des règles fiscales pour tous les terrains situés sous la juridiction de la Compagnie dans la région de Deccan. Mais il contient aussi une série de lettres et de rapports datant du début des années 1840, révélant un sérieux débat entre les autorités locales et centrales sur les détails du cadastrage des terrains agricoles de l'Inde occidentale et sur ses objectifs à plus long terme, tels que l'évaluation et le règlement des conflits. C'est un document essentiel de la politique cadastrale.

À la suite de Ranajit Guha, qui parle d'une « prose de contre-insurrection[27] », nous pouvons appeler le *Joint Report* un exemple classique de prose de domination cadastrale. C'est une prose composée en partie de règles, en partie d'ordres, en partie d'appendices, et en partie de lettres et de pétitions, tous ces éléments devant être lus ensemble. Dans cette prose, les débats internes de la bureaucratie fiscale, l'aspect pragmatique de la formation des règles, et la rhétorique de l'utilité accompagnent toujours les recommandations finales des autorités aux différents niveaux des nouvelles pratiques techniques. Ce sont là des documents dont la rhétorique manifeste est technique (c'est-à-dire positiviste, transparente et neutre) mais dont le métatexte est contestataire (vis-à-vis des supérieurs) et disciplinaire (vis-à-vis des inférieurs).

L'essentiel de ce document, comme la plupart des autres du même type, est réellement d'essence borgésienne, s'efforçant de trouver des méthodes et des représentations textuelles adéquates pour saisir à la fois l'étendue et les détails du terrain agricole indien. L'analogie avec la classique histoire de Jorge Luis Borgès, de la carte qui doit être aussi grande que le domaine qu'elle représente, n'est pas une pure fantaisie, comme le montre le texte suivant, où un responsable se plaint de l'ancienne technique de cartographie : « À l'époque de l'enquête de Mr Pringle sur le Deccan, il y avait des actes très détaillés et embrouillés, préparés sous l'appellation de *kaifiats*, que nous avons également jugé plus pratique d'écarter comme inutiles, et tendant par leur taille et leur complexité à obscurcir, plutôt qu'à élucider, les sujets dont ils traitent, et à rendre par leur dimension même la détection d'erreurs tout à fait impossible (note en bas de page de 1975 : les *kaifiats* préparés pour nombre de villages évalués par Mr Pringle avaient une longueur de plus de trois cents mètres) [28]. »

Malgré cette plainte de 1840 sur les absurdités borgésiennes des tentatives précédentes de cartographie, la tension entre économie de représentation et détail ne disparaît pas. Tout au long des années 1840, la bataille se poursuit entre les autorités cadastrales du Deccan et le *Board of Revenue*, qui a des ambitions plus synoptiques et panoptiques pour ses relevés. Il y a tout d'abord la relation entre mesure et classification, qui est elle-même un sujet explicite de discussion dans quantité de lettres et de rapports du *Joint Report*, lequel fixait les règles de métrage pour cette région pour plusieurs décennies. En ce qui concerne les mesures, les fonctionnaires britanniques chargés de l'évaluation sur le terrain les percevaient comme une adaptation de méthodes trigonométriques, topographiques et de réduction à l'échelle, afin d'obtenir des cartes qu'ils jugeaient précises et fonctionnelles. Ils cherchaient à « multiplier les copies de ces cartes de la façon la plus économique et la plus précise, tout en se protégeant de toute future tentative frauduleuse d'altération ». En conséquence, ils proposaient de les « lithographier [29] ». Leur souci de précision des mesures intégrait déjà les idées statistiques existantes sur les pourcentages d'erreur et « l'erreur moyenne », qu'ils cherchaient à réduire.

Ces fonctionnaires reconnaissaient que la classification était un problème nettement plus ardu que la mesure ; mais sur la mesure, ils restaient naïvement positivistes : « Ces résultats sont d'un caractère absolu et invariable, et l'on peut les obtenir avec une égale certitude par de nombreuses méthodes [30]. » La classification des terrains aux fins d'une bonne évaluation posait une série de problèmes, dont celui d'établir une typologie des variations, de sorte que la classification puisse être assez générale pour s'appliquer à une vaste région, et pourtant assez spécifique pour s'accommoder d'importantes variations sur le terrain. Il en résulta une classification des sols neuf fois plus détaillée, un système complexe de notation pour les évaluateurs sur le terrain, et un algorithme complexe pour traduire ces variations qualitatives en valeurs quantitatives pertinentes pour l'évaluation des revenus.

En d'autres termes, les disciplines détaillées de la mesure et de la classification (l'une s'appuyant sur les pratiques iconiques de la trigonométrie et du relevé en général, et l'autre sur les idées numériques et statistiques de moyenne et de pourcentage d'erreur) étaient les deux techniques jumelles qui permettaient d'envisager une politique fiscale basée sur le principe de l'applicabilité la plus générale, tout en restant sensible aux variations locales. Cette mentalité – généralité d'application et sensibilité aux petites variations – formait le nœud central non seulement des relevés cadastraux, mais de toutes les recherches d'information de l'État colonial. Comme je l'explique plus loin, cette mentalité est aussi le lien crucial entre la logique cadastrale de la première moitié du siècle et les recensements humains de la seconde partie, en termes d'énumération et d'exotisation.

Les échanges entourant le rapport de 1847 révèlent aussi la tension émergente entre les divers types de connaissance qui constituaient l'empirisme orientaliste. Il n'est guère surprenant que les fonctionnaires les plus soucieux de la variation locale et de la précision sur le terrain aient mal accueilli les besoins panoptiques obsessionnels des plus hauts niveaux de la bureaucratie. Illustrant à la lettre le pouvoir du « supplément » textuel (dans l'usage déconstructionniste), les tables numériques, les schémas et les tableaux en tout genre permettaient de domestiquer la contingence – soit le pur ensemble narratif de descriptions en prose du paysage colonial – en un langage de chiffres abstrait, précis, complet et immuable. Bien sûr, on pouvait se battre contre les chiffres, mais ce combat avait une qualité instrumentale, bien éloignée de la chaleur du roman, de la lumière des caméras, et du réalisme colonial des ethnographies administratives.

Les propriétés du nombre avaient une valeur toute particulière pour ceux qui cherchaient à apprivoiser les diversités de la terre et des gens que d'autres aspects de l'épistémè oriental – comme la photographie, les récits de voyage, les gravures et les expositions – s'efforçaient tant de créer. En 1840, le lieutenant Wingate, chargé de traduire les besoins d'évaluation de l'état colonial en pratiques techniques et bureaucratiques localement faisables dans le Deccan, écrivait au commissaire des comptes à Poona, son supérieur immédiat, en lui exprimant clairement son mécontentement du changement d'intérêts de la bureaucratie centrale : « En outre, le présent relevé a été institué pour des objectifs purement fiscaux, et la question de le faire servir à ceux de la Géographie et de la Topographie est à présent soulevée pour la première fois. On ne peut donc raisonnablement objecter au plan d'opérations qu'il n'inclue pas l'accomplissement d'objectifs qui n'étaient pas envisagés à l'époque de sa conception[31]. »

Son supérieur immédiat dans la bureaucratie fiscale, bien que moins véhément que Wingate, exprime toutefois clairement sa perplexité sur la relation entre nécessités fiscales et besoins « scientifiques » de ses supérieurs. En tant que médiateur entre deux importants niveaux de la bureaucratie, il termine sa lettre en ces termes : « Quel que soit l'objectif pour lequel un Agent du fisc peut désirer une carte, celles qui ont déjà été établies lors du dernier recensement sous l'autorité du Major Jopp, et celles qui sont établies aujourd'hui par le Deccan Revenue Surveys, dont je joins ici un exemplaire, me semblent amplement suffisantes ; et si l'on exige quelque chose de plus précis ou de plus détaillé, j'en conclus que ce doit être pour un objectif de science spéculative, sur la nécessité de laquelle on ne me demande pas mon opinion[32]. »

Des documents tels que le *Joint Report* avaient un rôle capital pour former les fonctionnaires de bas niveau, surtout indigènes, aux pratiques empiriques du régime colonial. Parmi les cartes, les mesures et les statistiques de toute sorte, ces documents, et les règlements dont ils débattent, montrent que les jeunes fonctionnaires européens avaient un souci extrême de s'assurer que les critères de la pratique administrative coloniale étaient gravés dans les moindres techniques corporelles de ces mesureurs. On pourrait voir ces techniques comme des techniques disciplinaires, appliquées tant au plus bas niveau des fonctionnaires européens qu'à leurs subordonnés indiens.

Mais il y avait une différence de taille. Alors que les premiers pouvaient ne pas reconnaître leur propre sujétion au régime numérique dans le langage de la science, du patriotisme et de l'hégémonie impériale (avec lesquels ils étaient racialement identifiés), pour les fonctionnaires indiens, ces pratiques étaient une inscription directe sur leur corps et leur esprit de pratiques associées au pouvoir et à la qualité d'étrangers de leurs gouvernants. En cela, comme dans d'autres aspects du contrôle des ressources et du travail coloniaux, tous les subalternes n'étaient pas identiques.

Ce vaste dispositif d'évaluation fiscale était en fait une part d'un système complexe de discipline et de surveillance dans lequel et par lequel les fonctionnaires indigènes se voyaient inculquer toute une série d'habitudes numériques (liées à d'autres habitudes de description, d'iconographie et de distinction) ; ces habitudes à leur tour attribuaient aux chiffres un ensemble complexe de rôles, dont ceux de la classification, de la mise en ordre, de l'approximation et de l'identification. L'arithmétique politique du colonialisme était enseignée très littéralement à la base et traduite en algorithmes permettant de faire de ces futures activités numériques une habitude, et d'inculquer le modèle d'une description bureaucratique dotée d'une infrastructure numérologique.

C'est ainsi que la prose du contrôle cadastral posait les bases, et constituait une répétition, pour un discours futur sur les communautés humaines et leur énumération. Cette répétition avait trois composants : elle posait les conditions d'un recours normal aux techniques énumératives standardisantes pour contrôler les variations matérielles sur le terrain ; elle traitait les caractères physiques du paysage, sa productivité et sa variabilité écologique, comme des caractères dissociables (dans une certaine mesure) des droits sociaux complexes associés à son usage et à sa signification pour les Indiens ruraux ; et elle constituait une préparation pédagogique au type de régime disciplinaire que l'on exigerait plus tard des recenseurs des hommes à tous les niveaux.

Le nombre (et l'idéologie statistique sous-tendant le nombre) formait la ligature entre ces textes cadastraux, fournissant les liens clés entre ces textes et les débats dont ils se faisaient l'écho, et les pratiques qu'ils étaient conçus pour discipliner. Ainsi, une lecture attentive de ces documents techniques apparemment simples permet-elle de déceler les tensions idéologiques et les fractures, ainsi que les pratiques d'apprentissage et de surveillance, dans lesquelles il ne s'agit pas seulement d'avoir « une terre à gouverner[33] ». Le régime colonial avait une fonction pédagogique et disciplinaire, de sorte qu'il avait aussi « une terre à enseigner » : la mesure et la classification des terres formaient l'entraînement à la culture du nombre dans laquelle les statistiques devenaient le discours justifiant l'appendice (donnant un poids indirect à la portion verbale du texte) en même temps qu'il donnait aux responsables de plus haut niveau un sens pédagogique et disciplinaire pour contrôler non pas simplement le terri- toire sur lequel ils cherchaient à régner, mais aussi les fonc- tionnaires indigènes à travers lesquels ces règlements devaient être appliqués. En ce qui concerne les indigènes, le régime du nombre, comme le montre chaque page de ce document, sert en partie à contrer la pratique du mensonge, perçue comme constitutionnelle chez la plupart des indi- gènes, agriculteurs et mesureurs.

Nous avons donc une partie d'une réponse à notre ques- tion de départ, à savoir, quel rôle spécifique a l'énumération des corps sous le régime colonial ? J'ai suggéré que les nom- bres étaient une partie changeante de l'imaginaire colonial, fonctionnant sur un mode justificatoire et pédagogique autant que sur un mode référentiel plus étroit. L'histoire du régime britannique au XIXᵉ siècle peut être lue en partie comme le passage d'un usage plus fonctionnel des nombres – soit ce que l'on a appelé le militarisme fiscal de l'État britannique chez lui[34] – à un rôle plus pédagogique et disciplinaire. Les institutions indiennes ont été peu à peu catégorisées, tout en recevant en outre des valeurs quantitatives[35], de plus en plus associées à ce que Ian Hacking a appelé le « nominalisme dynamique[36] », c'est-à-dire la création de nouveaux modes d'être par des activités labellisantes encouragées par l'État.

Le nombre a joué un rôle capital dans ce nominalisme dynamique dans le cadre colonial, notamment parce qu'il a fourni un langage partagé aux transferts d'information, au débat et la commmensuration linguistique entre le centre et la périphérie, et à des controverses au sein d'une énorme armée de bureaucrates médiateurs en Inde. Le nombre a donc fait partie de l'entreprise de *traduction* de l'expérience coloniale en termes saisissables dans la métropole, termes susceptibles d'englober les particularités ethnologiques de divers discours orientalistes. La glose numérique constituait une sorte de métalangue pour le discours bureaucratique colonial, capable d'inclure des compréhensions plus exotiques, à une époque où l'idée d'énumérer les populations et celle de contrôler et réformer la société apparaissaient simultanément en Europe. Cette glose numérique qui accompagnait les données dans les descriptions discursives et les recommandations doit être considérée comme un cadre normalisateur pour des réalités discursives plus étranges qui devaient être inscrites sous une forme verbale dans de nombreux textes coloniaux. Ce cadre normalisateur fonctionne à trois des niveaux discutés par Foucault : celui du savoir et du pouvoir, du texte et de la pratique, de la lecture et de la loi. Si l'on suit la distinction de Richard Smith [37] entre gouverner-sur-dossiers et gouverner-sur-rapports, on constate que les chiffres des dossiers formaient la base empirique du prurit de description du regard colonial, alors que les chiffres des rapports servaient davantage à établir un cadre normalisateur, équilibrant les aspects contestataires et polyphoniques des portions narratives de ces rapports, qui partageaient certaines des tensions de la « prose de la contre-insurrection [38] ».

Les comptes des institutions coloniales

Ces pratiques énumératives, dans le cadre d'une société largement agricole qui avait déjà été très préparée au contrôle cadastral par l'État moghol, eurent une autre conséquence majeure. Elles n'étaient pas simplement une répétition du grand décompte que fut le recensement national en Inde après 1870. Elles remplissaient aussi une tâche majeure et jusqu'ici passée largement inaperçue. L'énorme dispositif des évaluations de revenus et des relevés agraires, ainsi que les changements légaux et bureaucratiques de la première moitié du XIXe siècle, accomplirent quelque chose qui allait au-delà de la marchandisation de la terre[39]. Ils transformèrent les aristocrates en propriétaires et les paysans en locataires[40], et transformèrent des structures réciproques de don et d'honneur en titres vendables, sémiotiquement fracturés et rendus commercialisables, tout en conservant une part de la force métonymique qui les liait aux personnes nommées. Ils séparaient aussi les groupes sociaux des structures de groupe complexes et localisées et des pratiques agraires dans lesquelles ils étaient intégrés jusque-là, que ce soit dans le cadre de « l'installation silencieuse » d'imams en Inde du Sud[41], d'imams à Maharashtra[42], de travailleurs asservis à Bihar[43], ou de Julahas à Uttar Pradesh[44]. L'immense diversité de castes, de sectes, de tribus et d'autres regroupements pratiques du paysage indien était ainsi rendue en un vaste paysage catégoriel, détaché des spécificités du terrain agraire.

Cette séparation s'effectue en deux grandes étapes. La première est associée à la période d'avant 1870, durant laquelle les questions de répartition des sols et de l'impôt sont des projets coloniaux dominants, et la seconde court sur la période qui va de 1870 à 1931, l'ère du grand Recensement dans toute l'Inde, dont le projet dominant est cette fois l'énumération des populations. Les années entre 1840 et 1870 marquent la transition d'une orientation majeure à une autre. La première période pose les bases de la seconde en ceci qu'elle est dominée par le souci de l'assise physique et écologique de la productivité et du revenu de la terre. Comme je l'ai déjà suggéré, la première période sépare dans une certaine mesure cette variabilité du monde social et humain qui lui est associé, dans le cadre d'une bataille de standardisation contre les variations de terrain. Dans la seconde période, si utilement explorée par Rashmi Pant[45] dans le cadre des provinces du nord-ouest et d'Oudh, le mouvement inverse se produit, et les groupes humains (les castes) sont traités comme s'ils pouvaient être abstraits du cadre régional et territorial dans lequel ils fonctionnent. Il faut noter bien sûr que ces projets coloniaux ont régulièrement souffert de contradictions internes (le besoin de spécificité et de généralisation dans les noms des castes pour le grand Recensement, par exemple), d'incohérences entre différents projets coloniaux et, surtout, du fait que les opérations bureaucratiques coloniales ne transformaient pas nécessairement les pratiques ou les mentalités sur le terrain. Je reviendrai sur cette question vers la fin de ce chapitre dans une discussion du sujet colonial.

L'essai capital de Pant discute la façon dont la caste est devenue un site préférentiel pour les activités des recensements nationaux après 1870. Avec l'essai de Smith[46], la discussion de Pant montre que la pratique bureaucratique coloniale, en tant que *locus* d'action contingent et modèle historique à part entière, a contribué à créer une relation particulière et puissante entre essentialisation, discipline, surveillance, objectification et conscience de groupe dans les dernières années du XIXe siècle.

Le nombre a joué un rôle capital dans cette conjoncture. Le premier panopticon statistique a été un facteur critique faisant graviter le recensement autour de la caste, considérée comme la clé de la classification sociale, dans la mesure où la caste apparaissait comme la clé de la variabilité sociale indienne aussi bien que de la mentalité indienne. Pant, qui s'appuie sur les travaux de Smith, souligne que le recours à la caste pour « différencier un courant de données » a d'abord été appliqué dans les statistiques de *sex ratio* dans cette région[47]. Il mentionne notamment que, dans le rapport de 1872 du grand Recensement pour les Provinces du Nord-Ouest et de l'Oudh, certaines hypothèses expliquant les sex ratios par l'infanticide des filles ne pouvaient s'appliquer que par référence à la caste. Ce souci d'expliquer et de contrôler les comportements exotiques est bien la preuve que l'empirisme et l'exotisation n'étaient pas des aspects déconnectés de l'imaginaire colonial en Inde. Ce lien entre statistiques empiriques et gestion de l'exotisme a été la base d'une orientation politique plus générale – à savoir que ce qu'il était nécessaire de connaître sur la population indienne ne deviendrait intelligible que par l'énumération détaillée de la population en terme de castes.

Bien que l'histoire ultérieure du grand Recensement montre qu'il y a eu en pratique d'énormes difficultés et anomalies dans la tentative de construire une grille nationale dénommant et énumérant les castes, le principe n'en fut abandonné que dans les années 1930. Comme le montre Pant,

192

« au début du siècle, le statut épistémologique de la caste comme lieu de reconnaissance d'unités qualifiées et socialement effectives de la population indienne était bien établi – comme le confirment nos rapports de recensement pour les années 1911-1931[48] ». Mais cette chasse aux données sur la caste ayant créé un énorme flux d'informations ingérables, même dès les années 1860, seules des « majorités numériques » ont bénéficié d'une visiblité dans les rapports de recensement. Ainsi, le souci de majorités numériques a émergé comme un principe d'organisation de l'information censitaire. Ce principe bureaucratique apparemment inoffensif est bien sûr l'une des bases logiques de l'idée de groupes majoritaires et minoritaires qui a ensuite affecté la politique Hindous/Musulmans dans l'Inde coloniale et la politique des castes dans l'Inde du XXe siècle jusqu'à nos jours.

S'il est vrai que la caste en tant que trope majeur de la classification du paysage indien est un produit relativement tardif du gouvernement colonial[49], l'essentialisation plus générale de groupes indiens remonte au moins aux débuts du XIXe siècle, si ce n'est plus tôt encore, comme l'a montré Gyan Pandey avec les castes tisserandes d'Uttar Pradesh[50]. Toutefois, jusqu'aux dernières années du XIXe siècle, l'essentialisation des groupes dans le discours orientaliste et administratif était largement séparée des pratiques énumératives de l'État, sauf lorsque celles-ci poursuivaient directement des objectifs fiscaux localisés. Une analyse d'un recensement colonial de 1823 en Inde du Sud[51] montre que l'intérêt de la fin du XIXe siècle pour la classification et l'énumération sociale apparaît très tôt. Mais ce premier recensement paraît dans l'ensemble pragmatique, localiste et relationnel dans son traitement des groupes, plutôt qu'abstrait, uniformisant ou encyclopédique dans ses aspirations. C'était encore un recensement orienté vers *l'imposition* plus que vers le *savoir*, pour reprendre les termes de Smith.

Mais, après 1870, non seulement le nombre était-il devenu partie intégrante de l'imaginaire colonial et des idéologies pratiques de ses fonctionnaires de bas niveau, mais les groupes sociaux indiens avaient été séparés, tant sur le plan fonctionnel que discursif, des paysages agraires locaux, et fourrés en vrac dans une vaste encyclopédie sociale panin-dienne. C'était là une fonction du sentiment croissant que la morphologie sociale de la caste pouvait offrir *via* le recensement une grille générale permettant d'organiser les connaissances sur la population indienne. Telles sont les conditions dans lesquelles s'est déroulé le recensement indien après 1870, conçu pour quantifier des classifications préexistantes mais qui eut en fait l'effet exactement inverse – à savoir stimuler l'automobilisation de ces groupes en une diversité de formes politiques translocales plus larges.

Il faut noter aussi la différence clé entre les Britanniques et leurs prédécesseurs Moghols : alors que ces derniers s'étaient efforcés de cartographier et mesurer les terres sous leur contrôle à des fins d'imposition[52], générant ainsi une large part du vocabulaire fiscal encore en usage aujourd'hui en Inde et au Pakistan, ils n'effectuèrent aucun recensement de population. Irfan Habib attribue d'ailleurs à ce fait la difficulté d'estimer aujourd'hui encore le nombre d'habitants de l'Inde moghole[53]. L'énumération de différentes choses était certainement une part de l'imaginaire étatique moghol, comme l'était la reconnaissance des identités de groupe, mais l'énumération de ces dernières ne l'était pas. Quant aux autres formations politiques précoloniales du sous-continent (le royaume Vijayanagara, par exemple), elles ne semblent pas avoir partagé les modes linéaires, centralisants, bureau-cratiques des Moghols, se souciant plutôt d'énumérer, en un microcosme politique bien plus subtil, des noms, des terri-toires, des honneurs, des partages et des relations[54]. À cet égard, les États précoloniaux non-moghols du sous-continent indien, y compris ceux comme les Marathas qui dirigeaient des domaines politiques monétisés de façon élaborée[55], ne semblent pas s'être intéressés au dénombrement en tant qu'instrument direct de contrôle social. Dans ces régimes précoloniaux, les activités énumératrices étaient liées à l'impôt, à la comptabilité et au revenu de la terre, mais le lien entre énumération et identité de groupe semble avoir été réellement très faible. Là où il existait, il semble avoir concerné des formations sociales très spécifiques, comme les *akharas* (confréries de lutte et de gymnastique), et non la population en général.

Pour cette dernière poussée totalisante de l'imaginaire étatique, l'étape cruciale a été le regard essentialisant et taxinomisant du premier orientalisme (de type européen), suivi de l'habitude énumérative appliquée à la terre dans la première moitié du XIXe siècle, et finalement l'idée de la représentation politique liée, non à des citoyens et individus essentiellement similaires, mais à des communautés conçues comme intrinsèquement différentes. Le regard essentialisant et exotisant de l'orientalisme en Inde aux XVIIIe et XIXe siècles forme le lien crucial entre classifications censitaires et politique de caste et de communauté. Ici, nous sommes enfin au cœur de la discussion, tant en ce qui concerne les différences entre le régime colonial en Inde et ses contreparties métropolitaines aussi bien que ses prédécesseurs indigènes – et le lien entre politique classificatoire coloniale et politique démocratique contemporaine. L'énumération du corps social, conçu comme des agrégats d'individus dont le corps était intrinsèquement à la fois collectif et exotique, posait les bases permettant que la différence de groupe devienne le principe central de la politique. Lier l'idée de représentation à l'idée de communautés caractérisées par des points communs bioraciaux (à l'intérieur) et des différences bioraciales (à l'extérieur) semble être le marqueur critique du changement colonial dans la politique de l'État-nation moderne.

La colonie a connu une conjoncture qui n'est jamais survenue en métropole : l'idée que les techniques de mesure permettaient de normaliser la variation du sol et de la terre, jointe à celle que la représentation numérique était une clé pour normaliser la pathologie de la différence à travers laquelle le corps social indien était représenté. Ainsi, l'idée de Quetelet de *l'homme moyen*, introduite par le biais des statistiques (c'est son point faible épistémologique), est passée dans le domaine de la différence de groupe. D'où une extension orientaliste de l'idée métropolitaine de représentation numérique des groupes (conçus comme composés d'individus moyens) et l'idée d'électorats séparés, excroissance naturelle du sentiment que l'Inde était une terre de groupes (tant pour des objectifs civils que politiques), et que les regroupements sociaux indiens étaient intrinsèquement différents. Ainsi, sous le gouvernement colonial, du moins dans l'Inde britannique, la dimension numérique de la classification porte les germes d'une contradiction particulière, puisqu'elle était censée s'appliquer à un monde conçu comme formé par d'incommensurables différences de groupe.

Nationalisme, représentation et nombre

L'approche communautaire, qui va connaître plus tard, dans la première moitié du XXe siècle, sa manifestation la plus spectaculaire dans la séparation de l'électorat entre Hindous et Musulmans[56] ne se limitait nullement à cela. Elle s'est construite sur une ancienne idée de la caste comme principe crucial d'une morphologie générale de la population indienne (idée issue du recensement) et sur des idées plus anciennes encore sur la capacité de l'énumération à saisir la variabilité et la maniabilité de la terre et des ressources indiennes. Cette approche communautaire a aussi été cruciale en définissant la dynamique d'idées de *majorité* et de *minorité* comme des termes culturellement codés pour des groupes dominants et dominés en Inde du Sud et ailleurs[57]. Il est donc fort plausible de soutenir, comme l'a fait notamment Rajni Kothari[58], que le tissu même de la démocratie indienne demeure affecté par l'idée d'un bloc de votants numériquement dominés, opposée à l'idée plus classiquement libérale d'un individu bourgeois dont le vote fait de lui le citoyen d'une démocratie.

S'il est hors du propos de ce chapitre de montrer de façon détaillée comment l'importance cognitive de la caste dans le recensement indien de 1870 anticipe la politique communautaire de ce siècle, il faut noter que même après 1931, lorsque la caste cessa d'être une préoccupation centrale du recensement indien, l'idée de la politique comme d'un combat entre des communautés essentialisées et énumérées[59] s'était déjà fortement implantée dans la politique locale et régionale et ne requérait donc plus la stimulation du recensement pour maintenir son emprise sur la politique indienne. Comme l'a noté Shah[60], il y a eu ces dernières années un effort suivi – et couronné de succès – pour inverser la politique post-1931 d'élimination des comptes de caste du recensement.

Hannah Pitkin[61] et d'autres ont écrit avec éloquence sur les relations complexes au sein de la représentation au sens moral, esthétique et politique. Je n'ai pas besoin de répéter ici cette généalogie occidentale, si ce n'est pour noter qu'assez tôt dans l'histoire des Lumières, l'idée de démocratie s'est liée à celle de souveraineté représentative des sujets. Ainsi, comme l'a souligné Robert Frykenberg[62] dans le contexte indien, la politique électorale est devenue à la fois une politique de *représentation* (du peuple pour le peuple) – un jeu de miroirs dans lequel l'État est rendu à peu près invisible – et une politique de *représentativité*, c'est-à-dire une politique de statistiques, dans laquelle certains corps pouvaient servir à remplacer d'autres corps, par la grâce du principe numérique de la métonymie, plutôt que par les principes cosmopolites de représentation qui avaient caractérisé les idées de gouvernement divin dans de nombreuses politiques prémodernes.

Au cours du XIXe siècle et au début du XXe, l'État colonial s'est trouvé dans une intéressante contradiction en Inde, en cherchant à utiliser des idées de représentation et de représentativité aux niveaux inférieurs de l'ordre politique indien, tout en gardant au sommet des principes paternalistes, monarchiques et qualitatifs. L'histoire de l'autogouvernement de l'Inde (confinée à une diversité d'institutions au niveau du village et du district durant la seconde moitié du XIXe siècle) s'est peu à peu transformée en logique du nationalisme indien, lequel a coopté la logique coloniale de représentativité et s'en est servi pour annexer l'idée démocratique de représentation comme autoreprésentation.

Ainsi, le décompte des corps constitués qui avait servi les objectifs du gouvernement colonial aux plus bas niveaux dans la seconde moitié du XIXe siècle a tourné graduellement à l'idée de représentation des individus indiens (autogouvernement) à mesure que le nationalisme devenait un mouvement de masse. Bien sûr, après coup, comme Partha Chatterjee nous a permis de le voir, le nationalisme a souffert de partager la thématique de base de la pensée coloniale et s'est donc montré incapable d'en produire une critique générale[63]. Ainsi, la politique du nombre, notamment vis-à-vis de la caste et de la communauté, n'est pas seulement le fléau de la politique démocratique en Inde, mais ces identités plus anciennes se sont politisées d'une façon radicalement différente des autres conceptions locales de la relation entre l'ordre des *jatis* et la logique de l'État. Le processus par lequel des identités hindoue et musulmane séparées ont été construites à un macroniveau et transformées non seulement en communautés imaginées, mais aussi en communautés énumérées, n'est que la pathologie la plus visible du transfert de la politique d'une représentation numérique dans une société où la représentation et l'identité de groupe n'avaient pas de relation numérique particulière à la politique.

Mais on pourrait encore dire que le gouvernement colonial, qu'il s'agisse des Britanniques en Inde ou d'autres régimes européens ailleurs dans le monde, n'a pas été le seul à générer des communautés énumérées. Beaucoup de grands États non européens, dont les Ottomans, les Moghols, et diverses dynasties chinoises, avaient souci de l'énumération. Où donc se tient la différence *coloniale* ? Pour l'État colonial mature, les nombres faisaient partie d'un imaginaire complexe dans lequel les besoins utilitaires du militarisme fiscal dans le système mondial, la logique classificatoire de l'ethnologie orientaliste, l'ombre portée des idées démocratiques occidentales de représentation numérique, et le glissement général d'une biopolitique classificatoire à une biopolitique numérique, créaient une logique en évolution qui a atteint un seuil conjoncturel critique dans les trente dernières années du XIXe siècle et les vingt premières du XXe siècle.

Le résultat net a été quelque chose de critiquement différent de tous les autres dispositifs d'État complexes par rapport à la politique du corps et à la construction de communautés en tant que corps. Pour le dire simplement, d'autres régimes ont pu avoir des préoccupations numériques et classificatoires. Mais celles-ci demeuraient largement séparées, et ce n'est que dans la conjoncture complexe de variables constituant le projet de l'état colonial mature que ces deux formes de nominalisme dynamique se sont trouvées jointes pour créer une politique centrée sur des communautés autoconsciemment énumérées. Lorsque ces communautés étaient intégrées au sein d'un discours officiel plus large sur l'espace, le temps, les ressources et les relations qui était aussi numérique de façons critiques, il se générait une arithmétique politique spécifiquement coloniale, dans laquelle les activités d'essentialiser et d'énumérer les communautés humaines devenaient non seulement concurrentes, mais inimaginables l'une sans l'autre.

Cette arithmétique est une part cruciale de la biopolitique coloniale (du moins pour les Britanniques en Inde), et pas seulement parce qu'elle impliquait des abstractions numériques alors que d'autres régimes d'État avaient des objectifs numériques plus concrets (tels que les impôts, les corvées, etc.). L'État colonial moderne confond la vision exotisante de l'orientalisme avec le discours familiarisant des statistiques. Dans ce processus, le corps du sujet colonial est rendu à la fois étranger et docile. Son étrangeté tient dans le fait qu'il est vu comme le site de pratiques cruelles et inhabituelles et de subjectivités bizarres. Mais les comptes du corps colonial créent non seulement des types et des classes (le premier mouvement vers des différences nationales) mais aussi des corps homogènes (au sein de catégories) parce que le nombre, de par sa nature, aplatit les idiosyncrasies et crée des frontières autour de ces corps homogènes tout en limitant efficacement leur étendue. À ce dernier égard, les statistiques sont aux corps et aux types sociaux ce que les cartes sont aux territoires : elles aplatissent et enferment. Le lien entre colonialisme et orientalisme est donc le plus puissant non dans la classification et la typification (comme on l'a souvent suggéré), mais dans l'énumération, où les corps sont comptés, homogénéisés et limités dans leur étendue. Ainsi, le corps désordonné du sujet colonial (jeûnant, célébrant, se suspendant par des crochets, faisant des ablutions, brûlant et saignant) est récupéré à travers le langage des nombres qui permet à ces corps mêmes d'être ramenés, désormais comptés et dénombrés, aux projets banals et monotones de taxation, sanitation, éducation, militarisation et loyauté.

On pourrait penser jusqu'ici que je présente le projet colonial d'essentialiser, d'énumérer et de s'approprier le paysage social comme un succès complet. C'est loin d'être le cas, et il existe de nombreuses preuves, issues de diverses sources, que les projets de l'État colonial ne furent pas totalement efficaces, notamment en ce qui concerne la colonisation de la conscience indienne. Dans diverses sortes de révoltes agraires et urbaines, divers écrits biographiques et de fiction, sous des formes très différentes de formations et d'expressions nationales et divers types de pratiques corporelles et religieuses, les Indiens de nombreuses classes ont poursuivi des pratiques et reproduit des compréhensions bien plus anciennes que la règle coloniale. En outre, les Indiens ont délibérément repensé leurs conceptions du corps, de la société, du pays et de la destinée en mouvements de protestation, en critiques internes et en révoltes contre les autorités coloniales. C'est en fait de ces diverses sources que furent tirées les énergies de la résistance locale – énergies et espaces (allant des groupes de prières et des associations d'athlétisme aux ordres ascétiques et mercantiles) qui ont fourni la base sociale du mouvement nationaliste. Ces énergies ont permis à quelqu'un comme Gandhi, et bien d'autres figures moins visibles, de reprendre aux Britanniques (et au discours de l'orientalisme lui-même) le terrain social et moral. Ces réflexions nous ramènent au problème soulevé plus tôt, du sujet colonial par rapport aux projets énumératifs et classificatoires de l'État.

Il est évidemment malaisé de généraliser sur le degré auquel l'effort d'organiser le projet colonial autour de l'idée de communautés essentialisées et énumérées a fait son chemin dans la conscience pratique des sujets coloniaux en Inde. On peut toutefois avancer sans crainte que les résultats ont dû varier en fonction de la position du sujet colonial : son sexe, sa proximité ou son éloignement du regard colonial, son implication ou son détachement de la politique coloniale, sa participation ou sa distance de l'appareil bureaucratique lui-même. Il est également vrai que divers groupes et individus indiens sont restés attachés à la localité (dans la mémoire, sinon dans la réalité empirique), en dépit du panopticon numérique. Aussi, alors que certains composants de l'État colonial étaient les propagateurs actifs des discours d'identité de groupe, d'autres, comme les parties impliquées dans l'éducation, la loi et la réforme morale, ont entamé la création de ce que l'on pourrait appeler un sujet bourgeois colonial, conçu comme un individu. Il est impossible de résoudre ce problème ici, mais il convient de le garder à l'esprit comme une question importante que toute interprétation de communautés énumérées devra affronter.

Mais même si divers espaces sont demeurés libres du panopticon colonial (que ce soit grâce à l'action de sujets coloniaux résistants ou aux incapacités et contradictions du régime colonial lui-même), le fait est que le regard colonial et ses techniques ont laissé une marque indélébile sur la conscience politique indienne. Une partie de cet indélébile héritage doit être pensée en termes de nombre. C'est l'énumération, associée aux nouvelles formes de catégorisation, qui crée le lien entre la poussée orientalisante de l'État britannique, qui voyait l'Inde comme un musée ou un zoo de différences, et le projet de réforme, qui impliquait de nettoyer les corps mous, sales, frêles, féminins, obséquieux des indigènes, pour en faire des corps propres, virils, musculeux, moraux et loyaux, susceptibles d'être amenés aux subjectivités propres au colonialisme[64]. Avec Gandhi, nous avons une révolte du corps indien, un réveil du moi indien, et une reconstitution du corps loyal dans le corps rebelle et marqué de signes de la protestation nationaliste de masse[65]. Mais le fait que Gandhi ait dû mourir après avoir vu des corps définis comme « Hindous » et « Musulmans » se brûler les uns les autres nous rappelle que son succès contre le projet colonial d'énumération, ainsi que son idée du corps politique n'étaient pas, et ne sont toujours pas complets.

Le corps en flammes de Roop Kanwar (associé à la conscience Rajput renaissante des mâles urbains dans le Rajasthan peu urbanisé), l'immolation volontaire d'hommes et de femmes jeunes de la classe moyenne après que le Rapport de la Commission Mandal ait été revitalisé, et les corps des *kar sewaks* à Ayodhya et des Musulmans à Lucknow et ailleurs suggèrent que les idées indigènes de différence ont été transformées en une politique mortelle des communautés – processus qui a de nombreuses sources historiques. Mais la situation culturelle et historique ne serait pas aussi explosive s'il n'y avait pas eu ce contact avec les techniques de l'État-nation moderne, notamment celles qui concernent le nombre. Les types de subjectivité que les Indiens doivent aux contradictions du colonialisme demeurent à la fois obscurs et dangereux.

TROISIÈME PARTIE

Les lieux postnationaux

CHAPITRE VI

La vie après le primordialisme[1]

Le monde contemporain est rempli d'exemples de conscience ethnique étroitement liée au nationalisme et à la violence. Il est désormais inutile de considérer l'ethnicité comme un simple principe d'identité de groupe parmi d'autres, comme un simple dispositif culturel visant à protéger des intérêts de groupe, ou comme une combinaison dialectique des deux. Il nous faut un compte rendu de l'ethnicité capable d'explorer sa modernité[2].

Le signe le plus net de l'ethnicité moderne est peut-être qu'elle rassemble des groupes qui, du simple fait de leur dispersion spatiale et de leur puissance numérique, sont bien plus vastes que les groupes ethniques de l'anthropologie traditionnelle. Les Tamouls, les Serbes, les Sikhs, les Malais, les Basques, etc., sont tous des groupes très larges, qui se réclament de l'idée de nation et sont impliqués dans de violentes confrontations à la fois avec les structures étatiques existantes et avec d'autres groupes ethniques importants. C'est cette matrice d'aspirations nationalistes et de violence qui caractérise ces nouvelles ethnicités. C'est à cette matrice qu'est consacré ce chapitre, bien que je reconnaisse que le terme « *ethnicité* » puisse aussi s'appliquer à des groupes plus petits, moins volatiles, et à la fonction plus instrumentale.

La boîte noire du primordialisme

La thèse primordialiste sous pratiquement toutes ses formes[3] ne nous est guère utile pour rendre compte des ethnicités au XXe siècle. Cette thèse nous fait oublier certains faits importants, en particulier sur les nouvelles ethnicités d'Asie et d'Europe au cours des dix dernières années. Pour appuyer cette affirmation, j'entends esquisser ici une nouvelle approche des mouvements ethniques, notamment dans leurs moments violents et destructeurs. Pour soutenir que la thèse primordialiste est profondément défectueuse et voir dans l'ethnicité une forme historiquement constituée de classification sociale et faussement reconnue comme un moteur naturel et primaire de la vie sociale, je m'appuie sur d'importants travaux d'anthropologie[4].

Il convient avant tout de rappeler les grandes lignes de l'argument primordialiste. En essence, il dit ceci : tous les sentiments de groupe impliquant un fort sens d'identité de groupe, un sentiment du « nous autres », s'appuient sur les liens qui unissent de petites collectivités intimes, généralement fondées sur la parenté ou diverses formes de parenté élargie. Les idées d'identité collective basées sur le sang, le sol ou la langue tirent leur force affective des sentiments qui lient de petits groupes. Cette thèse apparemment simple a certaines qualités qui méritent d'être notées. On l'utilise en général pour rendre compte de certains aspects de la vie politique, notamment ceux qui voient des groupes s'engager dans diverses formes de comportement considérées comme irrationnelles par rapport à un modèle donné.

Nous nous intéressons ici à deux pôles très différents d'irrationalité. Le premier, qui parle le plus à notre bon sens, est celui de la violence de groupe, du génocide et de la terreur. Le second regroupe toutes les formes de comportement qui apparaissent anti-modernes, qu'il s'agisse d'une faible participation aux élections, de la corruption de la bureaucratie, de la résistance aux techniques d'éducation modernes ou du refus de se plier aux politiques étatiques modernes, qui vont de la contraception au monolinguisme. La théorie de la modernisation, notamment telle que les spécialistes américains des sciences politiques l'ont appliquée aux nouvelles nations postcoloniales, a largement contribué à définir ce symptôme antimoderne du primordialisme. Dans les tentatives les plus récentes d'explication de la violence ethnique, les deux cibles de la théorie primordialiste se sont subtilement fondues, de sorte que le primordialisme de la résistance à la modernisation et celui de la violence ethnique ont été plus ou moins identifiés l'un à l'autre. Le fait que certains fondamentalismes religieux se soient livrés à des actes de violence politique a prêté une nouvelle crédibilité à ces deux symptômes très différents. L'attentat du World Trade Center de New York a fait éclater au grand jour diverses formes populaires de cette théorie primordialiste.

Le point de vue primordialiste sur les questions de mobilisation de groupe fait appel aux idées d'ontogenèse et de phylogenèse sur le développement humain. Je veux dire qu'au moment même où la psychologie occidentale voit l'individu comme porteur d'un fonds d'affects qui peut rarement être transformé et toujours être mis en branle, les collectivités sociales se voient attribuer une conscience collective dont les racines historiques plongent dans un passé lointain, sont très difficilement modifiables, mais peuvent toujours être réactivées par de nouvelles contingences historiques et politiques. Il n'est pas surprenant que ce soit pour les nations non occidentales que ce lien entre l'enfance des individus et l'immaturité des groupes soit établi le plus confortablement, bien que l'explosion de conflits ethniques en Europe orientale (et même occidentale) vienne brouiller les frontières entre Occident et non-Occident pour la thèse primordialiste. Le fait que le vieux discours de la modernisation ait été remplacé par un nouveau discours sur les obstacles à la société civile et à une démocratie soutenable ne doit pas faire oublier la persistance de cette thèse. Une rapide recherche sémantique sur les termes de « tribu » et de « tribalisme » dans la presse américaine devrait suffire à régler cette question.

Qu'est-ce qui ne va pas dans la thèse primordialiste ? Il y a d'abord un problème d'ordre logique, enseveli sous les présupposés universalistes de l'argument primordialiste, notamment sous ses formes les plus radicales, dérivées des Lumières. Si toutes les sociétés et toutes les nations se composent d'unités plus petites unies par des liens primordiaux, et s'il y a des cadavres ethniques pourrissant dans chaque placard national, pourquoi seuls certains conflits explosent-ils en une fureur primordialiste explicite ? C'est là une question comparative, et une large part de la littérature de politique comparative au cours des trente dernières années a tenté de répondre à cette question, en s'appuyant parfois sur des facteurs structurels, et parfois sur des facteurs culturels. Ces réponses ont généralement fait faillite parce qu'il semble bien que le problème comme sa solution se trouvent dans une inconfortable connivence. Soyons plus concrets : on voit de plus en plus que les modèles occidentaux de participation politique, d'éducation, de mobilisation et de croissance économique, conçus au départ pour éloigner les nouvelles nations de leurs primordialismes les plus rétrogrades, ont eu l'effet exactement inverse. Ces médecines semblent provoquer de plus en plus de troubles iatrogènes. Ce dernier argument, fort intéressant, a pris des formes modérées[5], mais aussi plus radicales[6]. Mais si fort que l'on veuille blâmer le contexte politique pour les échecs de ce qu'on avait coutume d'appeler le développement politique (à savoir : parvenir à maturation hors des dangers du primordialisme), il y a trop de preuves que la cure et la maladie sont difficiles à dissocier. Le meilleur exemple en est peut-être la façon dont, partout dans le Tiers Monde, les forces armées se sont révélées brutales, corrompues, anti-civiles et très vite pléthoriques.

L'un des moyens de se sortir d'embarras, pour les théoriciens qui en tiennent (même implicitement) pour la thèse primordialiste, est la-théorie-de-la-période-difficile (qu'ont exposée notamment divers économistes américains dans les premiers moments de libéralisation de l'ex-Union soviétique). On en a également un exemple dans le discours de Vaclav Havel à l'issue de sa première année de présidence à la tête de ce qui était encore la Tchécoslovaquie, qui suggérait que les sociétés d'Europe de l'Est devaient passer par une douloureuse période de désintoxication susceptible à son tour de provoquer un retour des fièvres primordialistes. Cet argument présente de curieuses affinités avec les vues marxistes sur les tribulations de la dictature du prolétariat, soit la période précédant le dépérissement de l'État et le moment où l'humanité socialiste parvient à se gouverner elle-même. L'argument comparatif est également en difficulté parce que les explosions ethniques caractérisent aujourd'hui une trop grande variété de politiques, par exemple en Inde, en Tchécoslovaquie, en Indonésie, en France, aux États-Unis, en Égypte, en

208

Afrique du Sud. Quelle théorie comparative est capable de nous montrer ce qu'ont de commun des cas si différents de turbulence ethnique ?

L'une des variations de la réponse comparatiste est historique, et cadre bien avec la poussée développementaliste du primordialisme. Cette version suggère que les pays qui ont eu le temps de travailler au projet des Lumières de la participation politique – fondé sur l'idée d'un individu éduqué, postethnique, capable de calcul, subsistant sur les travaux du marché libre et participant à une authentique société civile – sont en mesure de se garder des désordres du primordialisme. Cela désigne par excellence les sociétés qui ont adhéré de plus près et le plus longtemps à différentes versions du modèle de société civile, à savoir l'Europe occidentale (les nations de l'ONU d'avant 1989) et les États-Unis. Les membres potentiels de ce club sont les sociétés agressivement procapitalistes d'Asie et d'Amérique latine, comme le Japon, Singapour, Taiwan, la Corée, le Chili, l'Argentine, le Brésil. Bien sûr, un rapide coup d'œil à ce groupe de nations sur les vingt dernières années laisse à penser que l'expérience n'est pas à l'abri d'une implication active des États-Unis sous les formes variées de subsides économiques, politiques et idéologiques, de sorte que l'expérience de ces sociétés avec le primordialisme ne peut guère être considérée comme un succès pour la vitalité endogène du programme des Lumières. En tout cas, dans beaucoup de ces sociétés, une forte dose d'autoritarisme étatique semble requise (suivant la célèbre et subtile distinction de Jeanne Kirkpatrick entre États autoritaires et États totalitaires). En conséquence, si l'on ne peut éduquer les sociétés à sortir du primordialisme, on doit pouvoir en extirper celui-ci de force. À partir de là, la route vers la démocratie est pavée des corps de démocrates. Les États forts peuvent difficilement se poser en modèles pour montrer le chemin qui mène du primordialisme à la modernité.

Même les sociétés qui ont connu les plus longues périodes d'harmonie ethnique, ou, en d'autres termes, de pluralisme culturel réussi, semblent d'une façon ou d'une autre craquer aux coutures : voyons l'Inde, l'ex-Union soviétique, le Sri Lanka, le Royaume-Uni et l'Égypte. Ces sociétés diffèrent à bien des égards. Chacune d'elles possède certaines lignes de clivage ethnique en son sein, mais toutes sont désormais divisées non seulement par ces seules lignes prévisibles, mais aussi par d'autres. En Angleterre, les tentatives pour promouvoir le pluriculturalisme et améliorer ce que l'on a appelé les relations raciales sont clairement un échec, dû en partie au contexte de ce qui semble aujourd'hui une caricature d'une économie du Tiers Monde. En Inde, la division Hindous/Musulmans est désormais un mouvement ethnique et séparatiste parmi d'autres, au milieu des plus grandes guerres de castes jamais vues dans l'histoire du sous-continent, déchaînées par la reprise du Rapport de la Commission Mandal au début des années 1990. Au Sri Lanka, les guerres entre Tamouls et Sinhalas ont fait pousser une moisson croissante d'autres lignes de clivage entre les porte-parole sinhalas et tamouls, clivages qui semblent générer à leur tour de nouveaux primordialismes (Moorish, Burgher, Bouddhistes et autres). Au moment où je termine ce livre, des moines bouddhistes venus de tout le Sri Lanka ont défilé dans les rues de Colombo, protestant contre les plans de décentralisation du nouveau président du Sri Lanka, Chandrika Kumaratunga.

Tout cela ne nous laisse plus guère que quelques démocraties capitalistes européennes (l'Allemagne et la France), les États-Unis et le Japon, comme États qui ne semblent pas trop menacés par la bataille ethnique. Pourtant, même là, les perspectives ne sont pas claires : en témoignent le problème des Coréens au Japon, celui des Afro-Américains et des Hispaniques aux États-Unis, des Iraniens, des Juifs, des Turcs et d'autres populations immigrées en France et en Allemagne. Cela suggère que même les démocraties capitalistes les plus fermement établies ne sont pas éternellement à l'abri de ce qui est perçu comme le « bug » primordialiste. Les mouvements de droite racistes, fascistes et fondamentalistes en Europe et aux États-Unis semblent certes plus primordiaux dans leur comportement que les minorités raciales qu'ils abhorrent ouvertement. Les États-Unis, l'Allemagne, le Japon et la France sont en tout cas extrêmement différents, tant dans leur histoire en tant qu'États-nations modernes que dans leur intérêt pour la pluralité politique en tant que principe central de la participation politique. Aussi est-il crucial d'identifier les limites de l'approche primordialiste des luttes ethniques, puisque cette thèse s'appuie essentiellement sur la perception de certaines populations et certaines politiques comme infantiles, tout en soutenant implicitement une sorte de théorie d'un germe de la lutte ethnique au sein des démocraties occidentales. Ce qui veut dire que ces démocraties sont perçues comme fondamentalement mûres, mais désormais en danger, parce qu'elles abritent des populations (essentiellement du Tiers Monde) porteuses du bug primordial – celui qui fait qu'elles sont attachées sur un mode infantile au sang, à la langue, à la religion et la mémoire, et les rend violentes et mal équipées pour participer aux sociétés civiles matures.

Résumons l'embarras central de la perspective primordialiste. Étant donné le large investissement dans l'idée de démocratie d'un très grand nombre de sociétés depuis la Seconde Guerre mondiale, y compris celles du bloc socialiste, qui a fortement insisté sur le projet de la modernité (technologie, science moderne, participation des masses à la politique, investissements massifs dans un enseignement supérieur), et une immense propagande pour des idées nouvelles sur la citoyenneté, tant dans les régimes capitalistes que socialistes, pourquoi les primordialismes ethniques sont-ils plus vivants que jamais ? À part soutenir que l'opération a été un succès, sauf que le patient est mort, il semble que la thèse primordialiste ne puisse rendre compte de l'intensification et de la dissémination du sentiment ethnique dans un monde voué aux diverses versions du projet des Lumières. Cela nous laisse avec deux options : blâmer les bénéficiaires de la théorie (qui l'ont reçue sous la forme de discours nationaux et internationaux sur le développement et la modernistation, souvent agressivement soutenus par l'appareil de l'État-nation moderne), ou repenser la perspective primordialiste elle-même. J'espère être parvenu à justifier la seconde proposition.

Les politiques de l'affect

La plupart des modèles primordialistes sont sous-tendus non seulement par les présupposés dont je viens de discuter, mais aussi par une théorie des affects en relation à la politique, que nous avons désormais d'excellentes raisons de remettre en cause. La première série de raisons, que j'ai déjà évoquée et que je ne développerai pas ici, a été identifiée par de nombreux critiques marxistes et nationalistes du développement capitaliste. Elle tient au point de vue que le projet de développement, tel qu'il a été imposé au monde non occidental, a suscité en général la création de nouvelles élites et de nouvelles fractures entre castes et classes, qui n'ont surgi parfois qu'en réponse à différents projets néocolonialistes dans les nouveaux États. La modernisation est tenue responsable des frictions provoquées par des expectations montantes et des contradictions entre participation économique et politique. Celles-ci alimentent la frustration de masse qui peut être aisément traduite par des démagogues de tout poil en discours et en actes ethnicisés. Je souscris en général à cet argument, mais je ne le crois pas assez affiné pour rendre compte des conjonctures particulières qui déclenchent la violence ethnique dans telle ou telle société. Ces théories ne sont pas non plus entièrement indemnes de l'idée qu'il existe toujours un réel substrat d'affect primordialiste, constituant une perpétuelle poudrière qui n'attend que d'être exploitée par des intérêts politiques spécifiques, à un moment donné dans l'histoire de tout État-nation donné.

Le second ensemble de raisons pour douter du point de vue primordialiste sur le rôle de l'affect dans la politique vient d'un large corpus de littérature issu de la théorie politique européenne et de certaines de ses variantes américaines au cours des vingt dernières années. Cette littérature s'intéresse non pas au fonctionnement mécanique de l'*homunculus primordial* menant une politique de groupe, notamment dans le Tiers Monde, mais exprime cette tendance de la théorie sociale et politique qui insiste sur le rôle de l'imagination en politique. Cette tendance, largement associée au travail de Benedict Anderson[7], trouve aussi ses racines dans la vénérable tradition des travaux insistant sur l'autonomie de l'idéologie dans la vie politique (remontant à une autre des tendances de la pensée multiforme de Max Weber, opposée à ses idées évolutionnistes et primordialistes). Elle est également associée au travail de Cornélius Castoriadis sur l'imaginaire, de Claude Lefort sur l'idéologie, d'Ernesto Laclau et de Chantal Mouffe sur l'hégémonie[8]. Ces travaux à leur tour s'appuient, tout en les complexifiant, sur ceux d'Antonio Gramsci, de Raymond Williams et d'autres théoriciens concernés par la transformation des idéologies en sens commun. J'ai souligné dans l'introduction de ce livre la valeur de cette perspective et le fait que je prenais moi-même appui sur elle. Insistant sur la négociation et la contestation dans la vie de toutes les politiques complexes, ces penseurs (ainsi que leurs associés de l'École de Birmingham en Angleterre et de l'école subalterne d'historiens en Inde) nous ont indiqué une nouvelle façon de voir la conscience subalterne. Selon cette perspective, enrichie par un travail récent sur la vie quotidienne[9], la conscience populaire se révèle être moins un symptôme-réflexe d'idéologies identitaires enfouies et semi-conscientes, et davantage une stratégie consciente d'ironie et de satire, capable de critiquer l'ordre régnant tout en expérimentant de nouveaux styles de politique identitaire[10].

En même temps, le travail assez différent de James Scott[11] sur les « armes des faibles », s'appuyant sur les travaux d'économie morale de E. P. Thompson et d'autres, ont commencé à montrer que ces ordres et ces regroupements sociaux, qui étaient apparemment des victimes passives de plus vastes forces de contrôle et de domination, étaient néanmoins capables de formes subtiles de résistance et de « visibilité » (selon les termes d'Albert Hirschman[12]) qui n'ont rien, semble-t-il, de primordialiste. Ces travaux, fort différents par ailleurs, ont en commun l'idée que les conceptions de l'avenir jouent un bien plus grand rôle que les idées du passé dans les groupes politiques aujourd'hui, bien que les projections primordialistes sur le passé soient relativement pertinentes pour la politique contemporaine de l'imagination.

Une fois reconnu le fait que l'imagination et l'action sont beaucoup plus vitales à la mobilisation de groupe que nous ne l'avions envisagé jusque-là, il nous est plus facile d'introduire l'invention de la critique de la tradition d'Eric Hobsbawm et de Terence Ranger[13], qui a enfoncé un autre clou dans le cercueil de la perspective primordialiste. Bien que cette thèse influente ait fait l'objet de sérieuses critiques (notamment sur sa tendance à voir certaines traditions comme

« authentiques » et d'autres comme « inventées »), elle nous a alertés sur l'idée qu'entre le paysage des discours sur la tradition et les sensibilités et motifs des acteurs individuels se tient un discours historique issu non pas des profondeurs de la psyché individuelle ou des lointains brumeux de la tradition, mais du jeu spécifique, historiquement situé, des opinions publiques et de groupe sur le passé. L'une des contributions majeures de ce travail est de souligner que la politique nationale et de groupe dans le monde contemporain est plus souvent liée, non pas à la mécanique du sentiment primordial, mais à ce que j'appelle « le travail de l'imagination ». Je reviendrai plus loin sur ce thème de l'imagination.

La grande ironie de ces travaux, c'est qu'ils montrent sans aucun doute que la création de sentiments primordiaux, loin d'être un obstacle à l'État modernisant, est très souvent proche du cœur du projet de l'État-nation moderne. Ainsi, de nombreux fondamentalismes raciaux, religieux et culturels sont délibérément nourris par les États-nations, ou par une de leurs factions, dans une tentative pour supprimer les dissensions internes, construire des sujets de l'État homogènes, et maximiser la surveillance et le contrôle des diverses populations sous leur contrôle. Dans ces contextes, les États-nations modernes s'appuient sur des dispositifs classificatoires et disciplinaires qu'ils ont hérités des gouvernements coloniaux et qui, dans le contexte postcolonial, ont de substantiels effets inflammatoires. La politique du nombre dans l'Inde coloniale et la politique des castes dans la controverse sur le Rapport de la Commission Mandal (*cf.* chapitre VI) nous en fournissent un très bon exemple. De même, de récents travaux sur la culture politique au Japon[14] montrent que l'État et des intérêts commerciaux majeurs ont beaucoup fait pour construire et dynamiser le discours de la japonité et de la tradition (*furusato*), dans une tentative d'exploiter l'idée du Japon comme dépositaire d'une forme unique et homogène de différence culturelle. En Angleterre, l'industrie du patrimoine a travaillé à la création d'un paysage de patrimoine, de conservation, de monuments et d'un espace historique anglais, au moment même où le rôle de la Grande-Bretagne en tant que puissance mondiale s'érodait considérablement. Ce discours de l'anglicité n'est que la phase la plus récente du « colonialisme interne[15] » à travers lequel s'est créée une idée hégémonique de l'anglicité. Cette idée, aujourd'hui dominante, rend le discours du pluriculturalisme en Angleterre bizarrement creux et soutient le racisme implicite et explicite dont ont pu faire preuve Margaret Thatcher dans les Falklands, John Major pendant la guerre du Golfe, ainsi que les groupes fascistes qui appellent à la haine raciale en Angleterre.

C'est cette sorte de mobilisation que j'ai définie dans l'introduction comme culturaliste, c'est-à-dire impliquant des ethnicités mobilisées par, ou en relation avec, les pratiques de l'État-nation moderne. Le terme de « culturalisme » suggère quelque chose de plus qu'« ethnicité » ou « culture », deux termes qui ressortissent au sentiment du naturel, à l'inconscient et au tacite dans l'identité de groupe. Toutefois, lorsque les identités sont produites dans un contexte de classification, de médias de masse, de mobilisation et de légitimité dominé par la politique au niveau de l'État-nation, elles prennent les différences culturelles comme leur objet conscient. Ces mouvements peuvent alors adopter toute une série de formes : être dirigés avant tout vers l'auto-expression, l'autonomie et la survie culturelle, ou bien être essentiellement négatifs dans leur forme, largement caractérisés par la haine, le racisme et le désir de dominer ou d'éliminer d'autres groupes. C'est là une distinction clé, parce que les mouvements culturalistes pour l'autonomie et la dignité impliquant des groupes longtemps dominés (tels que les Afro-Américains aux États-Unis et les Dalits en Inde) sont souvent tendancieusement taxés des mêmes défauts que leurs adversaires, qualifiés de racistes et d'anti-démocratiques.

Bien que l'ethnicité moderne soit en ce sens culturaliste et intimement liée aux pratiques de l'État-nation, il faut aussi remarquer qu'un groupe important de mouvements culturalistes est aujourd'hui *transnational*, beaucoup d'ethnicités nationales opérant, du fait de la migration internationale, au-delà des frontières du seul État-nation. Ces mouvements culturalistes transnationaux sont intimement liés avec ce que j'appelle les sphères publiques diasporiques.

Le développement final, et peut-être le moins évident, qui rend difficile de soutenir la thèse primordialiste telle qu'elle s'applique à la politique ethnique est la notion, largement développée depuis une dizaine d'années par l'anthropologie culturelle, que les émotions ne sont pas un matériau brut, préculturel, constituant un substrat universel transsocial. S'il n'est pas possible dans le cadre de ce chapitre de développer pleinement cet argument, disons du moins qu'il a pour thèse principale que l'affect est en grande partie acquis : de quoi convient-il de s'attrister ou de se réjouir, comment l'exprimer dans différents contextes, et l'expression des affects est-elle une simple extériorisation des sentiments intimes (souvent supposés universels) – autant de problèmes déjà longuement abordés par la recherche [16]. Ces travaux tendent à montrer que l'émotion est culturellement construite, socialement située, et que les aspects universels de l'affect ne nous disent pas grand-chose de très révélateur.

Ce travail cadre fort bien avec une autre tendance de recherche dans l'anthropologie culturelle récente [17], montrant que différentes formes d'expérience sensorielle et de technique corporelle émergent comme des éléments de régimes historiquement constitués de savoir et de pouvoir. Cette tendance, qui est aussi influencée par les vues de Michel Foucault sur les relations historiquement constituées entre savoir et pouvoir, s'appuie sur le travail classique de Marcel Mauss à propos des techniques du corps, sur les suggestions de Pierre Bourdieu sur l'expérience incarnée et son émergence au sein de cadres culturels spécifiques d'habitudes et d'expériences [18]. Dans cette perspective, les techniques corporelles et les dispositions affectives, loin de représenter la projection d'états et d'expériences corporels sur des canevas plus vastes d'action et de représentation, en sont souvent le contraire exact : l'inscription sur l'habitude corporelle de disciplines de self-control et de pratiques de discipline de groupe, souvent liées à l'État et à ses intérêts. La discussion sur le cricket indien du chapitre IV s'inscrit directement dans cette tradition.

En retour, ce travail s'appuie non seulement sur les aperçus de Foucault et d'autres quant aux processus historiques de transformation, d'appropriation et de mobilisation des corps, mais aussi sur le travail de Norbert Elias et de ses disciples, qui montre que de puissants comportements corporels et sentiments de civilité sont le produit direct de conceptions aristocratiques et bourgeoises de la dignité et de la distinction. Cette orientation générale ne va pas sans poser quelques problèmes : la façon dont des schémas culturels et politiques s'impriment sur l'expérience corporelle en motivant aussi puissamment les agents concernés reste à explorer. Ce qui semble clair, c'est qu'on ne gagne rien à séparer le monde de l'émotion et de l'affect du monde du langage et de l'autoreprésentation, et que ces derniers, en retour, sont remarquablement réactifs aux macroconceptions de civilité et de dignité telles qu'elles sont conçues par des intérêts et des idéologues exerçant un pouvoir sur des ordres sociaux entiers.

La chaîne causale est, sinon renversée, du moins contestée. Au lieu d'aller des sentiments internes à des manifestations externes qui s'agrègent en formes plus larges d'action et de représentation, ce corpus de travaux fonctionne du haut vers le bas, ou du macro vers le micro, suggérant que le pouvoir est largement une question d'impression à grande échelle de disciplines de civilité, de dignité et de contrôle corporel au niveau intime des agents eux-mêmes. Cette littérature anthropologique, si elle ne laisse pas de poser encore de nombreux problèmes, suggère que les sentiments des acteurs ne sont vraiment compréhensibles que dans des cadres culturels spécifiques de signification et de style, et des cadres historiques plus larges de pouvoir et de discipline. Elle met donc sérieusement en question l'idée d'une couche de sentiment primordial qui se tiendrait tapie sous la surface des formes culturelles, des ordres sociaux et des moments historiques.

Pourtant, les foules et les individus qui les constituent semblent bien manifester le paradoxe d'une colère non planifiée, doublée d'un ciblage simultané des victimes. Ce mélange de combustibilité et de coordination est au cœur du mystère de la foule et de l'émeute, et a interrogé de nombreux observateurs depuis Gustave Le Bon. C'est évidemment un aspect critique de la violence ethnique. Dans les scénarios qui semblent sous-tendre les grandes violences ethniques (car de telles violences sont rarement entièrement chaotiques), il y a clairement une sorte d'ordre qu'il serait trop facile d'attribuer à des contingences de plans secrets, d'agents extérieurs et de calculs dissimulés sous la surface de la frénésie de groupe[19]. Le défi consiste à saisir la frénésie de la violence ethnique sans la réduire au noyau banal et universel de sentiments intimes et primordiaux. Il nous faut à la fois rendre compte de la fureur psychique et incarnée, et de l'intuition que les sentiments de violence ethnique (comme tout autre sorte de sentiment) ne font sens que dans des formations à grande échelle d'idéologie, d'imagination et de discipline. Cela semble une tâche impossible, mais je propose de considérer le trope de l'implosion pour tenter de s'extirper du piège primordialiste.

Les implosions ethniques

Si la perspective primordialiste est si souvent trompeuse, il semble important de trouver une perspective tout aussi générale permettant de la dépasser. L'alternative en est un modèle d'implosion ethnique, un trope délibérément avancé contre les connotations d'explosion si souvent associées au point de vue primordialiste. Pour autant que je sache, l'idée d'implosion n'a été utilisée pour qualifier des mouvements sociaux que récemment et de façon assez allusive, dans le cadre de la violence d'État et des formations de réfugiés dans des États faibles[20]. Reprenant les idées de James Scott et d'Albert Hirschman, Aristide Zolberg et ses collègues affirment que les paysans qui s'efforcent de se défendre contre les actes prédateurs de l'État peuvent se trouver acculés par ce même État et contraints par lui à la violence : « Ainsi, le fait de se retirer de l'État peut déclencher une violente implosion, une division des gouvernants et des gouvernés en groupes de solidarité primaire luttant l'un contre l'autre dans une recherche désespérée de sécurité[21]. » Cet usage de l'image de l'implosion est suggestif et lié à l'usage plus délibéré que je compte en faire.

Avant d'en venir à spécifier exactement en quoi le modèle d'implosion peut offrir une approche plus utile aux confrontations ethniques que le modèle primordialiste, il me faut présenter cette approche d'une façon plus large. Comme je l'ai expliqué dans la première partie de ce livre, nous vivons dans un monde global et transnational d'une façon que les modèles proposés jusqu'ici par les études sur la politique internationale n'avaient pas anticipée. Si je suis convaincu des vertus du néoréalisme de Robert Keohane et de sa puissante critique de l'ancien réalisme centré sur l'État[22], je suis également persuadé que même le point de vue néoréaliste ne va pas assez loin pour rendre compte des nombreux processus, événements et structures qui semblent œuvrer largement hors des interactions stratégiques des États-nations. En conséquence, je préfère l'approche générale de James Rosenau[23], qui propose un point de vue entièrement neuf sur la politique globale en s'appuyant sur l'image de la turbulence, telle qu'elle a été développée par les physiciens et les mathématiciens. Partant de l'image de bifurcation et des idées de complexité, de chaos et de turbulence dans des systèmes complexes qui s'y rattachent, Rosenau soutient que la dynamique du monde politique contemporain ne peut être explicitée que si l'on comprend qu'il existe deux systèmes, disposés en Y, dans cette politique : le système multicentrique et le système centré sur l'État.

Le message principal de Rosenau est que la structure et les processus des régimes politiques d'aujourd'hui sont des artefacts de l'interaction turbulente de ces deux systèmes en Y, chacun de ces artefacts affectant les autres de multiples manières, à de multiples niveaux, et de façons qui rendent les événements extrêmement difficiles à prédire. Pour rendre compte des structures d'événements dans le monde multicentrique qu'il décrit, Rosenau suggère de remplacer l'idée d'événements par l'image de « cascades », soit des séquences d'action qui « acquièrent de la vitesse, ralentissent, inversent leur cours et repartent du début tandis que leurs répercussions affectent des systèmes et des sous-systèmes entiers[24] ». Les types de cascades identifiés par Rosenau sont un composant crucial de ce que l'on pourrait appeler la structure d'extériorités rendant compte en partie de la forme et du moment d'explosion de conflagrations ethniques données. Dans la mesure où les microévénements de la vie quotidienne dans des localités ethniquement sensibles ne mènent pas tous à la violence ethnique, le concept de cascade peut nous aider à comprendre pourquoi un acte particulier de profanation religieuse, ou tel massacre terroriste, ou tel discours particulièrement enflammé, déclenche soudain la violence ethnique à grande échelle. L'idée d'une turbulence globale comme modèle de la politique mondiale semble aussi cadrer avec une série d'autres modèles, comme l'idée de « capitalisme désorganisé » de Lash et Urry[25], les récents essais de Robertson et Arnason sur la globalisation[26], et mes propres tentatives pour resituer la politique de différence culturelle au sein d'un paysage de disjonctions dans l'économie culturelle globale (*cf.* chapitre I).

Mais il semble qu'il y ait fort loin des idées de turbulence globale et des images de cascade et de flux aux faits de violence ethnique et de brutalité humaine concrète. Pour combler cet écart, je m'appuie sur deux termes récemment proposés par Tambiah[27] dans une tentative d'identifier la dynamique du comportement de la foule dans le cadre de la violence ethnique – la *focalisation* et la *transvaluation*. Tambiah a créé ces termes en opérant une lecture très fine des émeutes de Karachi en 1985 entre Pathans et Mohajirs (Biharis), ces derniers étant des Pakistanais ayant émigré, à l'origine, de l'Inde de l'Est : « Par focalisation, écrit-il, j'entends la dénudation progressive de leur contexte spécifique, et l'agrégation d'incidents et de disputes locaux, réduisant ainsi leur richesse concrète. La transvaluation se réfère au processus parallèle d'assimiler des particularités à une cause ou un intérêt plus large, collectif, plus durable, et donc moins lié au contexte. Les processus de focalisation et de transvaluation contribuent à une polarisation et une dichotomisation progressives des problèmes et des protagonistes, de façon telle que les actes de violence commis par des groupes et des bandes deviennent en peu de temps des manifestations, des incarnations et des réincarnations autosuffisantes de clivages de communauté prétendument insolubles entre Pathans et Biharis, Sikhs et Hindous, Sinhalais et Tamouls, ou Malais et Chinois[28]. »

Les processus de focalisation et de transvaluation proposés par Tambiah sont encore plus révélateurs lorsqu'on les replace dans les « cascades d'événements » (au sens de Rosenau) qui ont relié Karachi et ses différents quartiers aux développements de la politique régionale et nationale du

Pakistan et de la politique mondiale telle qu'elle est perçue par les Pakistanais. Parmi ces cascades, on compte la victoire de Benazir Bhutto, élue Premier ministre ; la lecture de cette victoire à Karachi et ailleurs comme une victoire pour le Sind sur le Penjab en politique régionale ; la projection par diverses parties pro-Zia de la faiblesse de Bhutto en tant que femme et en tant que descendante corrompue de son père ; et l'émergence parallèle du Mohajir Qaumi Movement (MQM) en tant que parti emblématique de la formation d'une identité Mohajir. Ces lectures ont pu à leur tour enflammer la force sociale et économique des Pathans à Karachi et nourrir la colère généralisée contre le parti de Benazir Bhutto dans cette ville, notamment chez ceux qui, comme les Pathans, n'avaient guère voix au chapitre dans la politique régionale du Sind. Ainsi, l'interprétation (et l'interpénétration) délicate et mortelle des événements survenus dans les rues de Karachi, qui se sont développés en un drame rapidement lu en termes macro, aurait pu prendre un tour très différent s'il n'y avait pas eu les effets implosifs de séquences d'action plus vastes sur la politique des rues de Karachi. Bien sûr, ces événements mêmes ont eu des répercussions vers le haut et le bas, à travers d'autres cascades d'événements qui ont créé le sentiment que Benazir Bhutto était incapable de maintenir l'ordre civil. Cette perception, s'ajoutant à d'autres images politiques et d'autres manipulations, a contribué à la chute finale de Bhutto en 1990, chute associée à des modifications majeures dans la politique du sous-continent et dans la perception de l'Inde et des États-Unis immédiatement après la guerre du Golfe.

C'est évidemment un tableau simplifié auquel il faudrait ajouter bien d'autres éléments extérieurs, comme la virulence anti-indienne et anti-hindoue introduite par Bhutto dans ses discours sur Azad Kashmir pour tenter de corriger son image de faible femme et d'apporter un soutien aux Mohajirs lors des émeutes de 1985. La situation à Karachi est restée la même depuis lors, devenant de plus en plus implosive. En 1995, la ville a été la scène d'une guerre civile et d'une violence ethnique équivalente à celle de la Somalie et de Beyrouth dans les années 1980, et proche de celle de Kaboul au cours des dix dernières années. Bhutto est revenue au pouvoir après avoir été battue une fois, et affronte de nouveau une Karachi volatile et un mandat national à très hauts risques. Il s'est passé beaucoup de choses à Karachi depuis 1985, et une série de violents combats entre les forces étatiques et les jeunes armés du MQM ont fait un total de huit cents morts à Karachi entre janvier et juin 1995.

En tant que ville, Karachi est un parfait et triste exemple du type de combat urbain discuté au chapitre VIII, qui produit du localisme dans des conditions de terreur quotidienne et de lutte armée. Depuis le milieu des années 1980, le MQM, qui était le fruit du sentiment de frustration qu'éprouvaient les immigrants venus d'Inde de l'Est, s'est lui-même profondément divisé, et sa direction se trouve désormais en exil en Angleterre. C'est donc un excellent exemple d'un mouvement diasporique, transnational et anti-étatique qui ne réclame pas d'autonomie nationale. Bhutto elle-même a employé le langage du terrorisme et du jihad contre le MQM, brouillant ainsi les limites entre la politique du sous-continent (le MQM étant souvent considéré comme lié à l'Inde, terre d'origine des Mohajirs) et la politique nationale du Pakistan.

Tous les protagonistes du conflit – l'État, les différentes factions du MQM, et le parti au pouvoir, le Parti pakistanais du Peuple – sont passés des affrontements avec des armes légères à l'usage de lance-roquettes et de voitures blindées. Il n'y a pas d'indication plus nette de l'implosion de la politique globale et nationale dans le monde urbain de Karachi que cette déclaration de l'un de ses chefs de guerre, qui dirige une faction dissidente du MQM dans le quartier de Landhi : « Ils peuvent bien faire une province séparée ou un pays ou tout ce qu'ils veulent. Cette zone restera mon État[29]. »

La guerre urbaine de Karachi est liée à la politique régionale, étatique, nationale et mondiale à travers le trafic de drogue, la criminalisation de la politique, les efforts de l'État pour décompter les populations ethniques majoritaires (*cf.* chapitre V), et le demi-million d'immigrants qui vient s'ajouter chaque année à cette ville déjà pléthorique de douze millions d'habitants.

Mais ce n'est pas ici le lieu pour une étude détaillée de la violence ethnique à Karachi. Le point clé est que la focalisation et la transvaluation tirent leur énergie de macro-mouvements et de processus (les cascades) connectant la politique globale à la micropolitique des rues et des quartiers. Sur le plan synchronique, ces cascades fournissent le matériel permettant de lier des processus de focalisation et de trans-valuation. Ce qui revient à dire qu'elles fournissent le maté-riel à l'imagination des acteurs à différents niveaux pour trouver des significations générales dans des événements locaux et contingents, tout comme elles fournissent l'alibi pour inscrire des scénarios à long terme de manipulations ethniques et de conspirations sur des événements de rue appa-remment triviaux.

Mais il existe également une dimension diachronique dans cette connexion. Après tout, le point de vue primordialiste a été le plus fort (même s'il était le plus erroné) pour rendre compte de la politique de l'affect et donc de l'intensité des affrontements ethniques. Une nouvelle perspective comme celle qui est proposée ici doit offrir une étiologie alternative à ce que Raymond Williams aurait appelé « la structure du sentiment » dans la violence ethnique. Les macroévénements, ou cascades, se fraient un chemin dans des structures de sentiment fortement localisées en s'appuyant sur le discours et les narrations au plan local – soit les conversations de café et les commentaires au premier degré qui accompagnent la lecture des journaux dans de nombreux quartiers et devant les portes partout dans le monde. En même temps, les nar-rations et intrigues dans les termes desquelles sont lus et interprétés la vie ordinaire et ses conflits passent avec une multitude de possibilités d'interprétation qui est le produit direct du fonctionnement de la représentation locale d'évé-nements régionaux, nationaux et mondiaux.

Le problème de ces lectures locales est qu'elles sont sou-vent silencieuses et inobservables, sauf dans les commen-taires sur les événements du monde que l'on entend dans les bavardages évanescents des cafés, des cinémas et d'autres lieux de rencontre urbains. Ils font partie de l'incessant mur-mure du discours politique urbain et de ses cadences ordi-naires, non spectaculaires. Mais c'est à ce niveau le plus local que des personnes et des groupes génèrent ces structures de sentiment qui fournissent avec le temps le champ discursif où peuvent s'installer les rumeurs explosives, les drames et les discours de l'émeute.

Ce point de vue n'exige pas un présupposé primordialiste pour rendre compte des structures locales de sentiment qui donnent aux émeutes ethniques et à l'action collective leur force brutale et inexplicable. Ces sentiments locaux sont le produit d'interactions à long terme de cascades locales et globales d'événements, qui construisent des structures de sentiment à la fois sociales et historiques et font partie de l'environnement dans lequel, progressivement, il devient possible de voir un voisin comme un ennemi, un commerçant comme un traître étranger, et un entrepreneur local comme un exploiteur capitaliste sans merci. Une fois activée cette anthologie d'images, les processus dont parle Tambiah prennent le dessus, et on peut être certain que d'autres épisodes de souvenir, d'interprétation et de souffrance, une fois l'émeute apaisée, se fraieront un chemin dans de nouvelles structures locales de sentiment.

Mais on ne peut nier que des concepts tels que cascade, transvaluation, focalisation et implosion semblent trop abstraits, trop mécanistes, trop généraux pour saisir la contingence brute, la violence crue, le besoin électrique de sang, l'instinct de dégradation qui semble accompagner la terreur ethnique dans des endroits comme le Rwanda et la Bosnie, Karachi et Colombo. Lorsque le viol, la torture, le cannibalisme et l'usage brutal du sang, des fèces et des corps entrent dans le scénario du nettoyage ethnique, nous sommes confrontés aux limites non pas seulement de la science sociale, mais du langage lui-même. Peut-on dire quoi que ce soit d'utile sur cette sorte de violence dans le monde globalisé décrit dans ce livre ?

Je risque une hypothèse par rapport à ma propre paralysie interprétative face à la violence sanglante des guerres ethniques d'aujourd'hui[30]. Les pires sortes de violence dans ces guerres semblent tenir à la distorsion entre les relations quotidiennes des individus en face à face, et les identités à grande échelle produites par les États-nations modernes et compliquées par de puissantes diasporas. Plus exactement, ce qu'il y a de plus horrible dans le viol, la dégradation, la torture et le meurtre dans les nouvelles guerres ethniques, c'est qu'ils se produisent très souvent entre acteurs qui se connaissent – ou qui croyaient se connaître. Notre horreur tient à l'intimité même du cadre de la nouvelle violence ethnique. C'est l'horreur du voisin devenu un tueur-tortionnaire-violeur. Quel peut être le rapport entre cette intimité et les médias, la politique des États et les macroévénements globaux ?

La rage de ceux qui tuent, qui mutilent et qui violent semble liée à un profond sentiment de trahison qui se concentre sur les victimes, et cette trahison tient dans la relation entre apparence et réalité. Lorsque le commerçant voisin se révèle profondément croate, quand le maître d'école se révèle avoir des sympathies pour les Hutus, quand votre meilleur ami se révèle musulman et non serbe, quand le voisin de votre oncle se révèle un propriétaire haï, ce qui semble s'ensuivre est un sentiment de profonde trahison catégorielle, c'est-à-dire de trahison sur l'identité de groupe telle qu'elle est définie par les États, les recensements, les médias, et d'autres forces à grande échelle.

Profondément, ce sentiment de trahison concerne l'identité méconnue dans un monde où les enjeux associés à ces identités sont devenus exorbitants. La rage qu'une telle trahison semble inspirer peut bien sûr s'étendre à des masses de personnes qui peuvent ne pas avoir été intimes, de sorte qu'elle peut devenir de plus en plus mécanique et impersonnelle, mais j'ai tendance à penser qu'elle reste animée par la perte de la certitude de savoir qui était l'Autre et par une rage contre ce que cet Autre se révèle être en réalité. Ce sentiment de trahison, et donc de confiance trahie, de rage et de haine, a bien sa place dans un monde où les identités à grande échelle entrent de force dans l'imagination locale et deviennent des voix dominant le tapage de la vie ordinaire. La littérature primaire la plus proche des épisodes les plus brutaux de la violence contemporaine ethnique parle le langage de l'imposteur, de l'agent secret, du traître. Ce discours rend compte à la fois de l'incertitude sur les catégories et de l'intimité entre les gens – caractéristique cruciale de la nouvelle violence.

De nombreux exemples de violence politique contemporaine vont dans ce sens. Ainsi, les nazis qualifiant les Juifs allemands d'imposteurs[31]. Si nous examinons les moments de plus grande brutalité dans les épisodes récents de violence de groupe[32], il semble que la révélation d'identités officielles haïes et haïssables derrière les masques corporels de personnes réelles (et connues) soit le principal moteur pour perpétrer les pires formes de mutilation et de sévices. À l'inverse, l'exposé des noms, des histoires et des souvenirs individuels de personnes spécifiques derrière les cadavres des victimes de la catégorie adverse est utilisé pour provoquer le plus puissant des sentiments. Ces processus réciproques – démasquer les imposteurs et restaurer les personnes réelles à travers des mémoriaux personnalisés – semblent se situer au cœur de la violence incarnée des combats ethniques d'aujourd'hui. Le souvenir et l'oubli sont vitaux pour le nationalisme[33], mais ils sont plus vitaux encore pour la brutale incarnation de sa politique. Cette vision de la brutalité saisissante de la guerre ethnique et raciale n'exclut pas d'autres facteurs qui figurent d'habitude dans les théories de la violence ethnique – frustrations économiques, manipulations par les politiciens, craintes du changement religieux, aspirations à l'autogouvernement ethnique, choix de boucs émissaires en temps de crise, etc. Tous ces facteurs rendent sûrement compte de la dynamique générale du combat ethnique dans de nombreux cadres sociaux et historiques. Mais ils en sont apparemment incapables dans le cas de la pure brutalité du génocide et de la guerre ethnique actuels, et de l'impression qu'ils laissent d'une contingence débridée. Cette hypothèse sur une violence liée à la trahison, à l'intimité et à l'identité cherche à fournir une explication à la transformation de gens ordinaires en tueurs, tortionnaires et violeurs et à la représentation d'amis, de voisins et de collègues comme objets de la haine et de la rage la plus profonde.

Si l'hypothèse de la trahison est plausible, elle est fortement liée aux identités à grande échelle créées, transformées et réifiées par les dispositifs de l'État moderne (souvent dans un domaine transnational et diasporique) et véhiculées par les médias. Quand ces identités sont décrites de façon convaincante comme des loyautés primaires (en fait comme primordiales), par les politiciens, les chefs religieux et les médias, alors les gens ordinaires semblent agir comme si seul ce type d'identité importait et comme s'ils étaient entourés d'un monde d'imposteurs. De telles représentations de l'identité (et de l'identification) semblent encore plus plausibles dans un monde d'immigrants et de médias de masse, capable de subvertir les certitudes quotidiennes issues de la connaissance intime, en face à face, de l'Autre ethnique[34].

Tous les mouvements culturalistes ne mènent pas à la violence entre groupes ethniques, mais le culturalisme – dans la mesure où il implique des identités mobilisées au niveau de l'État-nation – a un fort potentiel de violence, notamment à une époque où l'espace culturel de l'État-nation est élargi par des éléments externes tels que la migration et les médias de masse. Ces éléments externes n'augmenteraient pas forcément le potentiel de violence, si ce n'est pour une contradiction supplémentaire affectant pratiquement tous les États-nations. C'est la contradiction entre l'idée que chaque État-nation peut réellement ne représenter qu'un seul ethos et la réalité que tous les États-nations impliquent historiquement l'amalgame de très nombreuses identités. Même là où les identités à long terme ont été oubliées ou enfouies, la combinaison de migrations et de médiations de masse assure leur reconstruction sur une nouvelle échelle et à de plus hauts niveaux. C'est d'ailleurs pourquoi la politique de souvenir et d'oubli (et donc de l'histoire et de l'historiographie) est si centrale aux combats ethniques liés au nationalisme[35]. Les mouvements culturalistes chez les minorités et les groupes historiquement dominés tendent à entrer dans un dialogue conscient avec les culturalismes des majorités numériques. Comme ces culturalismes sont en compétition pour un fragment de la nation (et des ressources de l'État), ils entrent inévitablement dans l'espace de la violence potentielle.

Cette proposition diffère fondamentalement de la perspective primordialiste. Elle ne parle pas d'un substrat de sentiment ethnique comme base d'explication des explosions ethniques. Elle suggère plutôt que les structures ethniques de sentiment sont elles-mêmes des produits complexes de l'imagination locale (médiant une surprenante variété de cascades globales dans leur mouvement à travers le local). Les épisodes de violence ethnique peuvent donc être regardés comme implosifs en deux sens : au sens structurel, ils représentent le déploiement dans la politique locale de pressions issues d'arènes politiques de plus en plus vastes ; au sens historique, l'imagination politique locale est de plus en plus sujette au flux de vastes événements (cascades) à long terme, événements qui influencent l'interprétation d'incidents locaux réels et créent progressivement un répertoire de sentiments ethniques adverses. Ceux-ci peuvent paraître primordiaux à première vue, mais sont très certainement le produit de processus d'action, de communication, d'interprétation et de commentaire à plus long terme. Mais une fois ces événements survenus, il est bien plus facile de voir leur dimension explosive à mesure qu'ils se répandent, enflammant d'autres secteurs et posant d'autres questions dans le maelström de la furie ethnique. Mais cette dimension explosive, nourrie par (et nourrissant) les processus de focalisation et de transvaluation, ne doit pas nous aveugler quant à ses conditions d'apparition. L'idée d'implosion proposée dans ce chapitre en rend mieux compte que les nombreuses versions de la perspective primordialiste – qui satisfait notre soif d'explications finales et anhistoriques, surtout à propos de comportements apparemment irrationnels.

L'ethnicité moderne

Je voudrais dégager ici, même rapidement, ce qui est moderne (au sens culturaliste) dans les mouvements ethniques contemporains. Ces mouvements à grande échelle et souvent violents exigent une nouvelle compréhension de la relation entre histoire et action, affect et politique, facteurs à grande et petite échelle. J'ai suggéré tout au long de ce chapitre qu'une façon d'y parvenir est de résister à la dialectique interne-externe qui nous est imposée par le mode de pensée primordialiste et de penser au contraire la dialectique d'implosion et d'explosion dans le temps comme la clé de la dynamique particulière de l'ethnicité moderne.

Vus de cette façon, les mouvements ethniques modernes (culturalismes) peuvent être connectés à la crise de l'État-nation à travers une série de liens intéressants. D'abord, tous les États-nations modernes ont souscrit et contribué à l'idée que les politiques légitimes doivent être des excroissances d'affinités naturelles d'une sorte quelconque. Ainsi, alors même que beaucoup d'États-nations entrent dans une crise de légitimation et affrontent les demandes de groupes migrants, ils travaillent au sein d'un héritage dans lequel l'autogouvernement national doit s'appuyer sur une sorte de tradition d'affinité naturelle. En second lieu, les projets spécifiques de l'État-nation moderne, allant de l'hygiène au recensement, du planning familial au contrôle des maladies et du contrôle de l'immigration à la politique du langage, ont lié des pratiques corporelles concrètes (discours, propreté, mouvement, santé) à des identités de groupe *à grande échelle*, augmentant ainsi le potentiel d'expériences incarnées d'affinité de groupe.

Finalement, que ce soit dans le cadre d'États démocratiques ou non, le langage des droits et de la légitimité en général s'est inextricablement lié à ces identités à grande échelle. Les projets ethniques d'aujourd'hui sont de plus en plus définis par ces trois traits de la culture de l'État-nation moderne. Les groupes ethniques peuvent imaginer leur avenir, mais même là (comme pour les observations de Marx sur les hommes façonnant leur histoire), ils peuvent ne pas faire exactement ce qu'ils veulent. Tandis que les États perdent leur monopole sur l'idée de nation, il est compréhensible que toutes sortes de groupes tendent à utiliser la logique de la nation pour s'emparer de tout ou d'une partie de l'État, ou des légitimités données par l'État. Cette logique trouve son plus grand pouvoir de mobilisation là où le corps rencontre l'État, c'est-à-dire dans ces projets que nous appelons ethniques et méconnaissons souvent sous le terme d'atavismes.

CHAPITRE VII

Destins du patriotisme[1]

Nous devons nous penser au-delà de la nation. Il ne s'agit pas ici de dire que la pensée à elle seule va nous emporter au-delà de la nation, ou que celle-ci serait avant tout une pensée ou une chose imaginée, mais plutôt de suggérer que le rôle des pratiques intellectuelles est d'identifier la crise actuelle de la nation et, ce faisant, de fournir une part du dispositif de reconnaissance des formes sociales postnationales. Si l'idée que nous entrons dans un monde postnational semble avoir reçu ses premiers galons dans les études littéraires, c'est désormais un thème récurrent (même inconscient) dans les études du monde postcolonial, de la politique mondiale et des politiques sociales internationales. Mais la plupart des auteurs qui ont affirmé ou laissé entendre qu'il nous fallait penser en termes postnationaux n'ont pas demandé quelles formes sociales exactement nous poussent à le faire, ni de quelle façon. Cette dernière tâche est l'objet principal de ce chapitre.

La colonie postdiscursive

Pour les garçons qui, comme moi, ont grandi parmi les élites du monde postcolonial, le nationalisme a représenté notre sentiment commun et la principale justification de nos ambitions, de nos stratégies et de notre idée du bien-être moral. Aujourd'hui, presque un demi-siècle après que la plupart des nouvelles nations ont accédé à l'indépendance, la forme de la nation se trouve attaquée, là aussi sur plusieurs fronts. En tant qu'alibi idéologique de l'État territorial, c'est le dernier refuge du totalitarisme ethnique. D'importantes critiques du monde postcolonial[2] ont montré que les discours sur la nation étaient profondément intégrés aux discours du colonialisme lui-même. Cet alibi idéologique a souvent été un véhicule pour la mise en scène des doutes des héros des nouvelles nations – Sukarno, Jomo Kenyatta, Jawaharlal Nehru, Gamal Abdel Nasser – qui flirtaient avec le nationalisme alors que les sphères publiques de leurs sociétés étaient déjà en flammes. Donc, pour les intellectuels postcoloniaux tels que moi, la question est la suivante : le patriotisme a-t-il un avenir ? Et à quelles races, à quel sexe cet avenir appartient-il ?

Pour répondre à cette question, il faut autre chose que la simple problématique de la forme de la nation et de la communauté imaginée[3], de la production du peuple[4], de la narrativité des nations[5] et de la logique coloniale du discours nationaliste[6]. Il faut aussi un examen serré des discours de l'État et des discours contenus dans le trait d'union qui relie la nation à l'État[7]. Ce qui suit est l'exploration d'une dimension au moins de ce trait d'union.

Le savoir occidental actuel a une tendance troublante à séparer l'étude des formes discursives de celle d'autres formes institutionnelles, et l'étude des discours littéraires de celle des discours pratiques des bureaucraties, des armées, des corporations privées et des organisations sociales non étatiques. Ce chapitre est notamment une plaidoirie pour un élargissement du champ des études du discours : si le monde postcolonial est en partie une formation discursive, il est également vrai que la discursivité est devenue trop exclusivement le signe et l'espace de la colonie et du postcolonial dans les études culturelles contemporaines. Élargir le sens de ce qui est perçu comme discours exige en même temps un élargissement de la sphère du postcolonial, son extension au-delà des espaces géographiques de l'ancien monde colonial. En soulevant la question du *postnational*, je proposerai que le voyage qui nous mène de l'espace de l'ancienne colonie (un espace coloré, un espace de couleur) à l'espace du postcolonial nous emmène au cœur de la blanchitude. Il nous emmène en somme en Amérique, soit un espace postnational marqué par sa blanchitude, mais aussi par sa relation complexe avec des peuples diasporiques, des technologies mobiles, et des nationalités *queer*.

Le trope de la tribu

En dépit des signes les plus visibles, ce sont des temps difficiles pour le patriotisme. Les corps mutilés et les fils barbelés en Europe de l'Est, la violence xénophobe en France, le drapeau levé dans les rituels politiques de l'année électorale aux États-Unis – tout cela semble suggérer que le désir de mourir pour son pays reste encore une mode mondiale. Mais le patriotisme est un sentiment instable, qui ne survit qu'au niveau de l'État-nation. Au-dessous de ce niveau, il est aisément supplanté par des loyautés plus intimes ; au-dessus, il laisse place à des slogans vides témoignant rarement du désir de se sacrifier ou de tuer. En conséquence, lorsqu'on s'interroge sur l'avenir du patriotisme, il convient d'abord d'inspecter la santé de l'État-nation.

Mes doutes sur le patriotisme sont liés à la biographie de mon père, pour qui patriotisme et nationalisme étaient déjà des termes divergents. Correspondant de guerre pour Reuters en 1940, il rencontra un nationaliste indien expatrié, Subhas Chandra Bose, qui avait rompu avec Gandhi et Nehru sur la question de la violence. Bose avait échappé à la surveillance britannique en Inde avec le soutien actif des Japonais et établi un gouvernement en exil en Asie du Sud-Est. L'armée de Bose, composée d'officiers indiens et d'hommes que les Japonais avaient fait prisonniers, s'appelait l'Armée nationale indienne. Elle fut bientôt défaite par l'Armée indienne britannique à Assam (sur le sol indien, comme mon père ne se lassait pas de le répéter) en 1944, et le gouvernement provisoire d'Azad Hind (Free India), au sein duquel mon père était ministre de la Propagande, s'effondra avec la défaite des forces de l'Axe.

Lorsque mon père retourna en Inde en 1945, ses camarades et lui étaient des héros malvenus, des cousins pauvres de l'histoire du combat national pour l'indépendance de l'Inde. Ils étaient des patriotes, mais le sentiment anti-anglais de Bose et ses liens avec les forces de l'Axe faisaient de lui une gêne pour la non-violence de Gandhi et l'anglophilie fabienne de Nehru. À la fin de leur vie, mon père et ses compagnons restaient des patriotes parias, de mauvais nationalistes. Ma sœur, mes frères et moi avons grandi à Bombay, coincés entre l'ancien patriotisme du style Bose, et le nationalisme bourgeois du style Nehru. Notre Inde, avec ses liens avec le Japon et sa tendance anti-occidentale, portait l'odeur sans nom de la trahison, par rapport à la confortable alliance des Nehru et des Mountbatten, et le composé bourgeois entre la non-violence de Gandhi et le socialisme de Nehru. La défiance de mon père vis-à-vis de la dynastie Nehru nous prédisposait à imaginer une Inde étrange, déterritorialisée, inventée à Taiwan et Singapour, à Bangkok et Kuala Limpur, totalement indépendante de New Delhi et des Nehru, du Parti du Congrès et des nationalismes majoritaires. Ainsi la possibilité que le mariage de la nation et de l'État n'ait jamais été autre chose qu'un mariage de raison et celle que le patriotisme ait besoin de trouver de nouveaux objets de désir sont-elles des idées particulièrement attirantes pour moi.

Un fait majeur qui rend compte des tensions dans l'union de la nation et de l'État est que le génie nationaliste, jamais totalement contenu dans la bouteille de l'État territorial, est désormais lui-même diasporique. Charrié dans le répertoire de populations toujours plus mobiles de réfugiés, de touristes, de travailleurs migrants, d'intellectuels et de scientifiques transnationaux, ou encore d'étrangers illégaux, il est de moins en moins limité par les idées de frontière spatiale et de souveraineté territoriale. Cette révolution dans les fondements du nationalisme est survenue pratiquement sans crier gare. Alors que le sol et le lieu étaient autrefois la clé des liens entre l'affiliation territoriale et le monopole d'État des moyens de violence, les identités et les identifications clés ne tournent plus que partiellement autour des réalités et des images de lieux. Dans la revendication des Sikhs sur le Khalistan, dans les prétentions franco-canadiennes sur le Québec, dans la revendication des Palestiniens à l'autodétermination, l'image d'une mère patrie n'est qu'une part de la rhétorique de souveraineté populaire et ne reflète pas nécessairement une frontière territoriale. La violence et la terreur qui entourent l'effondrement de nombreux États-nations ne sont pas des signes d'un retour à quelque chose de biologique ou d'inné, de sombre ou de primordial[8]. Qu'allons-nous donc faire de ce retour d'une soif de sang au nom de la nation ?

Les nationalismes modernes impliquent des communautés de citoyens qui, dans un État-nation territorialement défini, partagent l'expérience collective, non pas d'un contact en face à face ou d'une subordination commune à une personne royale, mais de la lecture commune de livres, de brochures, de magazines, de cartes et d'autres textes modernes[9]. À travers ces expériences collectives de ce que Benedict Anderson[10] appelle « le capitalisme de l'imprimé », et que d'autres voient de plus en plus comme « le capitalisme de l'électronique » – soit la télévision et le cinéma[11] –, les citoyens *s'imaginent* eux-mêmes appartenir à une société nationale. Ainsi, l'État-nation moderne s'établit moins sur des faits naturels – comme le langage, le sang, le sol et la race – que sur un produit culturel quintessentiel, un produit de l'imagination collective. Ce point de vue s'écarte, mais pas tout à fait assez, des théories dominantes du nationalisme, celles de J. G. Herder et de Giuseppe Mazzini, et de toutes les sortes de nationalismes de droite qui voient les nations comme le produit des destinées naturelles des peuples, ancrées dans le langage, la race, le sol, ou la religion. Dans ces théories de la nation imaginée, il y a toujours une suggestion que le sang, la parenté, la race et le sol sont quelque part moins imaginés et plus naturels que l'imagination de l'intérêt ou de la solidarité collective. Le trope de la tribu réactive ce biologisme dissimulé, notamment parce que les alternatives à ce concept restent encore à articuler. Ce n'est qu'aujourd'hui que les conjonctures historiques sur la lecture et la diffusion, les textes et leurs médiations linguistiques, les nations et leurs narrations se juxtaposent pour formuler la diacritique spécifique de l'imaginaire national et de ses sphères publiques[12].

Les dirigeants des nouvelles nations qui se sont formées en Asie et en Afrique après la Seconde Guerre mondiale – Nasser, Nehru, Sukarno – auraient été horrifiés de voir à quelle fréquence les idées de tribalisme et de nationalisme se trouvent réunies dans les récents discours publics de l'Occident. Ces dirigeants ont dépensé une grande énergie rhétorique pour convaincre leurs partisans de renoncer à ce qu'ils percevaient comme des loyautés primordiales – la famille, la tribu, la caste et la région – au profit de ces fragiles abstractions appelées « Égypte », « Inde » et « Indonésie ». Ils avaient compris que les nouvelles nations devaient subvertir et annexer les loyautés primaires attachées à des collectivités plus intimes. Ils appuyaient leur idée de nouvelle nation sur le fil même du paradoxe selon lequel les nations modernes étaient conçues pour être ouvertes, universelles et émancipatrices du fait de leur attachement spécifique aux vertus citoyennes, mais que *leurs* nations étaient néanmoins, d'une façon essentielle, différentes, voire meilleures que d'autres nations. À bien des égards, ces dirigeants savaient ce que nous avons eu tendance à oublier, à savoir que les nations, surtout dans des cadres pluriethniques, sont des projets collectifs fragiles et non pas des faits naturels éternels. Pourtant, eux aussi ont contribué à créer une fausse division entre le caractère artificiel de la nation et ces faits qu'ils projetaient faussement comme des *primordia* – la tribu, la famille, la région.

Dans son souci de contrôler, de classer et de surveiller ses sujets, l'État-nation a souvent créé, revitalisé ou fracturé des identités ethniques qui étaient auparavant fluides, négociables, ou naissantes. Bien sûr, les termes utilisés pour mobiliser la violence ethnique aujourd'hui peuvent avoir une longue histoire. Mais les réalités auxquelles ils se réfèrent – la langue serbo-croate, les coutumes basques, la cuisine lituanienne – se sont le plus souvent cristallisées au cours du XIXe et au début du XXe siècle. Le nationalisme et l'ethnicité se nourrissent donc l'un l'autre, puisque les nationalistes construisent des catégories ethniques qui, en retour, poussent les autres à constituer des contre-ethnicités, de sorte qu'en temps de crise politique, ces autres réclament des contre-États fondés sur de tout nouveaux contre-nationalismes. Pour chaque nationalisme qui apparaît comme une destinée naturelle, il en existe un autre qui est son produit dérivé réactif.

Alors que la violence au nom des Serbes et des Moluques, des Khmers et des Lettons, des Allemands et des Juifs nous donne à penser que toutes ces identités remontent à des temps lointains et obscurs, il nous suffit de considérer les récentes émeutes en Inde, motivées par le rapport d'une commission gouvernementale qui recommandait de réserver un large pourcentage d'emplois de fonctionnaires à certaines castes définies par le recensement et la Constitution comme « arriérées ». Il y a eu des émeutes et du carnage, quantité de meurtres et de suicides en Inde du Nord sur des étiquettes comme « autre caste arriérée », issues des distinctions terminologiques du recensement indien et de ses protocoles spécialisés. Il semble vraiment surprenant que quiconque puisse mourir ou tuer pour des droits associés au fait d'être membre d'une « autre caste arriérée ». Pourtant, ce cas n'est pas une exception : dans sa macabre banalité bureaucratique, il montre comment les besoins techniques des recensements et des lois sociales, combinés aux tactiques cyniques de politique électorale, peuvent amener des groupes à des identifications et des peurs quasi-raciales. La question n'est pas si différente qu'on pourrait le croire pour des étiquettes apparemment aussi naturelles que Juif, Arabe, Allemand ou Hindou, chacun de ces termes impliquant des gens qui choisissent ces étiquettes, d'autres qui y sont contraints, et d'autres encore qui, à travers leur savoir philologique, étayent les histoires de ces noms ou estiment qu'ils sont des moyens pratiques de régler de complexes problèmes de langue et d'histoire, de race et de croyance. Bien sûr, toutes les politiques des États-nations ne sont pas hégémoniques, pas plus que toutes les formes d'action subalternes ne sont impuissantes à résister à ces pressions et séductions. Mais il semble juste de noter qu'il existe des formes de conscience populaire et d'action subalterne qui sont, par rapport à la mobilisation ethnique, libres des formes de pensée et des domaines politiques produits par les actions et les discours des États-nations.

Ainsi, les minorités dans bien des parties du monde sont aussi artificielles que les majorités qu'elles semblent menacer. Les Blancs aux États-Unis, les Hindous en Inde, les Anglais en Grande-Bretagne – autant d'exemples de la façon dont la désignation politique et administrative de certains groupes en tant que minorités (les Noirs et les Hispaniques aux États-Unis, les Celtes et les Pakistanais au

Royaume-Uni, les Musulmans et les Chrétiens en Inde) aide à assembler des majorités (silencieuses ou non) sous des labels ayant de courtes vies mais de longues histoires. Les nouvelles ethnicités ne sont souvent pas plus anciennes que les États-nations auxquels elles résistent aujourd'hui. Les Musulmans de Bosnie sont ghettoïsés avec réticence, bien qu'il existe une crainte chez les Serbes et les Croates de la possibilité d'un État islamique en Europe. Les minorités sont aussi souvent fabriquées qu'elles naissent d'elles-mêmes.

De récents mouvements ethniques impliquent des milliers, parfois des millions de gens disséminés sur d'immenses territoires et souvent séparés par de vastes distances. Que l'on considère les liens des Serbes séparés par de larges portions de Bosnie-Herzégovine, ceux des Kurdes dispersés en Iran, en Iraq et en Turquie, ceux des Sikhs éparpillés à Londres, à Vancouver et en Californie, ainsi que des Penjabis indiens. Les nouveaux ethnonationalismes sont des actes de mobilisation complexes, à grande échelle et fortement coordonnés, s'appuyant sur des informations, des flux logistiques et de propagande qui franchissent les frontières. On peut difficilement les considérer comme tribaux, si l'on entend par là qu'ils sont des levées spontanées de groupements étroitement liés, souffrant de ségrégation spatiale et naturellement alliés. Dans le cas qui nous paraît le plus effrayant aujourd'hui, ce que l'on pourrait appeler le tribalisme serbe n'est pas une chose simple, dans la mesure où il y a au moins 2,8 millions de familles yougoslaves qui ont produit environ 1,4 million de mariages mixtes entre Serbes et Croates[13]. À quelle tribu pourrait-on dire qu'appartiennent ces familles ? Dans notre préoccupation horrifiée des troupes de choc de l'ethnonationalisme, nous avons perdu de vue les sentiments confus des civils, les loyautés déchirées des familles qui ont des membres de groupes en guerre sous le même toit, et les exhortations de ceux qui pensent que les Serbes, les Musulmans et les Croates en Bosnie n'ont pas d'inimitié fondamentale. Il est plus difficile d'expliquer comment des principes d'affiliation ethnique, si douteuse que soit leur provenance et si fragile leur pedigree, peuvent mobiliser très rapidement de vastes groupes pour l'action violente.

Ce qui semble clair, c'est que le modèle tribal, dans la mesure où il propose des passions toutes prêtes, n'attendant que d'exploser, vole à la rencontre des contingences qui déchaînent la passion ethnique. Les Sikhs, qui étaient jusqu'ici le fer de lance de l'armée indienne et l'arme historique de l'Inde hindoue contre le régime musulman, considèrent aujourd'hui qu'ils sont menacés par l'hindouisme et semblent désireux d'accepter l'aide et le secours du Pakistan. Les Musulmans de Bosnie ont dû revitaliser à contre-cœur leurs affiliations islamiques. Loin de réactiver d'antiques sentiments tribaux, les Musulmans bosniaques sont déchirés entre la conception qu'ils ont d'eux-mêmes en tant que « Musulmans européens » (terme récemment utilisé par Ejub Ganic, vice-président de Bosnie) et l'idée qu'ils font partie d'un Islam transnational, déjà activement impliqué dans la guerre en Bosnie. Les riches Bosniaques qui vivent à l'étranger dans des pays comme la Turquie s'empressent d'acheter des armes pour la défense des Musulmans en Bosnie. Pour nous délivrer du trope de la tribu, comme la source primordiale de ces nationalismes que nous trouvons moins civiques que le nôtre aux États-Unis, il nous faut construire une théorie de la mobilisation ethnique à grande échelle qui reconnaisse et interprète explicitement ses propriétés postnationales.

Les formations postnationales

Beaucoup des ethnonationalismes récents et violents ne sont pas tant explosifs qu'implosifs. Ainsi, plutôt qu'être enracinés dans un substrat primordial d'affect, présent au fond de chacun de nous et qui remonterait à la surface dans des types plus larges d'engagement social et d'action de groupe, l'inverse est souvent vrai. Les interactions à grande échelle entre les États-nations et en leur sein même, souvent stimulées par l'annonce d'événements survenus dans des lieux plus éloignés encore, passent en cascade [14] à travers la complexité des politiques régionales, locales et de voisinage, jusqu'à énergiser les questions locales et les faire imploser sous diverses formes de violence, y compris les plus brutales. Des identités ethniques jusque-là pacifiques (Sikh et Hindou,

Arménien et Azerbaïjanais, Serbe et Croate) tournent ainsi à la violence, à mesure que les localités implosent sous la pression d'événements et de processus éloignés dans l'espace et dans le temps du site de l'implosion. Chez les Musulmans de Bosnie, nous pouvons voir la température de ces identités se modifier sous nos yeux, au moment où elles sont poussées hors d'une idée européaniste séculaire d'elles-mêmes vers une posture plus fondamentaliste. Ils y sont poussés non seulement par la menace que représentent les Serbes pour leur survie, mais aussi par la pression de la part de leurs coreligionnaires musulmans en Arabie saoudite, en Égypte et au Soudan, qui laissent entendre que les Musulmans bosniaques paient le prix pour avoir oublié leur identité islamique sous le régime communiste. Les chefs des Musulmans bosniaques ont commencé à dire explicitement que s'ils ne recevaient pas rapidement une aide des puissances occidentales, ils pourraient se tourner vers des modèles palestiniens de terreur et d'extrémisme.

Une importante façon de rendre compte de ces cas où des identités pacifiques deviennent violentes et où des implosions à un endroit génèrent des explosions à d'autres est de nous rappeler que l'État-nation n'est en aucun cas le seul modèle disponible en matière de loyautés translocales. La violence qui entoure les politiques d'identité dans le monde actuel reflète l'angoisse qui accompagne la recherche de principes non territoriaux de solidarité. Les mouvements que nous voyons maintenant en Serbie et au Sri Lanka, dans le Haut Karabach et en Namibie, au Penjab et au Québec sont ce que l'on peut appeler des « nationalismes troyens ». De tels nationalismes contiennent en fait des liens transnationaux, sous-nationaux et, de façon plus générale, des identités et des aspirations non nationales. Étant souvent le fruit de diasporas contraintes ou volontaires, d'intellectuels mobiles aussi bien que de travailleurs manuels, de dialogues avec des États aussi bien hostiles qu'accueillants, très peu des nouveaux nationalismes peuvent être séparés de l'angoisse du déplacement, de la nostalgie de l'exil, du rapatriement de fonds, ou des brutalités liées à la recherche d'un asile. Les Haïtiens à Miami, les Tamouls à Boston, les Marocains en France, les Moluques en Hollande sont les porteurs de ces nouvelles loyautés trans- et postnationales.

Le nationalisme territorial est l'alibi de ces mouvements et pas nécessairement leur motif premier ou leur but final. En revanche, ces motifs et buts peuvent être bien plus obscurs que tout ce qui touche à la souveraineté nationale, comme lorsqu'il semble qu'ils s'attachent à la purification ethnique et au génocide ; ainsi, le nationalisme serbe semble opérer sur la peur et la haine de ses Autres ethniques, bien plus que sur le sentiment d'un patrimoine territorial sacré. Ou encore, ce peuvent être simplement des langages et des symboles autour desquels de nombreux groupes en viennent à articuler leur désir d'échapper au régime étatique spécifique, perçu comme menaçant leur propre survie. Les Palestiniens se soucient davantage de se débarrasser d'Israël et moins de la magie géographique particulière de la bande de Gaza.

Si beaucoup de mouvements séparatistes – les Basques, les Tamouls, les Québécois, les Serbes – semblent aujourd'hui déterminés à enfermer la nation et l'État sous une seule rubrique ethnique, il est encore plus impressionnant de constater que de nombreuses minorités opprimées ont subi un déplacement et une diaspora forcés sans articuler un fort désir d'État-nation qui leur soit propre : les Arméniens en Turquie, les réfugiés hutus du Burundi qui vivent dans la Tanzanie urbaine, et les Hindous du Cachemire en exil à Delhi illustrent par exemple le fait que le déplacement ne génère pas toujours le désir de construire un empire. Bien que beaucoup de mouvements anti-étatiques gravitent autour d'images d'une mère patrie, du sol, d'un lieu et d'un retour d'exil, ces images reflètent la pauvreté de leur (et de notre) langage politique plutôt que l'hégémonie du nationalisme territorial. En d'autres termes, aucun idiome n'a encore émergé qui puisse saisir les intérêts collectifs de nombreux groupes dans des solidarités translocales, des mobilisations interfrontalières et des identités postnationales. De tels intérêts sont nombreux et affirmés, mais ils sont encore piégés dans l'imaginaire linguistique de l'État territorial. L'incapacité de bien des groupes déterritorialisés à penser leur voie hors de l'imaginaire de l'État-nation est elle-même la cause d'une grande violence globale, parce que beaucoup de mouvements d'émancipation et d'identité sont forcés, dans leur combat contre les États-nations existants, d'embrasser l'imaginaire même auquel ils cherchent à échapper. Ces mouvements sont contraints par la logique même des États-nations actuels à devenir anti-nationaux ou anti-étatiques et ainsi d'inspirer le pouvoir d'État qui les oblige à répondre dans le langage du contre-nationalisme. On ne peut échapper à ce cercle vicieux qu'en trouvant un langage permettant de saisir des formes complexes non territoriales et postnationales d'allégeance.

On a beaucoup parlé ces dernières années de la vitesse à laquelle l'information circule dans le monde, de l'intensité avec laquelle les nouvelles d'une ville flashent sur les écrans de télévision d'une autre, de la façon dont les manipulations fiduciaires sur une place boursière affectent un ministère des Finances situé un continent plus loin. On a beaucoup parlé aussi de la nécessité de s'attaquer aux problèmes mondiaux tels que le sida, la pollution et le terrorisme, à l'aide de formes concertées d'action internationale. La vague démocratique et la pandémie du sida sont aussi provoquées par les mêmes types de contacts inter-sociétés et de trafic humain transnational.

Du point de vue de la guerre froide, le monde a pu devenir unipolaire. Mais il est également devenu *multicentrique*, pour reprendre le terme de James Rosenau[15]. Adaptant des métaphores issues de la théorie du chaos, Rosenau a montré comment la légitimité des États-nations s'est lentement affaiblie, comment les organisations internationales et transnationales de tous types ont proliféré, et comment la politique locale et le processus global s'affectent l'un l'autre d'une façon chaotique mais non imprévisible, souvent hors des interactions des États-nations.

Pour apprécier ces complexités, il nous faut faire plus que ce que l'on a coutume d'appeler de la science sociale comparative, mettant en regard deux pays ou deux cultures comme s'ils étaient aussi indépendants dans la vie que dans la pensée[16]. Nous devons regarder d'un œil nouveau toute une variété d'organisations, de mouvements, d'idéologies et de réseaux dont l'entreprise multinationale traditionnelle n'est qu'un exemple. Considérons des mouvements philan-thropiques transnationaux tels que Habitat for Humanity. Prenons les diverses organisations terroristes internationales qui mobilisent des hommes (et parfois des femmes), de l'argent, de l'équipement, des camps d'entraînement et de la passion dans de fort surprenantes combinaisons idéologiques et ethniques. Considérons la mode internationale, qui n'est pas une simple question de marchés globaux et de cannibalisme de type transnational, mais est de plus en plus une question d'assemblages transnationaux systématiques de production, de transferts de goûts, de prix et d'exhibition. Prenons la variété de mouvements verts qui ont commencé à s'organiser de façon transnationale autour de types spécifiques de bio-politique. Considérons le monde des réfugiés. Pendant long-temps, nous avons vu les problèmes et les organisations de réfugiés comme le rebut de la vie politique, flottant entre les certitudes et les stabilités des États-nations. Cela nous a donc empêchés de voir que les camps de réfugiés, les bureaucraties de réfugiés, les mouvements de secours aux réfugiés, les commissariats aux réfugiés des États-nations et les mouve-ments philanthropiques transnationaux destinés aux réfugiés constituent une partie du cadre *permanent* de l'ordre postna-tional émergent. Un autre excellent exemple, peut-être plus près de nous, est le grand nombre d'organisations, de mou-vements et de réseaux de philanthropie chrétienne, comme World Vision, qui ont longtemps brouillé les frontières entre fonctions évangéliques, développementales et de maintien de la paix dans différentes parties du monde. Le cas le mieux étudié est celui du mouvement olympique, sans doute le plus grand exemple moderne d'un mouvement né des inquiétudes européennes pour la paix mondiale dans la dernière partie du XIXe siècle. Ce mouvement, avec sa forme particulière de jeu dialectique entre allégeances nationales et transnationales[17], n'est guère que le plus spectaculaire d'une série de sites et de formations autour desquels va se jouer l'avenir incertain de l'État-nation.

Dans tous ces cas, ce que nous avons sous les yeux, ce ne sont pas de simples slogans internationaux, groupes d'inté-rêts ou transferts d'image. Nous assistons à la naissance d'une série de formations sociales postnationales complexes.

Ces formations sont maintenant organisées autour de principes de financement, de recrutement, de coordination, de communication et de reproduction qui sont fondamentalement postnationaux et pas seulement multinationaux ou internationaux. L'entreprise multinationale moderne classique est un exemple trompeur de ce qui est le plus important dans ces nouvelles formes, précisément parce qu'elle s'appuie de façon cruciale sur l'organisation légale, fiscale, environnementale et humaine de l'État-nation, tout en maximisant les possibilités d'opérer à la fois dans et à travers les structures nationales, toujours en exploitant leur légitimité. Les nouvelles formes organisationnelles sont plus diverses, plus fluides, plus *ad hoc*, plus provisoires, moins cohérentes, moins organisées, et simplement moins impliquées dans les avantages comparatifs de l'État-nation. Beaucoup d'entre elles sont explicitement constituées pour surveiller les activités de l'État-nation : Amnesty International en est un excellent exemple. D'autres, largement associées aux Nations Unies, travaillent à contenir les excès des États-nations, par exemple en aidant les réfugiés, en veillant au respect des accords de paix, en organisant des secours pendant les famines, et en faisant le travail peu visible concernant les transports sur mer, les barrières douanières, la santé et le travail internationaux.

D'autres pourtant, comme Oxfam, sont des organisations globales qui travaillent hors du réseau quasi officiel des Nations Unies et s'appuient sur la croissance des organisations non gouvernementales (ONG) dans de nombreux pays en développement. Ces ONG, qui opèrent dans une série de domaines allant de la technologie et de l'environnement à la santé et aux arts, sont passées de moins de deux cents en 1909 à plus de deux mille au début des années 1970. Elles sont souvent des organisations de premier plan pour l'auto-assistance dans des régions rurales, issues du sentiment que les gouvernements nationaux ont une capacité limitée à fournir les éléments de base de l'existence dans des sociétés comme l'Inde.

D'autres organisations encore, que nous qualifions souvent de fondamentalistes, comme les Frères musulmans au Moyen-Orient, l'Église unifiée et une quantité d'organisations chrétiennes, hindoues et musulmanes constituent des mouvements globaux à part entière, qui cherchent à soulager la souffrance au-delà des frontières nationales tout en mobilisant des loyautés de premier ordre au-delà des frontières des États. Certains de ces mouvements évangéliques (comme le groupe hindou radical connu sous le nom d'Ananda Marg, qui a été rendu responsable de l'assassinat de diplomates indiens à l'étranger) s'opposent agressivement à des États-nations spécifiques et sont souvent traités comme séditieux. D'autres, comme l'Église unifiée, mènent simplement leur chemin autour de l'État-nation sans remettre directement en cause sa juridiction. De tels exemples, que nous tendons encore à voir comme des formes d'organisation exceptionnelles ou parias, sont à la fois des exemples et des incubateurs d'un ordre global postnational.

Au cœur de la blanchitude

Le terme « postnational », utilisé jusqu'ici sans commentaire, a plusieurs implications que nous pouvons maintenant étudier de plus près. La première est temporelle et historique. Elle suggère que nous sommes engagés dans un processus menant à un ordre mondial où l'État-nation est devenu obsolète et où d'autres formations d'allégeance et d'identité ont pris sa place. La seconde est l'idée que les formes qui émergent sont de puissantes alternatives pour l'organisation du trafic international de ressources, d'images et d'idées – des formes contestant activement l'État-nation ou constituant des alternatives de paix pour des loyautés politiques à grande échelle. La troisième implication est la possibilité que les nations continuent d'exister, tandis que l'érosion permanente des capacités de l'État-nation à monopoliser la loyauté encourage la diffusion de formes nationales ayant largement divorcé des états territoriaux. Ce sont là des sens pertinents du terme « postnational », mais aucun d'eux n'implique que l'État-nation, sous sa forme territoriale classique, soit pour l'instant en faillite. Il est certainement en crise, et une part de cette crise est la violence croissante de la relation qu'entretient l'État-nation avec ses Autres postnationaux.

Les États-Unis sont un espace particulièrement intéressant

pour examiner ces propositions, parce que c'est le pays qui a le mieux réussi à conserver l'image d'un ordre national qui soit à la fois civil, pluriel et prospère. Il semble nourrir un ensemble vibrant et complexe de sphères publiques, y compris certaines de celles que l'on a appelées « alternatives », « partiales » ou « contre »-publiques[18]. Ce pays demeure extrêmement riche d'après les critères mondiaux et, bien que ses formes de violence publique soient nombreuses et inquiétantes, son appareil d'État ne s'appuie en général pas sur la torture, l'emprisonnement et la répression violente. Si l'on ajoute à cela que le pluriculturalisme aux États-Unis semble prendre surtout des formes non violentes, il semble que nous soyons face à un grand pouvoir incontesté dominant le nouvel ordre mondial, s'appuyant sur des immigrants par milliers, et qui apparaît comme un exemple triomphant de l'État-nation territorial classique. Tout argument sur l'émergence d'un ordre global postnational devra étudier sa plus grande falsification apparente – les États-Unis contemporains. Cette dernière section pose la base de cette étude.

Voici quelques années encore, j'étais satisfait de vivre dans l'espace particulier alloué aux « étrangers », notamment aux anglophones éduqués, conservant comme moi de légères traces d'accent britannique. Comme me l'a dit une fois d'un ton approbateur une femme noire à un arrêt d'autobus de Chicago, j'étais un Indien d'Inde[19]. Cela se passait en 1972. Mais depuis cette heureuse conversation qui remonte à une vingtaine d'années, il m'est devenu de plus en plus difficile de me voir moi-même, armé de mon passeport indien et de mes manières britanniques, comme indemne de la politique d'identité raciale des États-Unis. En outre, au bout d'une trentaine d'années passées comme résident étranger aux États-Unis, marié à une Américaine et père d'un adolescent biculturel, mon passeport indien m'apparaît comme un signe d'identité plutôt léger. Le filet de la politique raciale se resserre à présent plus que jamais sur les villes des États-Unis.

Ma propre couleur de peau et le rôle de cette couleur dans la politique des minorités, ainsi que mes rencontres de rue avec la haine raciale, me poussent à réétudier les liens entre Amérique et États-Unis, entre biculturalisme et patriotisme, entre identités diasporiques et (in)stabilités fournies par les passeports et les cartes vertes. Les loyautés postnationales sont fort pertinentes au problème de la diversité aux États-Unis. S'il y a bien un ordre postnational en train de se constituer, et que l'américanité modifie ses significations, c'est tout le problème de la diversité dans la vie américaine qui devra être repensé. Ce n'est pas simplement la force de certaines déductions qui me pousse à cette recommandation. Lorsque j'oscille entre le détachement d'une identité postcoloniale, diasporique et universitaire (profitant de l'humeur de l'exil et de l'espace de déplacement) et les laides réalités d'être racialisé, minorisé et tribalisé dans mes rencontres quotidiennes, la théorie rencontre la pratique.

Un livre récemment publié aux États-Unis a pour titre *Tribes. How Race, Religion and Identity Determine Success in the New Global Economy*[20]. Écrit par Joel Kotkin, « une autorité internationalement reconnue sur les tendances globales, économiques, politiques et sociales », comme le proclame la jaquette, il retrace les connexions entre ethnicité et succès en affaires. Les cinq tribus désignées par Kotkin – les Juifs, les Chinois, les Japonais, les Britanniques et les Indiens – forment un assemblage étrange, mais représentent bien le primordialisme avec un visage high-tech. Ils sont les capitalistes parias de Max Weber sous les oripeaux de la fin du XXᵉ siècle transnational. De tels livres nous rappellent que les Indiens d'Inde sont encore une tribu, comme les Juifs et les autres, jouant sur le primordialisme pour se frayer un chemin dans la dominance globale. Ainsi, le trope de la tribu peut tourner sur ses propres prémisses, et nous pouvons avoir de vastes tribus globales, soit une image qui cherche à jouer sur les deux tableaux – l'intimité primordiale *et* les stratégies high-tech. Si diasporiques que nous devenions, comme les Juifs, nous autres les Asiatiques du Sud avons pour destin de demeurer une tribu, pour toujours dealers de drogue et filous dans un monde de marchés ouverts, d'échanges équitables et d'opportunités pour tous.

Pour ceux d'entre nous qui sommes venus des anciennes colonies pour entrer dans « le fantasme national[21] » de l'Amérique, il existe donc la séduction d'une appartenance plurielle – devenir américain tout en restant quelque part diasporique, avoir un attachement ouvert à un espace fantas-matique sans limites. Mais si nous pouvons fabriquer nos iden-tités, nous ne pouvons le faire exactement comme nous le voulons. Puisque nombre d'entre nous se retrouvent racialisés, biologisés, minorisés, réduits en somme plutôt qu'avantagés par leur corps et leur histoire, nos diacritiques particulières deviennent nos prisons, et le trope de la tribu nous pousse hors d'une autre Amérique dénuée de spécifications, éloignée des clameurs de la tribu, convenable, civile et blanche, une terre dans laquelle nous ne sommes pas encore les bienvenus.

Cela nous ramène au langage et à l'image pervasifs du tribalisme. Appliqué à New York, Miami et Los Angeles (opposés à Sarajevo, Soweto ou Colombo), le trope du tri-balisme dissimule et permet à la fois un racisme diffus sur ces Autres (par exemple les Hispaniques, les Iraniens et les Afro-Américains) qui se sont infiltrés dans le corps politique américain. Cela nous permet de maintenir l'idée d'une amé-ricanité qui précède (et subsiste malgré) le trait d'union qui la définit en partie, et de maintenir une distinction entre Américains tribaux (les Noirs, les Marron et les Jaunes) et les autres Américains. Ce trope facilite le fantasme que la société civile aux États-Unis a la destinée particulière d'un pluriculturalisme paisible – un pluriculturalisme intelligible pour nous, une ethnicité sanglante ou un tribalisme sans pensée pour eux.

Il s'est développé dans la pensée sociale américaine un ensemble spécifique de liens entre démocratie, diversité et prospérité. Bâti sur un dialogue complexe entre la science politique (la seule science sociale authentiquement made-in-America, sans contrepartie ou antécédents européens manifestes) et le constitutionalisme vernaculaire, un équilibre confortable s'est établi entre les idées de diversité culturelle et l'une ou l'autre version du melting pot. Oscillant entre le *National Geographic* et le *Reader's Digest*, cette calme pola-rité s'est révélée remarquablement durable et confortable. Elle permet, parfois sur la même page ou du même souffle, le sentiment que la pluralité est le génie américain *et* qu'il existe une américanité contenant et transcendant la pluralité. Ce deuxième arrangement avec la différence, qui date d'après la guerre de Sécession, est désormais à bout de souffle, et le débat politiquement correct/pluriculturalisme est son Waterloo local et particulier. Local, parce qu'il refuse obstinément de reconnaître que le défi du pluralisme diasporique est à présent global et que les solutions américaines ne peuvent être perçues dans l'isolement. Particulier, parce qu'il n'y a eu aucune reconnaissance systématique que la politique du pluriculturalisme est désormais partie intégrante du nationalisme extraterritorial de populations qui aiment l'Amérique, mais ne sont pas nécessairement attachées aux États-Unis. Pour le dire nettement, ni la pensée populaire ni la pensée universitaire dans ce pays n'ont encore saisi la différence entre le fait d'être une terre d'immigrants et le fait d'être un nodule dans un réseau postnational de diasporas.

Dans le monde postnational que nous voyons émerger, la diaspora va dans le droit fil – et non à rebours – de l'identité, du mouvement et de la reproduction. Tout le monde a des parents travaillant à l'étranger. Beaucoup de gens se retrouvent en situation d'exilés sans avoir pour autant bougé très loin : les Croates en Bosnie, les Hindous au Cachemire, les Musulmans en Inde. D'autres en revanche se trouvent dans des modèles de migration répétée. Les Indiens qui sont allés en Afrique de l'Est au XIXe et au début du XXe siècle, qui ont été chassés d'Ouganda, du Kenya et de Tanzanie dans les années 1980 et ont retrouvé des emplois et des opportunités en Angleterre et aux États-Unis, envisagent aujourd'hui de retourner en Afrique. De même, les Chinois de Hong Kong qui achètent aujourd'hui des immeubles à Vancouver, les commerçants gujarati d'Ouganda qui ouvrent des motels dans le New Jersey et des kiosques à journaux à New York, les taxis sikhs de Chicago et de Philadelphie sont autant d'exemples d'un nouveau monde où la diaspora est dans l'ordre des choses et où les modes de vie établis sont de plus en plus difficiles à trouver. Les États-Unis, se percevant toujours comme une terre d'immigrants, se trouvent surnager dans ces diasporas globales, non plus en tant qu'espace clos où le *melting pot* peut opérer ses miracles, mais en tant que nouveau tournant diasporique. Les gens viennent ici pour chercher fortune, mais ils ne sont plus heureux de laisser leur patrie derrière eux. La fièvre mondiale de la démocratie et l'effondrement de l'empire soviétique ont signifié que la plupart des groupes qui désirent renégocier leurs liens à leurs identités diasporiques de leur point de vue américain sont désormais libres de le faire : ainsi, les Américains d'origine juive ou polonaise entreprennent des voyages commémorant l'Holocauste en Europe de l'Est, les médecins indiens du Michigan installent des cliniques à New Delhi, les Palestiniens de Detroit participent à la politique de la bande de Gaza.

La forme de la transnation

La formule du trait d'union (Italo-Américains, Afro-Américains, Asiato-Américains) atteint son point de saturation et le côté droit du trait d'union peut difficilement contenir la turbulence du côté gauche. Alors que la légitimité des États-Nations dans leurs propres contextes territoriaux est de plus en plus menacée, l'idée de la nation continue de s'épanouir de façon transnationale. À l'abri des attaques de leurs États d'origine, les communautés diasporiques deviennent doublement loyales à leurs nations d'origine et donc ambivalentes dans leur loyauté vis-à-vis de l'Amérique. La politique d'identité ethnique aux États-Unis est indissociablement liée à la dissémination mondiale d'identités originellement locales/nationales. Pour chaque État-nation ayant exporté une part significative de sa population aux États-Unis à titre de réfugiés, de touristes ou d'étudiants, il existe à présent une transnation délocalisée conservant un lien idéologique particulier avec un lieu putatif d'origine, tout en étant par ailleurs une collectivité totalement diasporique[22]. Aucune conception existante de l'américanité ne peut rendre compte de cette vaste gamme de transnations.

Dans ce scénario, l'Américain à trait d'union pourrait s'en voir décerner deux (Asiato-Américain-Japonais ou Indien-d'Amérique-Seneca, ou Afro-Américano-Jamaïcain ou Hispano-Américano-Bolivien) selon que les identités restent mobiles ou se font plus protéiformes. Ou encore, il faudrait peut-être inverser les côtés du trait d'union, et nous aurions alors une fédération de diasporas : Américano-Italiens, Américano-Haïtiens, Américano-Irlandais, Américano-Africains.

La double nationalité pourrait devenir monnaie courante si les sociétés d'où nous sommes venus demeurent ou deviennent plus ouvertes. Nous pourrions reconnaître que la diversité diasporique place en fait sa loyauté première dans une transnation non territoriale, tout en reconnaissant qu'il existe une façon américaine spécifique de se connecter à ces diasporas globales. L'Amérique, en tant qu'espace culturel, n'aura pas besoin d'entrer en compétition avec une série d'identités globales et de loyautés diasporiques. On pourrait finir par la voir comme un modèle d'aménagement d'un lieu territorial (entre autres) pour un éclosement croisé de communautés diasporiques. À cet égard, le problème américain ressemble à celui d'autres démocraties industrielles riches (la Suède, l'Allemagne, la Hollande et la France) qui toutes affrontent le défi d'accorder l'universalisme des Lumières et le pluralisme diasporique.

La question est la suivante : une politique postnationale peut-elle être construite autour de ce fait culturel ? De nombreuses sociétés se trouvent désormais face à des flux d'immigrants et de réfugiés, désirables ou non. D'autres poussent certains groupes dehors dans le cadre d'un nettoyage ethnique conçu pour produire le peuple même dont la nation était censée ratifier la préexistence. Mais l'Amérique est peut-être la seule à s'être organisée autour d'une idéologie politique moderne où le pluralisme soit le pivot de la conduite de la vie démocratique. À partir de cette expérience différente, cette société a aussi généré une puissante fable sur elle-même en tant que terre d'immigrants. Dans le monde actuel, postnational et diasporique, l'Amérique est invitée à fondre ces deux doctrines ensemble, à faire face aux besoins du pluralisme *et* de l'immigration pour construire une société *autour* de la diversité diasporique.

Mais des images comme la mosaïque, l'arc-en-ciel, le patchwork et autres tropes de complexité-dans-la-diversité ne nous offrent pas les ressources imaginatives nécessaires à cette entreprise, surtout au moment où les peurs du tribalisme se multiplient. Les tribus ne fabriquent pas de patchworks, même si elles font quelquefois des confédérations. Que ce soit dans les débats sur l'immigration, l'éducation bilingue, le canon académique ou les basses classes, ces images libérales ont cherché à contenir la tension entre le mouvement centripète de l'américanité et la tendance centrifuge de la diversité diasporique dans la vie américaine. Les combats sur l'affirmation des minorités, les quotas, l'aide sociale et l'avortement dans les États-Unis d'aujourd'hui suggèrent que la métaphore de la mosaïque ne peut contenir la contradiction entre identités de groupe, que les Américains toléreront (jusqu'à un certain point) dans la vie culturelle, et les identités individuelles, qui demeurent le principe non négociable derrière les idées américaines de réussite, de mobilité et de justice.

Que faut-il faire ? Il peut y avoir une place particulière pour l'Amérique dans le nouvel ordre postnational, une place qui ne s'appuie ni sur l'isolationisme, ni sur la domination globale. Les États-Unis se prêtent remarquablement au rôle de laboratoire culturel et de zone de libre échange pour la génération, la circulation, l'importation et l'essai de matériaux pour un monde organisé autour de la diversité diasporique. En un sens, cette expérience a déjà commencé. Les États-Unis sont déjà un immense et fascinant « vide-grenier » pour le reste du monde. Ils offrent des stages de golf et de l'immobilier aux Japonais ; des idéologies et des techniques de gestion des affaires à l'Europe et à l'Inde ; des idées de séries télé au Brésil et au Moyen-Orient ; des Premiers ministres à la Yougoslavie ; une économie de marché à la Pologne, à la Russie et à quiconque voudra bien l'essayer ; un fondamentalisme chrétien à la Corée ; et une architecture postmoderne à Hong Kong. En fournissant également une série d'images – Rambo en Afghanistan, « We are the world », George Bernard Shaw à Bagdad, Coke à Barcelone, Perot à Washington – qui mêlent les droits de l'homme, le style consommateur, l'anti-étatisme et les paillettes des médias, on pourrait dire que les États-Unis rendent compte en partie des idiosyncrasies qui accompagnent les combats pour l'autodétermination dans des parties du monde par ailleurs très différentes. C'est pourquoi un sweat-shirt de l'université d'Iowa n'est pas simplement un stupide symbole dans les jungles du Mozambique ou sur les barricades de Beyrouth. Il saisit le désir flottant pour le style américain, même dans les contextes les plus intenses d'opposition aux États-Unis. La politique culturelle de la nationalité *queer* est un exemple de ce désir contradictoire pour les États-Unis[23]. Le reste de ce désir est suscité par des États policiers autoritaires, des industries d'armement massives, l'œil insistant et affamé des média électroniques, et le désespoir des faillites économiques.

Bien sûr, ces produits et ces idées ne sont pas les immaculées conceptions d'un mystérieux savoir-faire américain, mais sont précisément le résultat d'un environnement complexe dans lequel les idées et les intellectuels se rencontrent dans une diversité de lieux (tels que laboratoires, bibliothèques, salles de classe, studios de musique, séminaires d'affaires et campagnes politiques) pour générer, reformuler et refaire circuler des formes culturelles fondamentalement postnationales et diasporiques. Le rôle des musiciens, des studios d'enregistrement et des labels américains dans la création des rythmes planétaires est un excellent exemple de cette mentalité d'entreprise nationale s'étendant offshore. Les Américains répugnent à admettre les façons fragmentées, pragmatiques, fortuites, flexibles et opportunistes dont ces produits et contrefaçons américains circulent dans le monde. Les Américains aiment à penser que les Chinois ont simplement acheté les vertus de la libre entreprise ; les Polonais, l'économie de marché ; les Haïtiens et les Philippins, la démocratie ; et, tout le monde, les droits de l'homme. Nous prêtons rarement attention aux termes compliqués, aux traditions et aux styles culturels dans lesquels ces idées sont reprises et transformées au point d'en devenir méconnaissables. Ainsi, durant les événements historiques de la place Tiananmen en 1989, quand il semblait que le peuple chinois était devenu démocrate en une nuit, il ne manquait pas de signes que différents groupes en Chine comprenaient leurs problèmes de façons à la fois variées sur le plan interne et liées à diverses spécificités de l'histoire et du style culturel de la Chine.

Quand les Américains voient des transformations et des complications culturelles de leur vocabulaire et de leur style démocratique, à supposer qu'ils les remarquent, ils en sont ennuyés et dépités. Par cette lecture de la façon dont d'autres manient ce qu'ils voient encore comme *leur* recette nationale du succès, les Américains accomplissent encore un acte de distorsion narcissique : *nous* imaginons que des inventions spécifiquement américaines (la démocratie, le capitalisme, la libre entreprise, les droits de l'homme) sont automatiquement et intrinsèquement interconnectées et que notre saga nationale tient la clé de la combinaison. Dans la migration de nos mots, nous voyons la victoire de nos mythes. Nous sommes des croyants au dernier stade de la conversion.

La « victoire » américaine dans la guerre froide ne doit pas être fatalement à la Pyrrhus. Le fait est que les États-Unis, d'un point de vue culturel, sont déjà une vaste zone de libre échange, pleine d'idées, de technologies, de styles et de langages (McDonald, la Harvard Business School, la Dream Team, etc.) que le reste du monde trouve fascinants. Cette zone de libre échange repose sur une économie volatile ; les villes majeures du pourtour américain (Los Angeles, Miami, New York, Detroit) sont désormais fortement militarisées. Mais ces faits importent peu à ceux qui viennent, pour de brefs ou longs séjours, dans cette zone de libre échange. Certains, fuyant une violence urbaine bien plus grande, la persécution d'État et la difficulté économique, viennent en tant qu'immigrants permanents, légaux ou illégaux. D'autres sont des acheteurs à court terme, de vêtements, de divertissements, de prêts, d'armements, ou de rapides leçons d'économie de marché ou de politique de société civile. C'est la turbulence même, la mobilité de l'échelle sociale, l'inventivité tous azimuts, la vitalité culturelle de cette zone de libre échange qui attire toutes sortes de diasporas aux États-Unis.

Pour les États-Unis, jouer un rôle majeur dans la politique culturelle d'un monde postnational a des conséquences internes très complexes. Cela peut signifier de faire une place légitime aux droits culturels, au droit à maintenir la différence culturelle sous des protections et garanties publiques. Cela peut signifier une douloureuse cassure par rapport à une conception fondamentalement fordiste, centrée sur la production de l'économie américaine, alors que nous apprenons à être des courtiers de l'information globale, des pourvoyeurs de services, des docteurs en style. Cela peut signifier d'embrasser comme une part de notre vie ce que nous avons confiné jusqu'ici au monde de Broadway, Hollywood et

Disneyland : l'importation d'expériences, la production de fantasmes, la fabrication d'identités, l'exportation de styles, la fabrication de pluralités. Cela peut signifier de distinguer notre attachement à l'Amérique de notre désir de mourir pour les États-Unis. Cette suggestion converge avec la proposition suivante de Lauren Berlant : « Le sujet qui veut éviter la folie mélancolique de l'auto-abstraction qu'est la citoyenneté, et résister au désir de surmonter seul le contexte politique matériel dans lequel il vit, doit développer des tactiques pour refuser l'articulation, vieille maintenant de quatre siècles, entre les États-Unis et l'Amérique, la nation et l'utopie [24]. »

En clair, il est peut-être temps de repenser le monopatriotisme, le patriotisme dirigé exclusivement vers le trait d'union entre nation et État, et de laisser les problèmes matériels que nous affrontons – le déficit, l'environnement, l'avortement, la race, les drogues et l'emploi – définir ces groupes sociaux et ces idées pour lesquels nous serions prêts à vivre et à mourir. La nation *queer* peut n'être que le début d'une série de nouveaux patriotismes, dont d'autres pourraient être ceux des retraités, des chômeurs et des handicapés, aussi bien que des scientifiques, des femmes et des Hispaniques. Certains d'entre nous sont peut-être encore prêts à vivre – et à mourir – pour les États-Unis. Mais beaucoup de ces souverainetés sont intrinsèquement postnationales. Assurément, elles représentent des motivations plus humaines d'affiliation que l'État ou les partis, et des bases plus intéressantes pour le débat et les alliances croisées. Les volontaires de Ross Perot en 1992 nous offrent un bref et intense aperçu des pouvoirs du patriotisme totalement divorcé des partis, des gouvernements ou de l'État. L'Amérique peut encore construire une autre histoire ayant une signification à long terme, une histoire sur les usages de la loyauté après la fin de l'État-nation. Dans cette histoire, les territoires limités pourraient laisser la place à des réseaux diasporiques, les nations aux transnations, et le patriotisme lui-même pourrait devenir pluriel, sériel, contextuel et mobile. C'est là une direction pour l'avenir du patriotisme dans un monde postcolonial. Il est peu probable que le patriotisme – comme l'histoire – ait une fin, mais ses objets sont susceptibles de transformation, en théorie comme en pratique.

Il reste maintenant à demander ce que les transnations et le transnationalisme ont à faire avec la postnationalité et ses projets. Cette relation exige un chapitre à part, mais il convient de faire déjà quelques observations. À mesure que les populations deviennent déterritorialisées et incomplètement nationalisées, que les nations se divisent et se recombinent et que les États affrontent d'énormes difficultés dans la tâche de produire « le peuple », les transnations sont les sites sociaux les plus importants où se déploient les crises du patriotisme.

Les résultats sont sûrement contradictoires. Le déplacement et l'exil, la migration et la terreur créent de puissants attachements aux idées de mère patrie qui semblent plus profondément territoriales que jamais. Mais il est aussi possible de détecter dans beaucoup de ces transnations (certaines ethniques, d'autres religieuses, philanthropiques ou militaristes) les éléments d'un imaginaire postnational. Ces éléments, pour ceux qui désirent hâter la chute de l'État-nation, exigent, du fait de toutes leurs contradictions, d'être à la fois développés et critiqués. Ainsi, les formes sociales transnationales peuvent générer non seulement des aspirations postnationales, mais aussi des mouvements, des organisations et des espaces postnationaux déjà existants. Dans ces espaces postnationaux, l'incapacité de l'État-nation à tolérer la diversité (lui qui recherche l'homogénéité de ses citoyens, la simultanéité de sa présence, la consensualité de son histoire et la stabilité de ses citoyens) peut, éventuellement, être surmontée.

CHAPITRE VIII

La production de la localité

Quelle est la place de la localité dans les divers schémas proposés sur le flux culturel global ? L'anthropologie conserve-t-elle un quelconque privilège rhétorique dans un monde où la localité semble avoir perdu ses amarres ontologiques ? La relation mutuellement constitutive entre anthropologie et localité peut-elle survivre dans un monde spectaculairement délocalisé ? Ma discussion n'a pas ici pour objet le souci de la production de l'espace[1] ou les angoisses disciplinaires de l'anthropologie en tant que telle, bien que ces deux problèmes informent largement ma réponse à ces questions. Ma discussion reprend plutôt un débat permanent sur l'avenir de l'État-nation (*cf.* chapitre VII). La question que je pose est la suivante : que peut signifier la localité dans une situation où l'État-nation affronte des types particuliers de déstabilisation transnationale ?

La localité est avant tout une question de relation et de contexte, plutôt que d'échelle ou d'espace. Je la vois comme une qualité phénoménologique complexe, formée d'une série de liens entre le sentiment de l'immédiateté sociale, les technologies de l'interactivité et la relativité des contextes. Cette qualité phénoménologique, qui s'exprime dans certains types d'action, de socialité et de reproductibilité, est le prédicat majeur de la localité en tant que catégorie (ou sujet) que je cherche à explorer. À l'opposé, j'utilise le terme de *structure de voisinage* pour parler des formes sociales actuellement existantes dans lesquelles la localité, en tant que dimension ou valeur, est réalisée sous diverses formes. Les voisinages, dans ce sens, sont des communautés identifiées, caractérisées par leur actualité spatiale ou virtuelle et leur potentiel de reproduction sociale[2].

Dans le cadre de cette exploration, j'aborde deux autres questions. Comment la *localité*, en tant qu'aspect de la vie sociale, est-elle liée aux *voisinages* en tant que formes sociales substantielles ? La relation de la localité aux voisinages est-elle substantiellement modifiée par l'histoire récente, notamment par la crise globale de l'État-nation ? Une façon plus simple de qualifier ces multiples objectifs passe par cette question : que peut signifier la localité dans un monde où la localisation spatiale, l'interaction quotidienne et l'échelle sociale ne sont pas toujours isomorphes ?

Localiser le sujet

C'est l'un des grands clichés de la théorie sociale (en remontant à Toennies, Weber et Durkheim) que la localité en tant que propriété ou diacritique de la vie sociale est en état de siège dans les sociétés modernes. Mais la localité est une réalisation sociale intrinsèquement fragile. Même dans les situations les plus intimes, dans des sociétés confinées spatialement et isolées géographiquement, la localité doit être gardée avec soin contre toutes sortes de dangers. Ces dangers ont été, dans divers endroits et à différentes époques, conceptualisés de différentes façons. Dans de nombreuses sociétés, les frontières sont des zones dangereuses exigeant une maintenance rituelle particulière ; dans d'autres, les relations sociales procèdent systématiquement par fission, créant une tendance persistante de certains voisinages à se dissoudre. Dans d'autres situations encore, l'écologie et la technologie exigent que les maisons et les espaces habités ne cessent de changer, contribuant ainsi à un sentiment endémique d'anxiété et d'instabilité dans la vie sociale.

L'essentiel de ce que nous appelons les rapports ethnographiques peut être réécrit et relu de ce point de vue. Dans le premier exemple, ce que nous avons appelé les *rites de passage* concerne la production de ce que nous pourrions appeler les *sujets locaux* – soit des acteurs appartenant vraiment à une communauté identifiée de parenté, de voisins, d'amis et d'ennemis. Les cérémonies de baptême et de tonsure, de scarification et de ségrégation, de circoncision et de dépossession sont des techniques sociales complexes visant à inscrire la localité sur les corps. Si on les regarde d'un point de vue légèrement différent, elles apparaissent comme des moyens d'incarner la localité, ainsi que de localiser les corps dans des communautés définies sur le plan social et spatial. On a sans doute moins prêté attention au symbolisme spatial des rites de passage qu'à leur symbolisme corporel et social. De tels rites ne sont pas de simples techniques mécaniques visant à l'agrégation sociale, mais des techniques sociales visant à la production d'« indigènes », catégorie que j'ai déjà discutée ailleurs[3].

Ce qui est vrai de la production de sujets locaux dans le rapport ethnographique est aussi vrai des processus par lesquels la localité est matériellement produite. La construction de maisons, l'organisation de voies et de passages, la création et recréation de champs et de jardins, le relevé cartographique et la négociation des espaces de passage et des terres des chasseurs-collecteurs est la préoccupation incessante et souvent futile de beaucoup de petites communautés étudiées par les anthropologues. Ces techniques de production *spatiale* de la localité ont été copieusement documentées. Mais, en général, elles n'ont pas été perçues comme des modèles de production de la localité – soit à la fois une propriété générale de la vie sociale et une variation particulière de cette propriété. Morcelés dans leur description en technologies de construction immobilière, de culture des jardins, etc., ces résultats matériels ont été pris comme des fins en soi plutôt que comme les étapes d'une technologie (et d'une téléologie) générale de la localisation.

La production de la localité dans les sociétés historiquement étudiées par les anthropologues (sur des îles et dans des forêts, dans des villages agricoles et des camps de chasseurs) ne consiste pas simplement à produire des sujets locaux et les voisinages qui contextualisent ces subjectivités. Comme le montrent bien de récents travaux sur la logique sociale du rituel[4], l'espace et le temps sont eux-mêmes socialisés et localisés à travers des pratiques complexes et délibérées de performance, de représentation et d'action. Nous

259

avons tendu à appeler ces pratiques *cosmologiques* ou *rituelles* – termes qui, en nous distrayant de leur caractère actif, intentionnel et productif, créent la douteuse impression d'une reproduction mécanique.

L'un des traits généraux les plus remarquables du processus rituel est sa façon très spécifique de localiser la durée et l'extension, de donner à ces catégories des noms et des propriétés, des valeurs et des significations, des symptômes et une lisibilité. Une grande part de ce que nous savons du rituel dans des sociétés à petite échelle peut être revisitée de ce point de vue. Le vaste corpus de littérature sur les techniques utilisées pour nommer les lieux, protéger les récoltes, les animaux et d'autres espaces et ressources reproductifs, marquer le passage des saisons et des rythmes agricoles, définir l'emplacement des maisons et des puits et délimiter les frontières (domestiques et communales) est essentiellement une littérature documentant la socialisation de l'espace et du temps. Plus précisément, c'est un compte rendu de la production spatio-temporelle de la localité. Vues de cette façon, la remarquable étude des rites de passage par Arnold van Gennep[5], l'essentiel de la bizarre encyclopédie de James G. Frazer[6] et l'étude monumentale de Bronislaw Malinowski sur la magie du jardin Trobriand[7] sont essentiellement des comptes rendus des milliers de façons dont des sociétés à petite échelle ne tiennent pas et ne peuvent tenir la localité comme acquise. Elles semblent plutôt supposer que la localité est éphémère, à moins d'entreprendre un travail difficile et suivi pour produire et maintenir sa matérialité. Pourtant, cette matérialité même est parfois prise pour le point d'aboutissement de ce travail, obscurcissant ainsi les effets plus abstraits du travail en question sur la production de la localité comme structure de sentiment.

Ce que l'on a considéré comme un savoir local est en fait pour l'essentiel un savoir-comment produire et reproduire la localité dans des conditions d'angoisse et d'entropie, de détérioration et de flux social, d'incertitude écologique et de volatilité cosmique, avec l'ambiguïté toujours présente de la famille, des ennemis, des esprits et lutins en tous genres. La localité du savoir local n'est pas seulement, ni même essentiellement, son intégration au sein d'un *ici* et *maintenant* non négociable, ou son désintérêt têtu des choses en général, bien qu'il s'agisse sans doute de propriétés cruciales, comme nous l'a rappelé Clifford Geertz dans ses divers travaux[8]. Le savoir local concerne essentiellement la production fiable de sujets locaux, ainsi que la production de voisinages locaux au sein desquels de tels sujets peuvent être reconnus et organisés. En ce sens, le savoir local existe surtout non pas en opposition aux autres savoirs – que, d'un point de vue non local, l'observateur pourrait voir comme moins localisés – mais en vertu de sa téléologie et de son ethos locaux. Nous pourrions dire, en adaptant Marx, que le savoir local n'est pas seulement local *en soi* mais, plus important encore, *pour soi*.

Même dans les plus petites sociétés, ayant la plus humble des technologies et placées dans les contextes écologiques les plus désolés, la relation entre la production de sujets locaux et les cadres de voisinages dans lesquels de tels sujets peuvent être produits, nommés et mis en possibilité d'agir socialement, est une relation historique et dialectique. En l'absence de sujets locaux fiables, la construction d'un terrain local d'habitation, de production et de sécurité morale n'aurait aucun intérêt. Mais en même temps, en l'absence d'un tel terrain connu, nommé, négociable et déjà disponible, les techniques rituelles visant à créer des sujets locaux seraient abstraites, et donc stériles. La reproduction à long terme d'un voisinage à la fois pratique, apprécié et tenu pour acquis dépend de l'interaction ininterrompue d'espaces et de temps localisés avec des sujets locaux possédant le savoir de reproduire la localité. Les problèmes proprement historiques surgissent chaque fois que cette continuité est menacée. Ces problèmes ne surgissent pas seulement avec la modernité, le colonialisme ou l'ethnographie. Je souligne ce point maintenant car je vais discuter plus loin les propriétés particulières de la production de la localité dans les conditions de la vie urbaine contemporaine, qui implique des régimes nationaux, une médiation de masse et une intense et irrégulière marchandisation.

Si une grande part du compte rendu ethnographique peut être relue et réécrite comme la description des modes infiniment variés de production de la localité, il s'ensuit que l'ethnographie s'est faite la complice involontaire de cette activité. Ce point concerne davantage le savoir et la représentation que la culpabilité ou la violence. Le projet ethnographique est d'une certaine façon isomorphe aux savoirs mêmes qu'il cherche à découvrir et à rapporter, tout comme le projet ethnographique et les projets sociaux qu'il cherche à décrire ont la production de la localité pour visée principale[9]. La méconnaissance de ce fait dans les deux projets, qui n'y voient qu'une accumulation d'actions et de performances futiles et discontinues (construction, baptême des enfants, rituels frontaliers, rituels d'accueil, purifications spatiales), est la méconnaissance constitutive qui garantit à la fois l'aspect approprié de l'ethnographie à certains types de descriptions et son manque certain de réflexivité en tant que projet de savoir et de reproduction. Prises dans l'orbite de la localisation même qu'elles cherchent à documenter, la plupart des descriptions ethnographiques ont pris la localité pour fondement, ne reconnaissant ni sa fragilité ni son ethos *en tant que propriété de la vie sociale*. Il en découle une collaboration non problématisée avec le sentiment d'inertie qui est le pivot central de la localité en tant que structure de sentiment.

L'intérêt de reconcevoir l'ethnographie (et de relire l'ancienne ethnographie) de ce point de vue est triple : (1) faire passer l'histoire de l'ethnographie d'une histoire des structures de voisinages à une histoire des techniques de production de la localité ; (2) penser de façon nouvelle la coproduction complexe de catégories indigènes par des intellectuels organiques, des administrateurs, des linguistes, des missionnaires et des ethnologues, sur de grands fragments de l'histoire monographique de l'anthropologie ; (3) permettre à l'ethnographie du moderne et de la production de la localité dans des conditions modernes d'être une part d'une contribution plus générale au compte rendu ethnographique tout court. Tout ceci contribuerait à se garder de l'usage trop facile de divers tropes mis en opposition (alors et maintenant, avant et après, petit et grand, limité et illimité, stable et fluide, chaud et froid) qui opposent implicitement les ethnographies du et dans le présent aux ethnographies du et dans le passé.

Les contextes de la localité

Je me suis concentré jusqu'ici sur la localité en tant que propriété phénoménologique de la vie sociale, soit une structure de sentiment produite par des formes particulières d'activité intentionnelle et suscitant des types spécifiques d'effets matériels. Mais cet aspect dimensionnel de la localité ne peut être séparé des installations réelles à travers lesquelles se reproduit la vie sociale. Faire le lien entre la localité comme propriété de la vie sociale et les voisinages comme formes sociales exige d'explorer plus attentivement la question du contexte. La production de voisinages est toujours historiquement fondée et donc contextuelle. C'est-à-dire que les voisinages sont intrinsèquement ce qu'ils sont parce qu'ils sont opposés à quelque chose d'autre et dérivent d'autres voisinages déjà produits. Dans la conscience pratique de nombreuses communautés humaines, ce quelque chose d'autre est souvent conceptualisé écologiquement comme une forêt ou une friche, un océan ou un désert, un marais ou un fleuve. De tels signes écologiques marquent souvent des frontières qui signalent la présence de forces et de catégories non humaines, ou de forces identifiables comme humaines mais barbares ou démoniaques. Ces contextes, contre lesquels les voisinages sont produits et figurés, sont souvent perçus à la fois comme des terrains écologiques, sociaux et cosmologiques.

Il peut être utile de noter ici que la partie sociale du contexte des voisinages – soit l'existence d'autres voisinages – rappelle l'idée d'*ethnoscape* (*cf.* chapitre II), terme que j'ai utilisé pour sortir de l'idée que les identités de groupe impliquent fatalement de voir les cultures comme des formes spatialement limitées, historiquement non conscientes d'elles-mêmes, ou ethniquement homogènes. J'ai supposé que l'idée d'ethnospace pouvait être particulièrement opératoire à la fin du XXe siècle, lorsque le mouvement humain, la volatilité des images et les activités conscientes de production d'identité des États-nations ont prêté une qualité fondamentalement instable à la vie sociale.

Pourtant, les voisinages sont toujours dans une certaine

mesure des ethnoscapes, puisqu'ils intègrent les projets ethniques d'Autres aussi bien que la conscience de tels projets. C'est-à-dire que des voisinages particuliers reconnaissent parfois que leur propre logique est une logique générale par laquelle les Autres aussi construisent des mondes-vies identifiables, sociaux, humains et situés. Un tel savoir peut être encodé dans la pratique de rituels associés au déboisage, à la création de jardins, à la construction de maisons, qui porte toujours un sens implicite de la téléologie de la construction de la localité. Dans des sociétés plus complexes, qui possèdent typiquement une éducation, des classes de prêtres, et des macro-ordres pour le contrôle et la dissémination d'idées puissantes, de tels savoirs sont codifiés, comme dans les rituels associés à la colonisation de nouveaux villages par les Brahmanes dans l'Inde précoloniale.

Toute construction de localité suppose un moment de colonisation, un moment à la fois historique et chronotypique, celui de la reconnaissance formelle que la production d'un espace de voisinage exige une action délibérée, risquée, et même violente par rapport au sol, aux forêts, aux animaux et aux humains. Une bonne part de la violence associée au rituel de fondation[10] est une reconnaissance de la force requise pour arracher une localité à des peuples et des lieux jusque-là incontrôlés. En d'autres termes[11], la transformation d'espaces en lieux requiert un moment conscient, qui peut ensuite être remémoré comme un acte assez routinier. La production d'un voisinage est intrinsèquement colonisante, au sens qu'elle implique l'affirmation d'un pouvoir socialement et (souvent rituellement) organisé sur des lieux et des installations perçus comme potentiellement chaotiques ou rebelles. L'angoisse qui accompagne de nombreux rituels d'habitation, d'occupation ou d'installation est une reconnaissance de la violence implicite de tous ces actes de colonisation. En ce sens, la production d'un voisinage est intrinsèquement un exercice de pouvoir sur un environnement hostile ou récalcitrant, qui peut prendre la forme d'un autre voisinage.

Une grande part du matériel narratif déterré par les ethnographes travaillant sur de petites communautés, et nombre de leurs descriptions de rituels agricoles, de construction de maisons et de passages sociaux, soulignent la fragilité matérielle qui accompagne la production et le maintien de la localité. Néanmoins, si intégrée que puisse être cette description dans les particularités de l'endroit, du sol et de la technique rituelle, elle contient ou implique invariablement une théorie du contexte – une théorie, en d'autres termes, d'à partir de quoi, contre quoi, en dépit de quoi, et en association avec quoi est produite une structure de voisinage. Le problème de la relation entre voisinage et contexte exigerait un vaste développement qui n'a pas sa place ici. Mais qu'on me permette d'esquisser les lignes générales de ce problème. Le dilemme central est que les voisinages sont des contextes qui exigent et en même temps produisent des contextes. Les structures de voisinage sont des contextes en ce sens qu'elles offrent le cadre ou l'environnement dans lequel diverses sortes d'actions humaines (productives, reproductives, interprétatives, performatives) peuvent être initiées et menées avec sens. Les mondes vécus significatifs, exigeant des modèles d'action lisibles et reproductibles, sont à cet égard comme les textes, requérant donc un ou plusieurs contextes. D'un autre point de vue, un voisinage est un contexte, ou un ensemble de contextes, permettant à la fois de générer et d'interpréter les actions sociales significatives. En ce sens, les voisinages sont des contextes, et les contextes sont des voisinages. Un voisinage est un site à multiples interprétations.

Dans la mesure où les voisinages sont imaginés, produits et maintenus contre une sorte de toile de fond (sociale, matérielle, environnementale), ils exigent et produisent des contextes contre lesquels leur propre intelligibilité prend forme. La dimension de génération de contextes des voisinages est une question importante, parce qu'elle offre un début d'angle théorique sur la relation entre réalités locales et globales. Comment ? La façon dont les voisinages sont produits et reproduits exige la construction continue, à la fois pratique et discursive, d'un ethnoscape (nécessairement non local) contre lequel les pratiques et les projets locaux sont censés s'inscrire.

Dans une dimension, à un moment, et à partir d'une perspective donnés, les voisinages en tant que contextes existants sont des prérequis pour la production de sujets locaux. C'est-à-dire que les endroits et les espaces, au sein d'un voisinage spatio-temporel historiquement produit, et avec une série de rituels localisés, de catégories sociales, de praticiens experts et de publics informés, sont requis pour que de nouveaux membres (bébés, étrangers, esclaves, prisonniers, invités, parenté) deviennent des sujets locaux permanents ou temporaires. Nous voyons ici la localité dans sa dimension classique de sens commun, d'habitus. Dans cette dimension, un voisinage apparaît comme un simple ensemble de contextes, historiquement reçus, matériellement intégrés, socialement appropriés, naturellement non problématiques : les pères engendrent des fils, les jardins produisent des ignames, la sorcellerie produit la maladie, les chasseurs produisent de la viande, les femmes produisent des bébés, le sang produit de la semence, les chamanes produisent des visions, etc. Tous ces contextes rassemblés semblent fournir le cadre non problématique pour la production technique de sujets locaux sur un mode régulier et régulé.

Mais tandis que ces sujets locaux s'engagent dans les activités sociales de production, représentation et reproduction (comme dans le travail de la culture), ils contribuent, souvent involontairement, à la création de contextes susceptibles d'excéder le matériel existant et les frontières conceptuelles du voisinage. L'aspiration aux alliances étend les réseaux de mariage à de nouveaux villages ; les expéditions de pêche affinent la connaissance des eaux navigables et riches en poissons ; les expéditions de chasse étendent le sens de la forêt en tant que cadre écologique réactif ; les conflits sociaux poussent à de nouvelles stratégies de sortie et de recolonisation ; les activités commerciales produisent de nouveaux mondes de marchandises et ainsi de nouveaux partenariats avec des groupements régionaux inconnus jusque-là ; la guerre produit de nouvelles alliances diplomatiques avec des voisins jusque-là hostiles. Et toutes ces possibilités contribuent à de subtils changements dans le langage, la vision du monde, la pratique rituelle, et la compréhension du soi collectif. Pour résumer, tandis que des sujets locaux continuent la tâche de reproduire leur voisinage, les contingences de l'histoire, de l'environnement et de l'imagination contiennent le potentiel pour la production de nouveaux contextes (matériels, sociaux et imaginatifs). De cette façon, par le biais des impondérables de l'action sociale menée par les sujets locaux, le voisinage comme contexte produit le contexte de voisinages. Avec le temps, cette dialectique modifie les conditions de la production de la localité en tant que telle. Autrement dit, c'est ainsi que les sujets de l'histoire deviennent des sujets historiques, de sorte qu'aucune communauté humaine, si apparemment stable, statique, limitée ou isolée soit-elle, ne peut utilement être considérée comme immobile ou en dehors de l'histoire. Cette observation converge avec la vision de Marshall Sahlins de la dynamique du changement conjoncturel [12].

Considérons les relations générales entre divers groupes yanomamis dans les forêts tropicales du Brésil et du Venezuela. La relation entre colonies, changements de population, guerre prédatrice et compétition sexuelle peut être vue comme un processus dans lequel des villages yanomamis spécifiques (voisinages) produisent réellement, dans et par leurs actes, leurs préoccupations et leurs stratégies, un ensemble plus large de contextes pour eux-mêmes et les uns par rapport aux autres. Cela crée un territoire général de mouvement, d'interaction et de colonisation yanomami dans lequel tout village répond à un contexte matériel plus large que lui, tout en contribuant lui-même à la création de ce contexte plus large. Dans une perspective à plus grande échelle, le réseau général d'espace et de temps dans lequel les Yanomamis produisent et génèrent des contextes réciproques pour des actes spécifiques de localisation (construction de villages) produit également certains des contextes dans lesquels les Yanomamis en tant que groupe rencontrent les États-nations brésilien et vénézuélien. En ce sens, les activités de production de localité des Yanomamis sont non seulement dépendantes du contexte, mais aussi génératrices de contexte. C'est vrai de toutes les activités de production de localité.

Ainsi, les voisinages semblent paradoxaux parce qu'ils constituent et requièrent des contextes tout à la fois. En tant qu'ethnoscapes, les voisinages impliquent inévitablement une conscience relationnelle d'autres voisinages, tout en agissant cependant en tant que voisinages autonomes d'interprétation, de valeur et de pratique matérielle. Ainsi, la localité en tant qu'entreprise relationnelle n'est pas la même que la localité en tant que valeur pratique dans la production quotidienne de sujets et la colonisation de l'espace. La production de localité est inévitablement génératrice de contexte dans une certaine mesure. Ce qui définit cette mesure dépend essentiellement des relations entre les contextes que créent les voisinages et ceux qu'ils rencontrent. C'est une question de pouvoir social et de différentes échelles d'organisation et de contrôle dans lesquelles sont intégrés des espaces (et des lieux) particuliers.

Si les pratiques et les projets des Yanomamis sont producteurs de contexte pour l'État brésilien, il est encore plus vrai que les pratiques de l'État-nation brésilien impliquent des forces dures, et même écrasantes d'intervention militaire, une exploitation de l'environnement à large échelle, une migration et une colonisation soutenue par l'État que les Yanomamis affrontent en des termes très inégaux. En ce sens – et je reviendrai sur ce point dans la section suivante à propos des conditions de la production de localité dans le domaine de l'État-nation –, les Yanomamis sont très assidûment localisés, au sens qu'ils sont enclavés, exploités, et peut-être même soumis au nettoyage ethnique dans le contexte de la politique brésilienne. Ainsi, alors qu'ils demeurent en position de générer des contextes tant qu'ils produisent et reproduisent leurs propres voisinages, ils sont de plus en plus prisonniers des activités de production de contexte de l'État-nation, de sorte que leurs propres efforts pour produire de la localité apparaissent faibles, et même voués à l'échec.

Cet exemple a une large applicabilité générale. La capacité des voisinages à produire des contextes (dans lesquels leurs activités mêmes de localisation acquièrent une signification et un potentiel historique) et à produire des sujets locaux est profondément affectée par les capacités de production de localité de formations sociales à plus grande échelle (États-nations, royaumes, empires missionnaires et cartels commerciaux), pour déterminer la forme générale de tous les voisinages situés dans l'orbite de ces pouvoirs. Ainsi, le pouvoir est déjà un caractère clé des relations contextuelles des voisinages, et même le « premier contact » implique toujours des histoires différentes de « première fois » de la part des deux protagonistes.

L'économie politique qui relie les voisinages aux contextes est donc complexe sur le plan méthodologique et historique. L'idée que nous nous faisons d'un contexte dérive largement de la linguistique. Jusqu'à récemment, le contexte a été défini de façon opportuniste pour donner un sens à des phrases, des rituels, des performances et des types de texte spécifiques. Alors que la production de textes a été étudiée de divers points de vue[13], la structure et la morphologie des contextes n'ont fait que récemment l'objet d'une attention systématique[14]. Au-delà de la linguistique anthropologique, le contexte demeure une idée mal définie, un concept inerte désignant un environnement inerte. Lorsque l'anthropologie sociale en appelle au contexte, elle en appelle en général à une idée assez vague du cadre social dans lequel des actions ou des représentations spécifiques peuvent le mieux être comprises. La sociolinguistique, surtout dérivée de l'ethnographie du langage[15], a été la source principale de cette approche générale.

La structure des contextes ne peut et ne doit pas être tirée entièrement de la logique et de la morphologie des textes. La production de textes et la production de contextes ont des logiques et des caractères métapragmatiques différents. Les contextes sont produits dans l'imbrication complexe de pratiques discursives et non discursives, de sorte que le sens dans lequel des contextes impliquent d'autres contextes (chaque contexte impliquant un réseau global de contextes) est différent du sens dans lequel les textes impliquent d'autres textes, et finalement tous les textes. Les relations intertextuelles, sur lesquelles nous savons beaucoup de choses, ne peuvent pas fonctionner de la même façon que les relations intercontextuelles. Enfin, et plus décourageant, le fait qu'il nous faudra trouver les moyens de connecter des théories d'intertextualité à des théories d'intercontextualité. Une forte théorie de la globalisation d'un point de vue socioculturel risque de requérir une chose dont nous sommes cruellement dépourvus : une théorie des relations intercontextuelles qui intègre notre sens actuel des intertextes. Mais ceci est un tout autre projet.

La relation entre voisinage comme contexte et contexte des voisinages, médiée par les actions des sujets historiques locaux, prend une complexité nouvelle dans le type de monde où nous vivons à présent. Dans cette nouvelle sorte de monde, la production de voisinages tend à se réaliser dans des conditions où le système des États-nations est le pivot normatif pour la production d'activités locales et translocales. Cette situation, dans laquelle les relations de pouvoir qui affectent la production de la localité sont fondamentalement translocales, est le sujet central de la section suivante.

La production globale de la localité

Ce qui a été discuté jusqu'ici comme un ensemble de problèmes structurels (localité et voisinages, texte et contexte, ethnoscapes et mondes vécus) doit maintenant être explicitement historicisé. J'ai déjà indiqué que la relation de la localité (et des voisinages) aux contextes est historique et dialectique, et que la dimension génératrice de contexte des lieux (en leur qualité d'ethnoscapes) est distincte de leurs caractères de fourniture de contextes (en leur qualité de voisinages). En quoi ces affirmations aident-elles à comprendre ce qui arrive à la production de la localité dans le monde contemporain ?

Les compréhensions contemporaines de la globalisation [16] semblent indiquer que l'on est passé de l'insistance sur les déplacements globaux des modes capitalistes de pensée et d'organisation, à une insistance quelque peu différente sur la diffusion de la forme de la nation, notamment telle qu'elle est dictée par la dissémination concomitante du colonialisme et du capitalisme de l'imprimé. Le problème qui semble à présent le souci dominant des sciences humaines, c'est celui du nationalisme et de l'État-nation [17].

Alors que seul l'avenir dira si nos préoccupations actuelles vis-à-vis de l'État-nation sont justifiées, on constate les débuts d'un engagement anthropologique sur cette question par la contribution croissante des anthropologues aux problématiques de l'État-nation[18]. Certains de ces travaux étudient explicitement le contexte global des formations culturelles nationales[19]. Pourtant, un cadre reliant le global, le national et le local reste encore à émerger.

Dans cette section, j'entends reprendre et élargir mes réflexions sur les sujets locaux et les contextes localisés pour esquisser les grandes lignes d'un argument sur les problèmes spécifiques entourant la production de la localité dans un monde devenu déterritorialisé[20], diasporique et transnational. C'est un monde où les médias électroniques transforment les relations entre information et médiation, et où les États-nations luttent pour conserver le contrôle sur leurs populations face à un ensemble de mouvements et d'organisations sous-nationaux et transnationaux. Étudier en détail les défis à la production de localité dans un tel monde excède les limites de ce chapitre, mais nous pouvons esquisser certains éléments de ce problème.

Pour le dire simplement, la tâche de produire de la localité (en tant que structure de sentiment, propriété de la vie sociale et idéologie d'une communauté identifiée) est de plus en plus un combat. Ce combat a de nombreuses dimensions, et je me concentre ici sur trois d'entre elles : (1) l'augmentation régulière des efforts de l'État-nation moderne pour définir tous les voisinages sous le signe de ses formes d'allégeance et d'affiliation ; (2) la disjonction croissante entre territoire, subjectivité et mouvement social collectif ; et (3) l'érosion continue, due essentiellement à la force et à la forme de la médiation électronique, de la relation entre voisinages spatiaux et virtuels. Pour rendre les choses encore plus complexes, ces trois dimensions sont elles-mêmes interactives.

L'État-nation appuie sa légitimité sur l'intensité de sa présence significative dans un corps continu de territoire limité. Il fonctionne en surveillant ses frontières, en produisant son peuple[21], en construisant ses citoyens, en définissant ses capitales, ses monuments, ses villes, ses eaux, ses sols et en construisant ses lieux de mémoire et de commémoration, tels que les cimetières et les cénotaphes, les mausolées et les musées. L'État-nation mène à travers ses territoires le projet curieusement contradictoire de créer un espace plat, contigu et homogène de nationalité, en même temps qu'une série de lieux et d'espaces (prisons, casernes, aéroports, stations de radio, secrétariats, parcs, tapis roulants, routes processionnelles) calculés pour créer les distinctions et divisions internes nécessaires à la cérémonie, à la surveillance, à la discipline et à la mobilisation de l'État. Ces derniers sont aussi les espaces et les lieux qui créent et perpétuent les distinctions entre gouvernants et gouvernés, criminels et responsables, foules et dirigeants, acteurs et observateurs.

À travers des dispositifs aussi divers que les musées et les dispensaires de villages, les bureaux de poste et les commissariats, les barrières de péage et les cabines téléphoniques, l'État-nation crée un vaste réseau de techniques formelles et informelles pour la nationalisation de tout l'espace considéré comme étant sous son autorité souveraine. Les États varient, bien sûr, dans leur capacité à pénétrer les coins et recoins de la vie quotidienne. La subversion, l'évasion et la résistance, parfois scatologiques [22], parfois ironiques [23], parfois dissimulées [24], parfois spontanées et parfois planifiées, sont très répandues. En fait, les échecs de l'État-nation à contenir et définir les vies de ses citoyens sont perceptibles dans la croissance des économies parallèles, des armées et polices privées et quasi privées, des nationalismes sécessionnistes et d'organisations non gouvernementales qui offrent des alternatives au contrôle national des moyens de subsistance et de justice.

Les États varient également dans la nature et l'étendue de leur intérêt pour la vie locale et les formes culturelles dans lesquelles ils investissent leurs plus profondes paranoïas de souveraineté et de contrôle. Cracher dans la rue est très dangereux à Singapour et en Papouasie ; les réunions publiques posent un problème à Haïti et au Cameroun ; manquer de respect à l'Empereur n'est pas bon au Japon ; et encourager les sentiments promusulmans est une mauvaise idée dans l'Inde contemporaine. On pourrait multiplier les exemples : les États-nations ont leurs sites particuliers de sacré, leurs tests particuliers de loyauté et de trahison, leurs mesures particulières de compliance et de désordre. Ils sont liés à des problèmes réels ou ressentis d'absence de loi, d'idéologies régnantes de libéralisation ou de son contraire, d'engagements relatifs à la respectabilité internationale, de degrés variables de répulsion vis-à-vis du régime précédent, et des histoires spécifiques d'antagonisme ou de collaboration ethnique. En tout cas, dans le monde d'après 1989, il ne semble pas y avoir de liens très fiables entre les idéologies étatiques de service social, l'économie de marché, le pouvoir militaire et la pureté ethnique. Pourtant, si l'on considère les turbulentes sociétés postcommunistes d'Europe de l'Est, les agressifs États-cités d'Asie du Sud-Est (Comme Taiwan, Singapour et Hong Kong), les politiques post-militaires complexes d'Amérique latine, les économies étatiques en faillite comme celles de l'Afrique subsaharienne, ou les turbulents États fondamentalistes d'une grande part du Moyen-Orient et d'Asie du Sud, ils semblent tous poser une série de défis assez similaires à la production de voisinage par des sujets locaux.

Du point de vue du nationalisme moderne, les voisinages existent essentiellement pour incuber et reproduire des citoyens nationaux obéissants – et non pour produire des sujets locaux. La localité pour l'État-nation moderne est soit un site de nostalgie, de célébrations et de commémorations nationalement appropriées, soit une condition nécessaire à la production de nationaux. Les voisinages en tant que formations sociales sont une source d'angoisse pour l'État-nation, dans la mesure où ils contiennent de vastes espaces ou des espaces résiduels où les techniques du national (contrôle des naissances, uniformité linguistique, discipline économique, efficacité des communications et loyauté politique) tendent à être faibles ou contestés. En même temps, les voisinages produisent des travailleurs politiques et des responsables de partis, des enseignants et des soldats, des techniciens de télévision et des agriculteurs productifs. Les voisinages sont indispensables, même s'ils sont potentiellement dangereux. Pour le projet de l'État-nation, les voisinages représentent une source permanente d'entropie et de dérapage. Ils doivent être surveillés presque d'aussi près que les frontières.

Le travail de production de voisinages – mondes vécus constitués par des associations relativement stables, par des histoires relativement connues et partagées, et par des espaces et des lieux collectivement traversés et lisibles – est souvent opposé aux projets de l'État-nation[25]. C'est en partie parce que les engagements et attachements (parfois faussement désignés comme « primordiaux ») qui caractérisent les subjectivités locales sont plus pressants, plus continus, et parfois plus distrayants que ne peut le supporter l'État-nation. C'est aussi parce que le souvenir et l'attachement des sujets locaux à leurs enseignes de boutiques, à leurs noms de rues, à leurs trottoirs et coins de rue favoris, aux moments et aux lieux urbains où ils se retrouvent et s'évadent sont souvent contraires aux besoins de l'État-nation d'une vie publique régulée. En outre, c'est la nature de la vie locale de se développer en partie contre d'autres voisinages, en produisant ses propres contextes d'altérité (spatiale, sociale et technique), contextes qui peuvent ne pas remplir les besoins de standardisation sociale et spatiale exigée de la part du citoyen discipliné.

Les voisinages sont dans l'idéal la scène de leur propre reproduction, processus fondamentalement opposé à l'imaginaire de l'État-nation, qui conçoit les voisinages comme des exemples d'un mode généralisable d'appartenance à un imaginaire territorial plus large. Les modes de localisation les plus typiques de l'État-nation ont un aspect disciplinaire : dans l'hygiène et le nettoyage des rues, dans les prisons et la destruction des taudis, dans les camps de réfugiés et les bureaux de toutes sortes, l'État-nation localise par oukase, par décret, et parfois par le recours direct à la force. Ce type de localisation crée de sévères contraintes, et même des obstacles directs, à la survie de la localité en tant que génératrice de contexte, et non pas seulement dépendante du contexte.

Pourtant, l'isomorphisme du peuple, du territoire et de la souveraineté légitime qui constitue le caractère normatif de l'État-nation moderne est lui-même menacé par les formes de circulation des populations caractéristiques du monde contemporain. Il est maintenant largement reconnu que le mouvement humain définit fort souvent la vie sociale dans notre monde contemporain. Le travail, qu'il soit du type intellectuel le plus sophistiqué ou du type prolétaire le plus humble, pousse les gens à émigrer, souvent plusieurs fois dans leur vie. Les politiques des États-nations, notamment envers les populations considérées comme potentiellement subversives, créent une machine en mouvement perpétuel, où les réfugiés d'une nation se déplacent vers une autre, créant ainsi de nouvelles instabilités qui provoquent à leur tour de nouveaux troubles, et ainsi de nouvelles sorties de population. Ainsi, les besoins de production-du-peuple d'un État-nation peuvent signifier une instabilité ethnique et sociale pour ses voisins, créant des cycles sans fin de nettoyage ethnique, d'émigration forcée, de xénophobie, de paranoïa étatique, finissant par un nouveau nettoyage ethnique. L'Europe de l'Est en général et la Bosnie-Herzégovine en particulier sont peut-être les exemples les plus tragiques et les plus complexes de tels processus entre réfugiés et État. Bien souvent, le peuple et des communautés entières sont poussés dans des ghettos, des camps de réfugiés, des camps de concentration ou des réserves, parfois sans avoir à bouger du tout.

D'autres formes de mouvement humain sont créées par la réalité ou l'illusion de l'opportunité économique ; c'est vrai d'une grande part de l'émigration asiatique vers les régions pétrolifères du Moyen-Orient. D'autres formes encore de mouvement sont suscitées par des groupes perpétuellement mobiles de travailleurs spécialisés (soldats des Nations Unies, ingénieurs du pétrole, spécialistes du développement et travailleurs agricoles). Certaines autres formes de déplacement, notamment en Afrique subsaharienne, sont liées aux grandes sécheresses et aux famines, qui résultent souvent d'alliances désastreuses entre États corrompus et actions internationales et globales opportunistes. Dans d'autres communautés encore, la logique du mouvement vient des industries du loisir, qui créent des sites touristiques dans le monde entier. L'ethnographie de ces sites commence tout juste à être écrite en détail, mais le peu que nous en savons suggère que beaucoup créent des conditions complexes de production et de reproduction de la localité, où les liens du mariage, le travail, les affaires et les loisirs font s'entrecroiser diverses populations circulantes avec certains types de locaux pour créer des voisinages qui appartiennent en un sens à des États-nations particuliers, mais sont d'un autre point de vue ce que nous pourrions appeler des translocalités. Le défi de produire un voisinage dans ce cadre vient de l'instabilité inhérente aux relations sociales, de la puissante tendance de la subjectivité locale à être marchandisée, et de la tendance des États-nations, qui tirent parfois des revenus significatifs de ces sites, à effacer la dynamique interne, locale, par le biais de modes de régulation, d'identification et de production d'images imposés de l'extérieur.

On peut voir une version beaucoup plus sombre du problème de la production d'un voisinage dans les camps de réfugiés quasi permanents qui caractérisent désormais de nombreuses parties du monde en guerre, comme les Territoires occupés en Palestine, les camps à la frontière de la Thaïlande et du Cambodge, les nombreux camps des Nations Unies en Somalie, et les camps de réfugiés afghans au nord-ouest du Pakistan. Combinant les pires caractéristiques des taudis urbains, des camps de concentration, des prisons et des ghettos, ce sont pourtant des endroits où des mariages sont contractés et célébrés, où des vies commencent et finissent, où des contrats sociaux sont passés et honorés, des carrières entamées et brisées, de l'argent gagné et dépensé, des biens produits et échangés. Ces camps de réfugiés sont les exemples les plus durs des conditions d'incertitude, de pauvreté, de déplacement et de désespoir dans lesquelles la localité peut être produite. Ce sont des exemples extrêmes de voisinages produits par le contexte plutôt que générant du contexte. Ce sont des voisinages dont les mondes vécus sont produits dans les conditions les plus sombres, les prisons et les camps de concentration en étant les exemples les plus barbares.

Pourtant, même ces exemples brutaux ne font que pousser à l'extrême l'ethos quotidien de nombreuses villes. Dans les conditions d'agitation ethnique et de guerre urbaine qui caractérisent des villes comme Belfast et Los Angeles, Ahmedabad et Sarajevo, Mogadiscio et Johannesbourg, les zones urbaines deviennent des camps armés, entièrement dirigés par des forces *implosives* (*cf.* chapitre VI) qui propagent dans les voisinages les répercussions les plus violentes et les plus problématiques de vastes processus régionaux, nationaux et globaux. Il y a, bien sûr, d'importantes différences entre ces villes, leurs histoires, leurs populations et leur politique culturelle. Pourtant, elles représentent une nouvelle phase de la vie urbaine, où la concentration de populations ethniques, la disponibilité d'un armement lourd et l'encombrement de la vie civique créent des formes futuristes de guerre (rappelant des films tels que *Road Warrior*, *Blade Runner*, etc.) où une désolation générale du paysage national et global a transposé beaucoup de bizarres inimitiés raciales, religieuses et linguistiques dans des scénarios de terreur urbaine absolue.

Ces nouvelles guerres urbaines ont fini par divorcer plus ou moins de leur écologie régionale et nationale, devenant des guerres de plein droit, implosives, entre milices criminelles, paramilitaires et civiles, liées d'obscures façons à des forces transnationales religieuses, économiques et politiques. Il y a, bien sûr, de nombreuses causes à ces formes d'effondrement urbain, tant en Occident que dans le Tiers Monde, mais ils tiennent notamment à l'érosion progressive de la capacité de ces villes à contrôler les moyens de leur propre reproduction. Il est difficile de ne pas associer une part significative de ces problèmes à la simple circulation des personnes, due souvent à la guerre, à la famine et au nettoyage ethnique – c'est-à-dire les premières raisons qui poussent les gens dans ces villes. La production de la localité dans ces formations urbaines affronte les problèmes de populations déplacées et déterritorialisées, de politiques d'État qui restreignent les voisinages en tant que producteurs de contextes, et de sujets locaux qui ne peuvent être rien d'autre que des citoyens d'une nation. Dans les cas les plus durs, de tels voisinages ne méritent pratiquement plus ce nom, puisqu'ils ne sont rien d'autre que des scènes, des sociétés anonymes, des sites et des baraques pour des populations ayant un engagement dangereusement mince à la production de la localité.

Pour que cette description soit moins sombre, il faut noter que la nature même de ces drames urbains pousse des individus et des groupes vers des endroits plus paisibles où ils souhaitent apporter leur intelligence, leurs compétences et leur goût de la paix. Les meilleurs moments de la vie urbaine aux États-Unis et en Europe sont dus à ces émigrants qui fuient des endroits bien pires que Chicago, Detroit, Los Angeles. Pourtant, nous savons que la production de la localité dans les quartiers au sud-ouest de Los Angeles, les quartiers ouest de Chicago, et des parties similaires de grandes villes américaines est un processus fortement guerrier.

Le troisième et dernier facteur abordé ici est le rôle des médias, notamment sous leur forme électronique, dans la création de nouveaux types de disjonction entre voisinages spatiaux et virtuels. Cette disjonction présente à la fois des potentiels utopiques et dystopiques, et il n'est pas facile d'imaginer comment ceux-ci vont pouvoir se réaliser dans l'avenir de la production de localité. D'abord, les médias électroniques eux-mêmes varient maintenant de façon interne et constituent une famille complexe de moyens technologiques pour la production et la dissémination d'informations et de divertissements. Les films tendent à être dominés par des intérêts commerciaux majeurs dans quelques centres mondiaux (Hollywood, New York, Hong Kong, Bombay), bien que des sites secondaires majeurs pour le cinéma commercial soient en train d'émerger dans d'autres endroits d'Europe, d'Asie et d'Afrique (comme Mexico, Bangkok et Madras). Le cinéma d'art et d'essai (en partie construit sur un réseau transnational croissant de festivals, d'expositions et d'enchères commerciales) a une dissémination à la fois plus large et plus faible dans le monde entier, mais le nombre des films transversaux (comme *Reservoir Dogs*, *The Crying Game*, ou encore *Salaam Bombay* et *El Mariachi*) est en augmentation.

La télévision, tant sous ses formes classiques de diffusion que sous ses nouvelles formes de liaison par satellite, envahit de plus en plus les espaces publics du cinéma et s'infiltre par des forêts d'antennes jusque dans les taudis les plus pauvres de Rio ou de São Paulo. La différence entre voir des films dans des cinémas ou en vidéocassettes dans le cadre domestique crée elle-même des changements très importants, dont on a prétendu qu'ils signaient la fin du cinéma et du spectateur classiques[26]. En même temps, la disponibilité de technologies vidéo pour de petites communautés, parfois même dans le Quart Monde, a permis à celles-ci de créer des stratégies nationales et globales plus efficaces d'autoreprésentation et de survie culturelle[27]. Les fax, le courrier électronique et d'autres formes de communication informatique ont créé de nouvelles possibilités pour des formes transnationales de communication, contournant souvent la surveillance intermédiaire de l'État-nation et des grands cartels de médias. Chacun de ces développements, bien sûr, interagit avec les autres, créant de nouvelles connexions complexes entre producteurs et publics – locaux et nationaux, stables et diasporiques.

Il est impossible d'opérer un tri dans les innombrables changements des médias qui forment l'environnement de la production de voisinages. Mais il existe de nombreuses formes de communauté et de communication qui affectent également la capacité des voisinages à produire des contextes plutôt qu'à être menés par le contexte. L'impact très discuté des informations de CNN et d'autres formes de médiations globales instantanées, ainsi que le rôle des technologies de fax dans les bouleversements démocratiques en Chine, en Europe de l'Est et en Union soviétique en 1989 (et depuis) ont rendu possible, tant pour les leaders des États-nations que pour leurs diverses forces d'opposition, de communiquer très rapidement sur des réseaux locaux et même nationaux. La vitesse de cette communication est en outre compliquée par les nouvelles communautés électroniques, comme celles qui existent sur Internet, qui permettent d'établir un débat, un dialogue et des relations entre des individus séparés territorialement, mais qui forment néanmoins des communautés d'imagination et d'intérêt au sein même de cette diaspora.

Ces nouvelles formes de communication électronique commencent à créer des voisinages virtuels qui ne sont plus limités par le territoire, les passeports, les impôts, les élections et d'autres diacritiques politiques conventionnelles, mais par l'accès aux logiciels et aux appareils requis pour se connecter à ces réseaux mondiaux. Jusqu'ici, l'accès à ces voisinages virtuels tend à se limiter aux membres de l'intelligentsia transnationale qui, par l'accès aux technologies informatiques à l'université, dans les labos et dans les bibliothèques, peuvent fonder des projets sociaux et politiques sur des technologies conçues pour résoudre des problèmes de flux d'information. L'information et l'opinion passent ensemble à travers ces circuits, et si la morphologie sociale de ces voisinages électroniques est difficile à classer et leur longévité difficile à prédire, ils sont à l'évidence des communautés d'un certain type, échangeant de l'information et construisant des liens qui affectent de nombreuses zones de la vie, de la philanthropie au mariage.

Ces voisinages virtuels semblent donc représenter précisément cette absence de liens face à face, de contiguïté sociale et d'interaction multiplexe que l'idée de voisinage semble toujours impliquer. Pourtant, ne nous hâtons pas trop d'opposer des voisinages hautement spécialisés à ces voisinages virtuels de communication électronique internationale. La relation entre ces deux formes de voisinage est considérablement plus complexe. En premier lieu, ces voisinages virtuels sont capables de mobiliser des idées, des opinions, de l'argent et des liens sociaux qui reviennent souvent aux voisinages vécus sous la forme de flux d'argent, d'armes pour les nationalismes locaux, et de soutien à diverses positions dans des sphères publiques hautement localisées. Ainsi, lors de la destruction du Babri Masjid à Ayodhya par des extrémistes hindous le 6 décembre 1992, il y a eu une intense mobilisation d'ordinateurs, de fax et d'autres réseaux informatiques, qui ont créé des boucles très rapides de débat et d'échange d'informations entre des personnes intéressées aux États-Unis, au Canada, en Angleterre et dans diverses parties de l'Inde. Ces boucles électroniques ont été exploitées également par les Indiens vivant aux États-Unis, qui ont ainsi participé au grand débat sur le fondamentalisme et l'harmonie communautaire dans l'Inde contemporaine.

En même temps, si l'on poursuit l'exemple de la communauté indienne à l'étranger, tant les groupes progressistes, séculiers, que leurs homologues du côté des Hindous fondamentalistes (membres du Vishwa Hindu Parishad et sympathisants du Parti Bharatiya Janata et du Bajrang Dal, parfois appelé la « famille » Sangh), mobilisent actuellement ces voisinages virtuels dans l'intérêt de projets politiques intensément localisants en Inde. Les barricades qui ont secoué les villes indiennes après le 6 décembre 1992 ne peuvent plus être vues isolément de la mobilisation électronique de la diaspora indienne, dont les membres peuvent maintenant être directement impliqués dans les événements en Inde par ces moyens électroniques. Ce n'est pas seulement une question de nationalisme longue-distance du type que Benedict Anderson a récemment déploré[28]. C'est une partie intégrante des relations nouvelles et souvent conflictuelles entre voisinages, allégeances translocales et logique de l'État-nation.

Ces « nouveaux patriotismes » (*cf.* chapitre VII) ne sont pas la simple poursuite de débats nationalistes et contre-nationalistes par d'autres moyens, bien qu'il y ait certainement une bonne part de nationalisme « prosthétique » et de nostalgie dans les rapports des exilés avec leurs terres natales d'autrefois. Ils impliquent ausssi de nouvelles formes assez étonnantes de liens entre nationalismes diasporiques, communications politiques délocalisées et engagements politiques revitalisés aux deux bouts du processus diasporique.

Ce dernier facteur reflète les façons dont les diasporas changent à la lumière des nouvelles formes de médiation électronique. Les Indiens installés aux États-Unis sont en contact direct avec les développements en Inde qui impliquent de la violence ethnique, la légitimité d'État, et les politiques des partis, et ces dialogues mêmes créent de nouvelles formes d'association, de conversation et de mobilisation dans leurs politiques « minoritaires » aux États-Unis. En outre, la mobilisation de femmes indiennes contre la violence domestique et la collaboration de groupes indiens progressistes avec leurs homologues de Palestine et d'Afrique du Sud suggèrent que ces voisinages électroniques virtuels offrent de nouvelles voies aux Indiens pour prendre part à la production de localité dans les villes et les banlieues où ils résident en tant que professeurs, chauffeurs de taxi, ingénieurs et entrepreneurs américains.

Les Indiens installés aux États-Unis sont maintenant engagés d'une série de façons dans la politique de pluriculturalisme[29]. Cet engagement est profondément infléchi et affecté par leur implication dans les politiques incendiaires de leurs villes et de leurs parents en Inde, et dans d'autres lieux où leurs amis et parents indiens vivent et travaillent – en Angleterre, à Hong Kong et au Moyen-Orient. Ainsi, la politique de diaspora, du moins au cours des dix dernières années, a été affectée de façon décisive par les transformations électroniques globales. Plutôt qu'une simple opposition entre voisinage spatial et voisinage virtuel, ce qui a émergé est un nouvel élément significatif dans la production de la localité. Le flux global d'images, de nouvelles et d'opinions offre maintenant une part du savoir politique et culturel que les personnes diasporiques amènent dans leurs voisinages spatiaux. De certaines façons, ces flux globaux ajoutent à la force intense, implosive, sous laquelle sont produits des voisinages spatiaux.

Contrairement aux pressions largement négatives que pose l'État-nation sur la production de contexte par des sujets locaux, la médiation électronique de la communauté dans le monde diasporique crée un sentiment plus complexe, disjoint, hybride, de la subjectivité locale. Ces communautés électroniques impliquant typiquement les membres de l'élite la plus éduquée des communautés diasporiques, elles n'affectent pas directement les préoccupations locales des migrants moins éduqués et moins privilégiés. Les migrants moins intégrés se soucient généralement de l'aspect pratique de la survie et de l'habitat dans leur nouvelle installation, sans être toutefois isolés de ces flux globaux. Un taxi sikh à Chicago n'est sans doute pas capable de participer à la politique du Penjab par le biais d'Internet, mais il peut écouter des cassettes de chansons et de sermons donnés au temple d'Or du Penjab. Ses homologues venus d'Haïti, du Pakistan et d'Iran peuvent utiliser la radio et les lecteurs de cassettes pour écouter ce qu'ils veulent de l'énorme flux mondial de cassettes audio, surtout de musique populaire et de prêches.

Différents groupes d'Indiens aux États-Unis entendent aussi des discours et des sermons en tous genres de politiciens, chercheurs, prêtres et entrepreneurs itinérants venus du sous-continent pour faire une tournée en Amérique. Ils lisent également *India West*, *India Abroad*, et d'autres journaux importants qui imbriquent les informations américaines et indiennes sur les mêmes pages. Ils participent, par le biais du câble, de la vidéo et d'autres technologies, au bruit permanent des divertissements produits pour eux aux États-Unis. Ainsi le travail de l'imagination (*cf.* introduction) à travers lequel est produite et nourrie la subjectivité locale est un étonnant palimpseste de considérations fortement locales et fortement translocales.

Les trois facteurs qui affectent le plus directement la production de la localité dans le monde du présent – l'État-nation, les flux diasporiques et les communautés électroniques et virtuelles – sont elles-mêmes articulées de façons variables, surprenantes, parfois contradictoires qui dépendent de l'environnement culturel, historique, écologique et de classe dans lequel ils se trouvent rassemblés. Cette variabilité est elle-même en partie un produit de la façon dont les ethnoscapes d'aujourd'hui interagissent irrégulièrement avec la finance, les médias et les imaginaires technologiques (*cf.* chapitre I).

La façon dont ces forces sont articulées à Port Moresby n'est pas la même à Peshawar, non plus qu'à Berlin ou à Los Angeles. Mais ce sont tous des lieux où le combat entre les imaginaires de l'État-nation, de communautés déstabilisées, et des médias électroniques globaux est en pleine progression.

Ce à quoi elles s'ajoutent, avec toutes leurs variations conjoncturelles, est un nouvel ensemble de défis pour la production de la localité dans tous les sens abordés dans ce chapitre. Les problèmes de reproduction culturelle dans un monde globalisé ne sont qu'en partie descriptibles en termes de race et de classe, de genre sexuel et de pouvoir, bien que tous ces éléments y soient vraisemblablement impliqués au premier chef. Un fait plus fondamental encore est que la production de localité – soit une tâche toujours difficile et fragile – est plus que jamais traversée de contradictions, déstabilisée par le mouvement humain, et déplacée par la formation de nouveaux types de voisinages virtuels.

La localité est donc fragile en deux sens. Le premier, par lequel j'ai commencé ce chapitre, vient du fait que la reproduction matérielle des voisinages actuels est invariablement une protection contre la corrosion du contexte, à défaut d'autre chose, dans la tendance du monde matériel à résister aux desseins de l'action humaine. Le second sens émerge lorsque les voisinages sont soumis aux pulsions productrices de contexte d'organisations hiérarchiques plus complexes, notamment celles de l'État-nation moderne. La relation entre ces formes distinctes de fragilité est elle-même historique, en ceci que c'est l'interaction à long terme de voisinages qui crée des relations hiérarchiques aussi complexes – processus que nous avons discuté en général sous des rubriques comme la formation de l'État. Cette dialectique historique est un rappel que la localité en tant que dimension de la vie sociale, et en tant que valeur articulée de voisinages particuliers, n'est pas un critère transcendant à partir duquel des sociétés particulières tombent ou dévient. Plutôt, la localité est toujours émergente des pratiques de sujets locaux dans des voisinages spécifiques. Les possibilités de sa réalisation en tant que structure de sentiment sont donc aussi variables et incomplètes que les relations entre les voisinages qui constituent ses instances pratiques.

Les nombreuses populations déplacées, déterritorialisées et transitoires qui constituent les ethnoscapes d'aujourd'hui sont engagées dans la construction de la localité en tant que structure de sentiment, souvent face à l'érosion, la dispersion et l'implosion des voisinages en tant que formations sociales cohérentes. Cette disjonction entre voisinages comme formations sociales et localité comme propriété de la vie sociale n'est pas sans précédent historique, le commerce longue-distance, les migrations forcées et les exils politiques étant très répandus dans l'histoire. Ce qui est nouveau est la disjonction entre ces processus et les discours et pratiques mass-médiatisés (y compris ceux de la libéralisation économique, du pluriculturalisme, des droits de l'homme et des demandes des réfugiés) qui entourent désormais l'État-nation. Cette disjonction, comme toute autre, désigne quelque chose de conjoncturel. La tâche de théoriser la relation entre ces disjonctions (*cf.* chapitre I) et conjonctions qui rendent compte de la production globalisée de la différence semble désormais plus pressante et plus décourageante à la fois. Il est peu probable que cette théorie offre quoi que ce soit de simple à propos du local.

PRÉFACE

1. De manière plus implicite, on repère aussi l'influence de Hannah Arendt, dont Appadurai, alors jeune étudiant, eut le privilège de suivre les cours.

2. *Cf.* chapitre VI.

3. *Cf.* P. Chatterjee, *The Nation and its Fragments. Colonial and Postcolonial Histories,* Princeton (NJ), Princeton University Press, 1993.

4. Voir à ce sujet les éclairantes remarques de M. Pandolfi, « Introduzione », *in* H. K. Bhabha (dir.), *Nazione e narrazione*, Meltemi, 1997, p. 22-23.

5. E. W. Said, *Orientalism*, New York, Pantheon, 1978 ; trad. fr. *L'Orientalisme. L'Orient créé par l'Occident*, Paris, Seuil, 1997.

6. Sur la notion de public, on se référera utilement à D. Dayan, « Le double corps du spectateur. Vers une définition processuelle de la notion de public », *in* S. Proulx (dir.), *Accusé de réception. Le téléspectateur construit par les sciences sociales*, Québec, Presses de l'Université Laval, 1999.

7. *Cf.* A. Appadurai, *Worship and Conflict under Colonial Rule*, New York, Cambridge University Press, 1981, et les multiples publications qu'il a consacrées à l'Inde.

8. « L'une déploie l'éventail des sociétés humaines dans le temps, l'autre dans l'espace », écrit Lévi-Strauss à propos de l'histoire et de l'anthropologie (*La Pensée sauvage*, Paris, Plon, 1962, p. 339).

9. C. Geertz, *Savoir local, savoir global. Les lieux du savoir*, Paris, PUF, 2000.

10. J. Clifford, *The Predicament of Culture. Twentieth Century Ethnography, Litterature, and Art*, Cambridge, Harvard University Press, 1988 ; J. Fabian, *Time and the Other : How the Anthropology Makes Its Object*, New York, University of Columbia Press, 1983 ; G. E. Marcus, M. Fischer, *Anthropology as Cultural Critique. An Experimental Moment in the Human Sciences*, Chicago, University of Chicago Press, 1986 ; P. Rabinow, « Representations are Social Facts. Modernity

and Postmodernity in Anthropology », *in* J. Clifford, G. Marcus (dir.), *Writing Culture. The Poetics and Politics of Ethnography*, Berkeley, University of California Press, 1986 ; R. Rosaldo, *Culture and Truth. The Remaking of Social Analysis*, Boston, Beacon Press, 1989.

11. A. Gupta, J. Ferguson (dir.), *Anthropological Locations*, Berkeley, University of California Press, 1997 ; G. E. Marcus, *Ethnography through Thick and Thin*, Princeton, Princeton University Press, 1998.

INTRODUCTION

Ici et maintenant

1. L'absence de citations particulières tout au long de cet essai ne doit pas pour autant donner l'impression qu'il est aussi vierge que l'Immaculée Conception. Ce chapitre introductif, ainsi que les autres, s'appuient sur différentes tendances des sciences sociales et humaines des vingt dernières années. Les notes des chapitres suivants se chargeront de rendre ces nombreuses dettes publiques.

2. A. Appadurai, « Topography of the Self. Praise and Emotion in Hindu India », *in* C. A. Lutz, L. Abu-Lughod (dir.), *Language and the Politics of Emotion*, Cambridge, Cambridge University Press, 1990.

3. *Cf.* B. Anderson, *Imagined Communities. Relections on the Origin and Spread of Nationalism*, Londres, Verso, 1983, trad. fr. *L'Imaginaire national. Réflexions sur l'origine et l'essor du nationalisme*, Paris, La Découverte, 1996.

4. *Cf.* D. Crane, *Invisible Colleges*, Chicago, University of Chicago Press, 1972.

5. Pour un traitement plus approfondi de cette idée, le lecteur peut se reporter au texte introductif que j'ai co-écrit avec Carol A. Breckenridge, « Public Modernity in India », *in* Carol A. Breckenridge (dir.), *Consuming Modernity. Public Culture in a South Asian World*, Minneapolis, University of Minnesota Press, 1995. Cet ensemble d'essais est emblématique de la stratégie qui consiste à concevoir le monde global moderne à partir de l'ancrage dans un site spécifique.

CHAPITRE PREMIER

Disjonction et différence
dans l'économie culturelle globale

1. M. Hodgson, *The Venture of Islam. Conscience and History in a World Civilization*, 3 vol., Chicago, University of Chicago Press, 1974.

2. L. Abu-Lughod, *Before European Hegemony. The World System a.d. 1250-1350*, New York, Oxford University Press, 1989 ; F. Braudel,

Civilisation matérielle, économie et capitalisme, XVᵉ-XVIIIᵉ siècle, Paris, Armand Colin, 1967-1979 ; P. Curtin, *Cross-Cultural Trade in World History*, Cambridge, Cambridge University Press, 1984 ; I. Wallerstein, *The Modern World System*, 2 vol., New York et Londres, Academic Press, 1974 ; E. Wolf, *Europe and the people without History*, Berkeley, University of California Press, 1982.

3. M. W. Helms, *Ulysses' Sail. An Ethnographic Odyssey of Power, Knowledge, and Geographical Distance*, Princeton, (NJ), Princeton University Press, 1988 ; E. Schafer, *Golden Peaches of Samarkand. À Study of T'ang Exotics*, Berkeley, University of California Press, 1963.

4. Par exemple, C. A. Bayly, *Imperial Meridian. The British Empire and the World, 1780-1830*, Londres et New York, Longman, 1989.

5. B. Anderson, *L'Imaginaire national. Essai sur l'origine et l'essor du nationalisme*, Paris, La Découverte, 1996.

6. P. Chatterjee, *Nationalism Thought and the Colonial World. A Derivative Discourse ?*, Londres, Zed Books, 1986.

7. M. McLuhan, B. R. Powers, *The Global Village. Transformations in World, Life and Media in the 21st Century*, New York, Oxford University Press, 1989.

8. J. Meyrowitz, *No Sense of Place. The Impact of Electronic Media on Social Behavior*, New York, Oxford University Press, 1985.

9. G. Deleuze, F. Guattari, *Mille plateaux. Capitalisme et schizophrénie*, 2, Paris, Éditions de Minuit, 1980.

10. P. Iyer, *Video Night in Kathmandu*, New York, Knopf, 1988.

11. F. Jameson, « Nostalgia for the Present », *South Atlantic Quaterly*, 88(2), 1989, p. 517-537.

12. F. Jameson, « Postmodernism and Consumer Society », *in* H. Foster (dir.), *The Anti-Aesthetic. Essays on Postmodern Culture*, Port Townsend (Washington), Bay Press, 1983, p. 111-125.

13. J. Fabian, *Time and the Other. How Anthropology Makes Its Object*, New York, Columbia University Press, 1983.

14. C. Hamelink, *Cultural Autonomy in Global Communications*, New York, Longman, 1983 ; A. Mattelard, *Transnationals and the Third World. The Struggle for Culture*, South Hadley (Mass.), Bergin & Garvey, 1983 ; H. Schiller, *Communication and Cultural Domination*, White Plains (New York), International Arts and Sciences, 1976.

15. E. Gans, *The End of a Culture. Toward a Generative Anthropology*, Berkeley, University of California Press, 1985 ; P. Iyer, *Video Night in Kathmandu, op. cit.*

16. K. Barber, « Popular Arts in Africa », *African Studies Review*, 30(3), 1987, p. 1-78 ; S. Feld, « Notes on World Beat », *Public Culture*, 1(1), 1988, p. 31-37 ; U. Hannerz, « The World in Creolization », *Africa*, 57(4), 1987, p. 546-559 ; M. Ivy, « Tradition and Difference in the Japanese Mass Media », *Public Culture*, 1(1), 1988, p. 21-29 ; F. Nicoll, « My Trip to Alice », *Criticism, Heresy and Interpretation*, 3, 1989, p. 21-32 ; M. Yoshimoto, « The Postmodern and Mass Images in Japan », *Public Culture*, 1(2), 1989, p. 8-25.

17. S. Amin, *Class and Nation. Historically and in the Current Crisis*, New York et Londres, Monthly Review Press, 1980 ; E. Mandel, *Late Capitalism*, Londres, Verso, 1978 ; I. Wallerstein, *The Modern World System, op. cit.* ; E. Wolf, *Europe and the People without History, op. cit.*

18. S. Lash, J. Urry, *The End of Organized Capitalism*, Madison, University of Wisconsin Press, 1987.

19. Fredric Jameson constitue une exception majeure. Son travail sur la relation entre postmodernisme et ancien capitalisme a beaucoup inspiré le présent ouvrage. Néanmoins, la controverse qui a opposé Jameson et Aijaz Ahmad dans la revue *Social Text* montre qu'il est difficile de créer un récit marxiste globalisant (*cf.* F. Jameson, « Third World Literature in the Era of Multi-National Capitalism », *Social Text*, 15, 1986, p. 65-88 ; A. Ahmad, « Jameson's Rhetoric of Otherness and the "National Allegory" », *Social Text*, 17, 1987, p. 3-25). Dans ce contexte, je m'efforce d'entamer une restructuration du discours marxiste (en insistant sur les décalages et les disjonctions) que beaucoup de marxistes peuvent trouver odieux. Il me faut, dans ce cadre, éviter certains dangers, comme ceux qui consistent à gommer les différences dans le Tiers-Monde, à éluder le référent social (certains postmodernes, en France, ont tendance à le faire), ou à conserver le récit de la tradition marxiste qui fait autorité – et porter plus d'attention, d'un point de vue global, à la fragmentation, à l'incertitude et à la différence.

20. La notion d'ethnoscape sera plus particulièrement développée au chapitre II.

21. G. Lakoff, M. Johnson, *Metaphors We Live By*, Chicago et Londres, University of Chicago Press, 1980.

22. Sur la dynamique de ce processus au début de l'histoire des États-Unis, voir M. Warner, *The Letters of the Republic. Publication and the Public Sphere in Eighteenth-Century America*, Cambridge (Mass.), Harvard University Press, 1990.

23. Voir, par exemple, R. Williams, *Keywords*, New York, Oxford University Press, 1976.

24. Voir, par exemple, M. Hechter, *Internal Colonialism. The Celtic Fringe in British National development, 1536-1966*, Berkeley, University of California Press, 1975.

25. S. Baruah, « Immigration, Ethnic Conflict and Political Turmoil. Assam, 1979-1985 », *Asian Survey*, 26(11), 1986, p. 1184-1206 ; P. Chatterjee, *Nationalist Thought and the Colonial World, op. cit.* ; A. Nandy, « The Political Culture of the Indian State », *Daedalus*, 118(4), 1989, p. 1-26.

26. R. Handler, *Nationalism and the Politics of Culture in Quebec*, Madison, University of Wisconsin Press, 1988 ; M. Herzfeld, *Ours Once More. Folklore, Ideology and the Making of Modern Greece*, Austin, University of Texas Press, 1982 ; H. McQueen, « The Australian Stamp. Image, design and Ideology », *Arena*, 84, 1988, p. 78-96.

27. R. Kothari, *State against Democracy. In Search of Humane*

Governance, New York, New Horizons, 1989 ; S. Lash, J. Urry, *The End of Organized Capitalism*, *op. cit.*

28. L. Vachani, *Narrative, Pleasure and Ideology in the Hindi Film. An Analysis of the Outsider Formula*, MA Thesis, Annenberg School of Communication, University of Pennsylvania, 1989.

29. P. Zarilli, « Repositioning the Body. An Indian Martial Art and its Pan-Asian Publics », *in* C. A. Breckenridge (dir.), *Consuming Modernity. Public Culture in a South Asian World*, Minneapolis, University of Minnesota Press, 1995.

30. E. Hobsbawm, T. Ranger (dir.), *The Invention of Tradition*, New York, Columbus University Press, 1983.

31. W. Benjamin, « L'œuvre d'art à l'époque de sa reproduction mécanisée », in *fiuvres I, II, III*, Paris, Gallimard, coll. « Folio essais », 2000.

32. U. Hannerz, « Notes on the Global Ecumene », *Public Culture*, 1(2), 1989, p. 66-75 ; G. Marcus, M. Fischer, *Anthropology as Cultural Critique. An Experimental Moment in the Human Sciences*, Chicago, University of Chicago Press, 1986 ; R. Thornton, « The Rhetoric of Ethnographic Holism », *Cultural Anthropology*, 3(3), 1988, p. 285-303.

33. E. Wolf, *Europe and the People without History*, *op. cit.*

34. J. Hinkson, « Postmodernism and Structural Change », *Public Culture*, 2(2), 1990, p. 82-101.

CHAPITRE II

Ethnoscapes globaux

1. D. Parkin, *The Cultural Definition of Political Response*, Londres, Academic Press, 1978. Ces idées sur l'économie culturelle d'un monde en mouvement, ainsi que la logique de termes comme « ethnoscape », ont été développés au chapitre précédent.

2. P. Rabinow, « Representations are Social Facts. Modernity and Post-Modernity in Anthropology », *in* J. Clifford, G. Marcus (dir.), *Writing Culture. The Poetics and Politics of Ethnography*, Berkeley, University of California Press, 1986.

3. Cette expression permet, me semble-t-il, de mieux rendre l'aspect quasi légal de telles installations.

4. Ce n'est pas ici le lieu pour une analyse complète du domaine émergent des *cultural studies*. Leurs racines britanniques sont soigneusement explorées par S. Hall (« Cultural Studies. Two Paradigms », *in* R. Collins (dir.), *Media, Culture, and Society. À Critical reader*, Londres, Sage, 1986) et R. Johnson (« What Is Cultural Studies Anyway ? », *Social Text*, 16, 1986, p. 38-80). Mais il est clair que cette tradition britannique, largement associée à l'École de Birmingham – aujourd'hui dispersée –, prend aux États-Unis des formes nouvelles au contact de

l'anthropologie culturelle américaine, du nouvel historicisme et des études du langage et des médias dans la tradition américaine.

5. C. Geertz, « Blurred Genres. The Refiguration of Social Thought », *American Scholar*, 49, 1980, p. 125-159.

6. D. Parfit, *Reasons and Persons*, Oxford, Clarendon Press, 1986 ; A. Giddens, *Central Problems in Social Theory. Action, Structure and Contradiction in Social Analysis*, Berkeley, University of California Press, 1979 ; M. Carrithers, S. Collins, S. Lukes (dir.), *The Category of the Person*, Cambridge, Cambridge University Press, 1985.

7. A. Nandy, *Traditions, Tyranny and Utopias*, Delhi, Oxford University Press, 1987.

8. S. Lash, J. Urry, *The End of Organized Capitalism*, Madison, University of Wisconsin Press, 1987.

9. Voir, par exemple, le débat entre Frederic Jameson et Aijaz Ahmad dans la revue *Social Text* : F. Jameson, « Third World Literature in the Era of Multi-National Capitalism », *Social Text*, 15, 1986, p. 65-88 ; A. Ahmad, « Jameson's Rhetoric of Otherness and the "National Allegory" », *Social Text*, 17, 1987, p. 3-25.

10. M. Schudson, *Advertising, the Uneasy Persuasion*, New York, Basic Books, 1984.

11. B. Anderson, *L'Imaginaire national. Réflexions sur l'origine et l'essor du nationalisme*, Paris, La Découverte, 1996.

12. S. B. Ortner, « Reading America. Preliminary Notes on Class and Culture », *in* R. Fox (dir.), *Recapturing Anthropology. Working in the Present*, Santa Fe (NM), School of American Research, 1991.

13. P. Bourdieu, *Esquisse d'une théorie de la pratique*, Paris, Seuil, coll. « Points essais », 2000.

14. Ville située au nord de l'État de New York. *(N.d.T.)*

15. J. Cortázar, « Natation en piscine de farine », in *Un certain Lucas*, trad. Laure Bataillon, Paris, Gallimard, 1989, p. 99-102.

16. Pour un commentaire intéressant sur un aspect de cette approche de la narration littéraire, voir S. Felman, « Narrative as Testimony. Camus' *The Plague* », *in* J. Phelan (dir.), *Reading Narrative. Form, Ethics, Ideology*, Columbus, Ohio State University Press, 1989.

17. Pour un excellent exemple contemporain de cette approche dans le cadre des *cultural studies*, voir R. Rosaldo, *Culture and Truth. The Remaking of Social Analysis*, Boston, Beacon Press, 1989, chapitre VII.

18. J. Clifford, G. E. Marcus, *Writing Culture, op. cit.* ; G. E. Marcus, M. Fisher, *Anthropology as Culture Critique. An Experimental Moment in the Human Science*, Chicago, University of Chicago Press, 1986 ; C. Geertz, *Works and Lives. The Anthropologist as Author*, Stanford (CA), Stanford University Press, 1988 [trad. fr. *Ici et là-bas. L'anthropologue comme auteur*, Paris, Métailié, 1996].

19. D. H. Hymes, *Reinventing Anthropology*, New York, Pantheon, 1969.

20. Voir J. MacAloon, « Steroids and the State. Dubin, Melodrama

and the Accomplishment of Innocence », *Public Culture*, 2(2), 1990, p. 41-64.

21. L. Abu-Lughod, « Writing against Culture », *in* R. Fox (dir.), *Recapturing Anthropology, op. cit.*

22. Ce point est traité en profondeur dans A. Appadurai, C. A. Breckenridge, « Marriage, Migration and Money. Mira Nair's Cinema of Displacement », *Visual Anthropology*, 4(1), 1991, p. 95-102.

23. Pour une approche différente, mais complémentaire, de ces faits, voir U. Hannerz, « Notes on the Global Ecumene », *Public Culture*, 1(2), 1989, p. 66-75.

24. M.-R. Trouillot, « Anthropology and the Savage Slot. The Poetics and Politics of Otherness », *in* R. Fox (dir.), *Recapturing Anthropology, op.cit.*

CHAPITRE III

Consommation, durée, histoire

1. N. McKendrick, N. J. Brewer, J. H. Plumb, *The Birth of a Consumer Society. The Commercialization of Eighteenth-Century England*, Bloomington, Indiana University Press, 1982 ; T. Veblen, *The Theory of the Leisure Class*, New York, Macmillan, 1912.

2. A. Appadurai, « Commodities and the Politics of Value », *in* A. Appadurai (dir.), *The Social Life of Things. Commodities in Cultural Perspective*, Cambridge, Cambridge University Press, 1986.

3. F. Jameson, « Reification and Utopia in Mass Culture » (1979), in *Signatures of the Visible*, New York et Londres, Routledge, 1990.

4. M. Mauss, « Techniques of the Body », *Economy and Society*, 2(1), 1973, p. 70-85.

5. P. Bourdieu, *La Distinction. Critique sociale du jugement*, Paris, Minuit, 1979.

6. T. Assad, « Notes on Body, Pain and Truth in Medieval Christian Rituals », *Economy and Society*, 12, 1983, p. 285-327.

7. C. Campbell, *The Romantic Ethic and the Spirit of Modern Consumerism*, Oxford, Basil Blackwell, 1987.

8. A. van Gennep, *Les Rites de passage*, Paris, Picard, 1981 ; M. Mauss, « Essai sur le don », in *Sociologie et Anthropologie*, Paris, PUF, 1960.

9. P. Bourdieu, *Esquisse d'une théorie de la pratique*, Paris, Seuil, coll. « Points essais », 2000.

10. B. Malinowski, *Les Argonautes du Pacifique occidental*, Paris, Gallimard, coll. « Tel », 1989 ; M. Mauss, « Essai sur le don », art. cité ; M. Sahlins, *Âge de pierre, âge d'abondance. L'économie des sociétés primitives*, Paris, Gallimard, 1976.

11. A. van Gennep, *Les Rites de passage, op. cit.*

12. C. Geertz, « Ritual and Social Change. À Javanese Example », in *The Interpretation of Cultures*, New York, Basic Books, 1973.

13. P. Curtin, *Cross-Cultural Trade in World History*, Cambridge, Cambridge University Press, 1984 ; M. Hodgson, *The Venture of Islam. Conscience and History in a World Civilization*, 3 vol., Chicago, University of Chicago Press, 1974 ; F. Perlin, « Proto-Industrialization and Pre-Colonial South Asia », *Past and Present*, 98(30), 1983, p. 94 ; E. Schafer, *Golden Peaches of Samarkand. À Study of T'ang Exotics*, Berkeley, University of California Press, 1963 ; E. Wolf, *Europe and the People without History*, Berkeley, University of California Press, 1982.

14. P. Curtin, *Cross-Cultural Trade in World History*, *op. cit.* ; M. W. Helms, *Ulysses' Sail. An Ethnographic Odyssey of Power, Knowledge and Geographical Distance*, Princeton (NJ), Princeton University Press, 1988 ; S. W. Mintz, *Sweetness and Power*, New York, Viking-Penguin, 1985 ; E. Schafer, *Golden Peaches of Samarkand*, *op. cit.*

15. M. Douglas, B. Isherwood, *The World of Goods*, New York, Basic Books, 1981.

16. M. Sahlins, *Historical Metaphors and Mythical Realities. Structure in the Early History of the Sandwich Islands Kingdom*, Ann Arbor, University of Michigan Press, 1981.

17. C. Campbell, *The Romantic Ethic and the Spirit of Modern Consumerism*, Oxford, Basil Blackwell, 1987 ; C. Mukerji, *From Graven Images. Patterns of Modern Materialism*, New York, Columbia University Press, 1983 ; N. McKendrick, N. J. Brewer, J. H. Plumb, *The Birth of a Consumer Society. The Commercialization of Eighteenth-Century England*, Bloomington, Indiana University Press, 1982 ; G. D. McCracken, *Culture and Consumption. New Approaches to the Symbolic Character of Consumer Goods and Activities*, Bloomington, Indiana University Press, 1988 ; R. H. Williams, *Dream Worlds. Consumption in Late Nineteenth-Century France*, Berkeley, University of California Press, 1982.

18. M. Miller, *The Bon Marche. Bourgeois Culture and the Department Store, 1869-1920*, Princeton (NJ), Princeton Unievrsity Press, 1981 ; R. H. Williams, *Dream Worlds*, *op. cit.*

19. M. Ivy, « Critical Texts, Mass Artifacts. The Consumption of Knowledge in Postmodern Japan », *in* M. Miyoshi, H. D. Harootunian (dir.), *Postmodernism and Japan*, Durham (NC), Duke University Press, 1989.

20. C. A. Bayly, « The Origins of Swadeshi (Home Industry). Cloth and Indian Society, 1700-1930 », *in* A. Appadurai (dir.), *The Social Life of Things. Commodities in Cultural Perspective*, Cambridge, Cambridge University Press, 1986.

21. M. Halbwachs, *La Mémoire collective*, Paris, PUF, 2000.

22. A. Corbin, *Le Miasme et la Jonquille. L'odorat et l'imaginaire social, XVIIIᵉ-XIXᵉ siècles*, Paris, Flammarion, coll. « Champs », 2001.

23. G. D. McCracken, *Culture and Consumption*, *op. cit.* ; D. Miller,

Material Culture and Mass Consumption, Londres, Basil Blackwell, 1987 ; G. Simmel, « Fashion » (1904), *American Journal of Sociology*, 62(6), 1957, p. 541-558.

24. E. Goffman, « Symbols of Class Status », *British Journal of Sociology*, 2, 1951, p. 294-304.

25. I. Kopytoff, « The Cultural Biography of Things. Commoditization as Process », *in* A. Appadurai (dir.), *The Social Life of Things*, *op. cit.*

26. C. A. Breckenridge, « The Aesthetics and Politics of Colonial Collecting. India at World Fairs », *Comparative Studies in Society and History*, 31(2), p. 195-216 ; S. Stewart, *On Longing. Narratives of the Miniature, the Gigantic, the Collection*, Baltimore, Johns Hopkins University Press, 1984.

27. M. Halbwachs, *La Mémoire collective*, *op. cit.*

28. F. Jameson, « Nostalgia for the Present », *South Atlantic Quaterly*, 88(2), 1989, p. 517-537.

29. P. Smith, « Visiting the Banana Republic », *in* A. Ross (dir.), *Universal Abandon ? The Politics of Postmodernism*, Minneapolis, University of Minnesota Press, 1988.

30. E. P. Thompson, « Time, Work-Discipline and Industrial Capitalism », *Past and Present*, 38, 1967, p. 56-97.

31. C. Rojek, *Capitalism and Leisure Theory*, Londres, Tavistock, 1987.

32. M. Douglas, « Primitive Rationing », *in* R. Firth (dir.), *Themes in Economics Anthropology*, Londres, Tavistock, 1967.

33. Loyer indexé sur le salaire. (N.d.T.)

34. J. Baudrillard, *Le Miroir de la production, ou L'illusion critique du matérialisme historique*, Paris, Galilée, 1990.

35. N. Elias, *La Dynamique de l'Occident*, Paris, Pocket, coll. « Agora », 1990.

36. *Cf.* l'introduction et le premier chapitre de ce livre.

37. L. Mulvey, « Visual Pleasure and Narrative Cinema », *Screen*, 16(3), 1975, p. 6-18.

38. K. Sawchuk, « A Tale of Inscription/Fashion Statements », *in* A. et M. Kroker (dir.), *Body Invaders. Panic Sex in America*, Basingstoke, Macmillan Education, 1988.

39. E. Martin, « The End of the Body ? », *American Ethnologist*, 19(1), 1992, p. 121-140.

40. D. Harvey, *The Condition of Postmodernity. An Enquiry into the Origins of Cultural Change*, Cambridge (MA), Basil Blackwell, 1989.

CHAPITRE IV

Jouer avec la modernité

1. C. L. R. James, *Beyond a Boundary*, Londres, Stanley Paul, 1963, chapitre II.

2. N. Puri, « Sports versus Cricket », *India International Centre Quaterly*, 9(2), 1982, p. 146-154.

3. A. Nandy, *The Tao of Cricket. On Games of Destiny and thes Destiny of Games*, New York, Viking, 1989.

4. Pour une certaine vision de la diaspora du cricket dans l'ensemble de l'Empire, *cf.* D. R. Allen, *Cricket on the Air*, Londres, British Broadcasting Corporation, 1985.

5. C. L. R. James, *Beyond a Boundary*, *op. cit.* Voir aussi F. Birbalsingh, « Indo-Caribbean Test Cricketers », *Toronto South Asian Review*, 5(1), 1986, p. 105-117 ; et M. Diawara, « Englishness and Blackness. Cricket as Discourse on Colonialism », *Callaloo*, 13(2), 1990, p. 830-844.

6. Sur le Sri-Lanka, *cf.* M. Roberts, « Ethnicity in Riposte at a Cricket Match. The Past for the Present », *Comparative Studies in Society and History*, 27, 1985, p. 15-30.

7. A. Nandy, *The Tao of Cricket, op. cit.*, p. 19-20.

8. R. Cashman, *Patrons, Players and the Crowd. The Phenomenon of Indian Cricket*, New Delhi, Orient Longman, 1980 ; E. Docker, *History of Indian Cricket*, Delhi, Macmillan, 1976.

9. V. Hazare, *Cricket Replayed*, Bombay, Rupa, 1976 ; *id.*, *A Long Innings*, Bombay, Rupa, 1981 ; V. Raiji, *L. P. Jai. Mémories of a Great Batsman*, Bombay, Tyeby, 1976 ; S. M. Ali, *Cricket Delightful*, Delhi, Rupa, 1981.

10. C. A. Breckenridge, « The Aesthetics and Politics of Colonial Collecting. India at World Fairs », *Comparative Studies in Society and History*, 31(2), 1989, p. 196.

11. A. et J. Clarke offrent un traitement intéressant des variations de l'idée de virilité dans l'idéologie sportive anglaise. *Cf.* « "Highlights and Action Replays". Ideology, Sport and the Media », *in* J. Hargreaves, *Sport, Culture and Ideology*, Londres, Routledge & Kegan Paul, 1982, p. 82-83.

12. H. K. Bhabha, *The Location of Culture*, Londres et New York, Routledge, 1994 (trad. fr. à paraître chez Payot).

13. F. Cooper, A. L. Stoler, « Tensions of Empire and Visions of Rule », *American Ethnologist*, 16(4), 1989, p. 609-621.

14. R. Cashman, *Patrons, Players and the Crowd*, *op. cit.*, chapitre II.

15. E. Docker, *History of Indian Cricket*, *op. cit.*, p. 27.

16. Toutes ces citations sont extraites de M. de Mellow, *Reaching for Excellence. The Glory and Decay of Sport in India*, New Delhi et Ludhiana, Kalyani, 1979, chapitre IX.

17. F. G. Hutchins, *The Illusion of Permanence. British Imperialism in India*, Princeton (NJ), Princeton University Press, 1967, chapitre III ; A. Nandy, *The Intimate Ennemy. Loss and Recovery of Self under Colonialism*, Delhi, Oxford University Press, 1983.

18. A. Nandy, *The Tao of Cricket, op. cit.*

19. A. Appadurai, *Worship and Conflict under Colonial Rule*, New York, Cambridge University Press, 1981 ; B. S. Cohn, « The Census. Social Structure and Objectification in South Asia », in *An Anthropologist Among the Historians and Other Essays*, Delhi et Londres, Oxford University Press, 1987 ; N. B. Dirks, *The Hollow Crown. Ethnohistory of an Indian Kingdom*, Cambridge, Cambridge University Press, 1987 ; S. Freitag, *Collective Action and Community. Public Arenas in the Emergence of Communalism in North India*, Berkeley, University of California Press, 1989 ; G. Pandey, *The Construction of Communalism in Colonial North India*, New Delhi, Londres, Oxford University Press, 1990 ; G. Prakash, « Bonded Histories. Genealogies of Labor Servitude in Colonial India », *South Asian Studies*, 44, Cambridge et New York, Cambridge University Press, 1990.

20. N. K. P. Salve, *The Story of the Reliance Cup*, New Delhi, Vikas, 1987, p. 5.

21. R. Cashman, *Patrons, Players and the Crowd, op. cit.*, p. 145-146.

22. *Ibid.*, p. 147.

23. Ces matériaux incluent les magazines en marathi *Chaukar*, *Ashtapailu*, *Kriket Bharati* et *Shatkar*, qui ont leurs équivalents en tamoul, hindou et bengali. Ces magazines offrent des indiscrétions sur les stars du cricket, des compte-rendus de livres en anglais sur ce sport, des informations et des analyses sur le cricket en Angleterre et dans le reste du Commonwealth, tout en assurant parfois la couverture d'autres sports, ainsi que des critiques de cinéma et d'autres formes de loisir populaire. Dans ces magazines, donc, tant dans les textes que dans les publicités, le cricket est textuellement à la fois tiré vers le vernaculaire et projeté dans le *glamour* de la vie métropolitaine. Une analyse détaillée de ces matériaux exigerait une étude à part. Ces magazines, avec les livres de joueurs telle que *Shatak aani Shatkar* (autobiographies en marathi, rédigées par un nègre, de Ravi Shastri et Sandip Patil) forment la base de la décolonisation linguistique du cricket. Je remercie vivement Lee Schlesinger qui a recherché pour moi une partie de ces matériaux dans les kiosques à journaux de Poona.

24. A. Appadurai, C. A. Breckenridge, « Museums Are Good to Think. heritage on View in India », *in* I. Karp, S. Levine, T. Ybarra-Frausto (dir.), *Museums and Their Communities. The Politics of Public Culture*, Washington (DC), Smithsonian Institution Press, 1991.

25. Sur ce point, une excellente ilustration est fournie dans R. Shastri, S. Patril, *Shatak Shatkar (in Marathi)*, Bombay, Aditya Prakashan, 1982.

26. A. Nandy, *The Tao of Cricket, op. cit.*

27. T. Marshall, « It's Now Cricket to Play Hardball », *This World*, 22 novembre 1987.

28. N. K. P. Salve, *The Story of the Reliance Cup*, *op. cit.*

29. S. Tripathi, « Sharjah. A Crass Carnaval », *India Today*, 31 mai 1990, p. 88-91.

30. J. Huizinga, *Homo Ludens. À Study of the Play-Element in Culture* (1944), New York, Roy, 1950.

31. J. MacAloon, *Rite, Drama, Festival and Spectacle*, Philadelphie, Institute for the Study of Human Issues, 1984 et « Steroïds and the State. Dubin, Meldrama and the Accomplishment of Innocence », *Public Culture*, 2(2), 1990, p. 41-64.

32. N. Élias, E. Dunning, *Sport et Civilisation*, Paris, Pocket, coll. « Agora », 1994 ; J. Hargreaves (dir.), *Sport, Culture and Ideology*, Londres, Routledge/Kegan Paul, 1982.

33. P. Bourdieu, *Esquisse d'une théorie de la pratique*, Paris, Seuil, coll. « Points essais », 2000.

34. Pour un point de vue légèrement différent sur ce processus, voir A. Mitra, « Cricket Frenzy Unites a Dishevelled Subcontinent », *Far Eastern Economic Review*, 10 juillet 1986, p. 48-49.

35. B. Anderson, *L'Imaginaire national. Réflexions sur l'origine et l'essor du nationalisme*, Paris, La Découverte, 1996.

CHAPITRE V

Le nombre dans l'imaginaire colonial

1. R. Kothari, « Communalism. The New Face of Indian Democracy », in *State against Democracy. In Search of Humane Governance*, Dehli, Ajanta Publications et New York, New Horizon Press, 1989 ; R. Kothari, « Ethnicity », in *Rethinking Development. In Search of Humane Alternatives*, Dehli, Ajanta Publications et New York, New Horizon Press, 1989 ; A. M. Shah, « Caste and the Intelligentsia », *Hindustan Times*, 24 mars 1989.

2. R. Thapar, « Imagined Religious Communities ? Ancient History and the Modern Search for a Hindu Identity », *Modern Asian Studies*, 23, 1989, p. 209-232.

3. E. W. Said, *L'Orientalisme. L'Orient créé par l'Occident*, Paris, Seuil, 1997, p. 90. C'est moi qui souligne.

4. *Ibid.*, p. 146. C'est moi qui souligne.

5. Je m'appuie ici sur les conceptions de David Ludden sur « l'empirisme oriental ». *Cf.* « Orientalist Empiricism. Transformations of Colonial Knowledge », *in* C. A. Breckenridge, P. van der Veer (dir.), *Orientalism and the Postcolonial Predicament. Perspectives on South Asia*, Philadelphie, University of Pennsylvania Press, 1993.

6. B. Anderson, « Census, Map, Museum », in *Imagined Commu-*

nities, nouv. éd., New York et Londres, Verso, 1991 ; S. Kaviraj, « On the Constitution of Colonial Power », *in* D. Engels, S. Marks (dir.), *Contesting Colonial Hegemony. State and Society in Africa and India*, Londres et New York, I. B. Tauris, 1994.

7. J. Brewer, *The Sinews of Power. War, Money and the English State, 1688-1783*, New York, Knopf, 1989.

8. I. Hacking, « Making Up People », *in* T. C. Heller, M. Sosna, D. E. Willbery (dir.), *Reconstructing Individualism. Autonomy, Individuality and the Self in Western Thought*, Stanford (CA), Stanford University Press, 1986.

9. B. S. Cohn, « The Census. Social Structure and Objectification in South Asia », in *An Anthropologist among the Historians and Other Essays*, Delhi, Londres, Oxford University Press, 1987.

10. Au nombre desquels on peut citer Nicholas Dirks, *The Hollow Crown. Ethnohistory of an Indian Kingdom*, Cambridge, Cambridge University Press, 1987 ; David Ludden, « Orientalist Empiricism. Transformations of Colonial Knowledge », art. cité ; Gyan Prakash, *Bonded Histories. Genealogies of Labor Servitude in Colonial India*, Cambridge, New York, Cambridge University Press, 1990 ; ainsi que plusieurs historiens de l'école subalterne, dont Ranajit Guha, « The Prose of Counter-Insurgency », *in* R. Guha (dir.), *Subaltern Studies. Writings on South Asian History and Society*, vol. 2, New Delhi, Londres, Oxford University Press, 1983 ; David Arnold, « Touching the Body. Perspectives on the Indian Plague », *in* R. Guha, G. C. Spivak (dir.), *Selected Subaltern Studies*, New York, Oxford, Oxford University Press, 1988 et Dipesh Chakrabarty, « Conditions for Knowledge of Working-Class Conditions. Employers, Government and the Jute Workers of Calcutta, 1890-1940 », *ibid.* Cet élément a été récemment resitué dans une étude majeure sur l'imaginaire orientaliste en Inde : R. B. Inden, *Imagining India*, Oxford, Cambridge (Mass.), Basil Blackwell, 1990. L'intérêt de Cohn pour le recensement a également été repris dans un important recueil collectif : C. N. Barrier (dir.), *The Census in British India. New Perspectives*, New Delhi, Manohar, 1981.

11. R. S. Smith, « Rule-By-Records and Rule-By-Reports. Complementary Aspects of the British Imperial Rule of Law », *Contributions to Indian Sociology*, 19(1), 1985, p. 153-176.

12. J. Money, « Teaching in the Marketplace, or Caesar Adsum Jam Forte Pompey Aderat. The Retailing of Knowledge in Provincial England », conférence, Clark Library, UCLA, 4 mars 1989 ; K. Thomas, « Numeracy in Modern England », Transactions *of* the Royal Historical Society, 37 (5ᵉ série), 1987, p. 103-132.

13. I. Hacking, *The Emergence of Probability. À Philosophical Study of Early Ideas about Probabili1y, Induction and Statistical Inference*, Cambridge, New York, Cambridge University Press, 1975, chapitre XII ; I. Hacking, « Biopower and the Avalanche of Printed Numbers », *Humanities in Society*, 5(3-4), 1982, p. 279-295 ; I. Hacking,

« Making Up People », art. cité ; J. Brewer, *The Sinews of Power*, *op. cit.*

14. D. Ludden, « Orientalist Empiricism. Transformations of Colonial Knowledge », art. cité.

15. R. Lawton (dir.), *The Census and Social Structure. An Interpretive Guide to Nineteenth Century Censuses for England and Wales*, Londres, Totowa (N.J.), F. Cass, 1978.

16. Par « territoriale », j'entends l'intérêt du recensement pour les bourgs, les comtés et les régions. Communication personnelle de David Ludden, Philadelphie, 1991.

17. S. Nigam, « Disciplining and Policing the "Criminals by Birth", 2 : The Development of a Disciplinary System, 1871-1900 », *Indian Economic and Social History Review*, 27(3), 1990, p. 287.

18. N. Armstrong, « The Occidental Alice », *Differences. À Journal of Feminist Cultural Studies*, 2(2), 1990, p. 3-40 ; P. Rabinow, *French Modern. Norms and Forms of the Social Environment*, Cambridge (Mass.), MIT Press, 1989.

19. G. Canguilhem, *Le Normal et le Pathologique*, Paris, PUF, coll. « Quadrige », 1999 ; F. Ewald, *L'État-providence*, Paris, Grasset, 1986 ; I. Hacking, *The Emergence of Probability*, *op. cit.* ; I. Hacking, « Bio-power and the Avalanche of Printed Numbers », art. cité ; I. Hacking, « Making Up People », art. cité

20. E. Balibar, « The Nation Form. History and Ideology », *in* E. Balibar, I. Wallerstein (dir.), *Race, Nation, Class. Ambiguous Identities*, Londres, New York, Verso, 1991. Je dois ce contraste entre cas particulier et cas limite à Dipesh Chakrabarty, à qui je dois également de m'avoir rappelé que ce problème est crucial pour mon argumentation.

21. L'article de R. S. Smith, « Rule-By-Records and Rule-By-Reports » (art. cité), est un classique sur la logique générale qui relie les rapports, les manuels et les fichiers dans l'Inde du XIXᵉ siècle.

22. N. B. Dirks, *The Hollow Crown. Ethnohistory of an Indian Kingdom*, Cambridge, Cambridge University Press, 1987, chapitres X et XI ; F. G. Hutchins, *The Illusion of Permanence. British Imperialism in India*, Princeton (NJ), Princeton University Press, 1967 ; F. A. Presler, *Religion under Bureaucracy. Policy and Administration for Hindu Temples in South India*, Cambridge, New York, Cambridge University Press, 1987, chapitre II.

23. N. B. Dirks, « The Policing of Tradition in Colonial South India », conférence, Ethnohistory Workshop, Philadelphie, University of Pennsylvania, 1989 ; L. Mani, « Contentious Traditions. The Debate on Sati in Colonial India », *in* K. Sangari, S. Vaid (dir.), *Recasting Women. Essays in Colonial History*, New Delhi, Kali for Women, 1990.

24. Voir aussi R. S. Smith, « Rule-By-Records and Rule-By-Reports », art. cité, et B. S. Cohn, « The Census. Social Structure and Objectification in South Asia », in *An Anthropologist Among the Historians and Other Essays*, Delhi et Londres, Oxford University Press, 1987.

25. R. S. Smith, « Rule-By-Records and Rule-By-Reports », art. cité, p. 166.

26. Government of Maharashtra, *The Joint Report of 1847. Measurement and Classification Rules of the Deccan, Gujerat, Konkan and Kanara Surveys*, Nagpur, Government Press, 1975.

27. R. Guha, « The Prose of Counter-Insurgency », art. cité.

28. Government of Maharashtra, *The Joint Report of 1847, op. cit.*, p. 55.

29. *Ibid.*, p. 9-10.

30. *Ibid.*, p. 10.

31. *Ibid.*, p. 69.

32. *Ibid.*, p. 81-82.

33. W. C. Neale, « Land Is to Rule », *in* R. E. Frykenberg (dir.), *Land Control and Social Structure in Indian History*, Madison, University of Wisconsin Press, 1969.

34. J. Brewer, *The Sinews of Power, op.cit.*

35. C. A. Bayly, *Indian Society and the Making of the British Empire*, New Cambridge History of India, 11, 1, Cambridge, Cambridge University Press, 1988 ; C. A. Bayly, *Imperial Meridian. The British Empire and the World, 1780-1830*, Londres, New York, Longman, 1989.

36. I. Hacking, « Making Up People », art. cité.

37. R. S. Smith, « Rule-By-Records and Rule-By-Reports », art. cité.

38. R. Guha, « The Prose of Counter-Insurgency », art. cité.

39. B. S. Cohn, « Structural Change in Indian Rural Society », *in* R. E. Frykenberg (dir.), *Land Control and Social Structure in Indian History*, Madison, University of Wisconsin Press, 1969.

40. G. Prakash, « Bonded Histories. Genealogies of Labor Servitude in Colonial India », *South Asian Studies*, 44, Cambridge et New York, Cambridge University Press, 1990.

41. R. E. Frykenberg, « The Silent Settlement in South India, 1793-1853. An Analysis of the Role of Inams in the Rise of the Indian Imperial System », *in* R. E. Frykenberg (dir.), *Land Tenure and Peasant in South Asia*, New Delhi, Orient Longman, 1977 ; N. B. Dirks, *The Hollow Crown. Ethnohistory of an Indian Kingdom*, Cambridge, Cambridge University Press, 1987.

42. L. W. Preston, *The Devs of Cincvad. À Lineage and the State in Maharashtra*, Cambridge, New York, Cambridge University Press, 1989.

43. G. Prakash, « Bonded Histories. Genealogies of Labor Servitude in Colonial India », art. cité.

44. G. Pandey, *The Construction of Communalism in Colonial North India*, New Delhi, Londres, Oxford University Press, 1990.

45. R. Pant, « The Cognitive Status of Caste in Colonial Ethnography. A Review of Some Literature of the North West Provinces and Oudh », *Indian Economic and Social History Review*, 24(2), 1987, p. 145-161.

46. R. S. Smith, « Rule-By-Records and Rule-By-Reports », art. cité.

47. R. Pant, « The Cognitive Status of Caste in Colonial Ethnography. A Review of Some Literature of the North West Provinces and Oudh », art. cité, p. 148.

48. *Ibid.*, p. 149.

49. R. Pant, « The Cognitive Status of Caste in Colonial Ethnography. A Review of Some Literature of the North West Provinces and Oudh », art. cité.

50. G. Pandey, *The Construction of Communalism in Colonial North India, op. cit.*

51. D. E. Ludden, « Agrarian Commercialism in Eighteenth Century South India. Evidence from the 1823 Tirunelveli Census », *Indian Economic and Social History Review*, 25(4), 1988, p. 493-519.

52. L. Habib, *The Agrarian System of Mugbal India (1556-1707)*, Bombay, Londres, Asia Publishing House, 1963.

53. L. Habib, *An Atlas of the Mughal Empire. Political and Economic Maps*, Delhi, New York, Oxford University Press, 1982, p. 163.

54. C. A. Breckenridge (dir.), « Number Use in the Vijayanagara Era », Conference on the Kingdom of Vijayanagar, South Asia Institute, University of Heidelberg, 14-17 juillet 1983.

55. F. Perlin, « Money-Use in Late Pre-Colonial India and the International Trade in Currency Media », *in* J. E Richards (dir.), *The Imperial Monetary System of Mughal India*, Delhi, Oxford University Press, 1987.

56. M. Hasan, *Nationalism and Communal Politics in India, 1919-1928*, New Delhi, Manohar, 1979 ; G. Pandey, *The Construction of Communalism in Colonial North India*, New Delhi, Londres, Oxford University Press, 1990 ; E. Robinson, *Separatism among Indian Muslims. The Politics of the United Provinces' Muslims, 1860-1923*, Londres, New York, Cambridge University Press, 1974.

57. R. E. Frykenberg, « The Concept of "Majority" as a Devilish Force in the Politics of Modern India. A Historiographic Comment », *Journal of the Commonwealth History and Comparative Politics*, 25, 3 novembre 1987, p. 267-274 ; S., Saraswathi *Minorities in Madras State. Group Interest in Modern Politics*, Delhi, Impex India, 1974 ; D. A. Washbrook, *The Emergence of Provincial Politics. The Madras Presidency, 1870-1920*, Cambridge, New York, Cambridge University Press, 1976, chapitre VI.

58. R. Kothari, *State against Democracy, op. cit.* ; R. Kothari, « Ethnicity », art. cité.

59. Ce dernier concept est dû à S. Kaviraj, « On the Constitution of Colonial Power », art. cité.

60. A. M. Shah, « Caste and the Intelligentsia », art. cité.

61. H. E. Pitkin, *The Concept of Representation*, Berkeley, Los Angeles, University of California Press, 1967.

62. R. E. Frykenberg, « The Concept of "Majority" as a Devilish

Force in the Politics of Modern India. À Historiographic Comment »,
art. cité.

63. P. Chatterjee, *Nationalism Thought and the Colonial World. A Derivative Discourse ?*, Londres, Zed Books, 1986.

64. David Arnold, « Touching the Body. Perspectives on the Indian Plague », art. cité.

65. S. Amin, « Gandhi as Mahatma. Gorakhpur District, Eastern UP, 1921-1922 », *in* Ranajit Guha (dir.), *Subaltern Studies. Writings on South Asian History and Society*, tome 3, Delhi et Londres, Oxford University Press, 1984 ; J. V. Bondurant, *Conquest of Violence. The Gandhian Philosophy of Conflict*, Princeton (N. J.), Princeton University Press, 1958.

CHAPITRE VI

La vie après le primordialisme

1. De précédentes versions de ce chapitre ont été présentées au Center for International Affairs (Harvard University), au Program in the Comparative Study of Social Transformations (Université du Michigan) et au Center for Asian Studies de l'Université d'Amsterdam. À chacune de ces occasions, les auditeurs m'ont fait d'utiles critiques et posé des questions stimulantes ; qu'ils en soient remerciés.

2. Je suis heureux de saluer ici Fredrik Barth – dont le travail sur les groupes ethniques et les frontières (*Ethnic Groups and Boundaries*, Boston, Little Brown, 1969) reste une étude classique du contexte social des processus ethniques – pour ses précisions sur la relation globalisante et la mobilisation de l'identité ethnique (« Redefining the Domains of Anthropological Discourse », conférence à l'Université de Chicago, 9 octobre 1995). Pour une première tentative de lier ethnicité et ordre international, voir C. Enloe, « Ethnicity, the State ans the New International Order », *in* J. F. Stack (dir.), *The Primordial Challenge. Ethnicity in the Contemporary World*, New York, Greenwood Press, 1986.

3. D. E. Apter, *The Politics of Modernization*, Chicago, University of Chicago Press, 1965 ; H. Isaacs, *Idols of the Tribe. Group Identity and Political Change*, New York, Harper & Row, 1975 ; E. Shils, « Primordial, Personal, Sacred and Civil Ties », *British Journal of Sociology*, 8(2), 1957, p. 130-145.

4. J. Comaroff, J. L. Comaroff, « Of Totemism and Ethnicity », in *Ethnography and the Historical Imagination*, Boulder, Westview Press, 1992 ; F. Barth, *Ethnic Groups and Boundaries*, *op. cit.* ; C. Geertz (dir.), *Old Societies and New States. The Quest for Modernity in Asia and Africa*, New York, The Free Press, 1963. À bien des égards, le présent chapitre se veut un dialogue avec l'important recueil publié sous la direction de Clifford Geertz, *Old Societies and New States*. Édité sous

les auspices du Comité pour l'étude comparative des nouvelles nations à l'Université de Chicago, ce volume regroupe des essais de sociologues, d'anthropologues et de spécialistes des sciences sociales, et représente un moment majeur de l'interaction transdisciplinaire en ce qui concerne le thème de la modernisation. Profondément influencés par l'héritage de Max Weber et son interprétation aux États-Unis par Edward Shils et Talcott Parsons, ces essais manifestent en général, quant à la modernisation, un enthousiasme positif que je ne partage pas. Certains souscrivent également à l'idée d'un substrat primordialiste dans les sociétés africaines et asiatiques, substrat dont je fais ici la cible directe de mes critiques. D'autres contributions, notamment celle de Clifford Geertz, veillent à bien noter que les soit-disant *primordia* de la vie sociale – le langage, la race, la parenté – ne sont précisément que des apparences. Geertz les conçoit comme un élément de la rhétorique de la nature, de l'histoire et des racines sur lesquelles s'appuient de nombreux politiciens des nouveaux États. Le point de vue primordialiste est encore largement répandu. Un exemple parmi d'autres en est, plus de vingt ans après la publication du livre de Geertz, l'ouvrage dirigé par John Stack, *The Primordial Challenge. Ethnicity in the Contemporary World, op. cit.* Il témoigne de la persistance de l'idée des *primordia* comme un fait, et non pas comme une simple apparence ou un trope, dans la vie sociale des groupes ethniques.

5. P. R. Brass, *The Politics of India since Independence*, Cambridge, Cambridge University Press, 1994 ; S. J. Tambiah, *Sri Lanka. Ethnic Fratricide and the Dismantling of Democracy,* Chicago, University of Chicago Press, 1986.

6. R. Kothari, *State against Democracy. In Search of Humane Governance*, New York, New Horizons, 1989 ; A. Nandy, « The Political Culture of the Indian State », *Daedalus*, 118(4), 1989, p. 1-26.

7. B. Anderson, *L'Imaginaire national. Réflexions sur l'origine et l'essor du nationalisme*, Paris, La Découverte, 1996.

8. C. Castoriadis, *L'Institution imaginaire de la société*, Paris, Seuil, coll. « Points essais », 1999 ; C. Lefort, *The Political Forms of Modern Society. Bureaucracy, Democracy, Totalitarism*, Cambridge (Mass.), MIT Press, 1986 ; E. Laclau, C. Mouffe, *Hegemony and Socialist Strategy*, Londres, Verso, 1985.

9. M. De Certeau *et al.*, *L'Invention du quotidien. 1 : Arts du faire*, Paris, Gallimard, coll. « Folio », 1990.

10. D. Hebdige, *Subculture. The Meaning of Style*, Londres, New York, Routledge, 1979.

11. J. C. Scott, *Weapons of the Weak. Everyday Forms of Peasant Resistance*, New Haven (Conn.), Yale University Press, 1985.

12. A. O. Hirschman, *Exit, Voice and Loyalty. Responses to Decline in Finns, Organizations and States*, Cambridge (Mass.), Harvard University Press, 1970.

13. E. Hobsbawm, T. Ranger (dir.), *The Invention of Tradition*, New York, Columbia University Press, 1983.

14. W. Kelly, « Japanese No-Noh. The Crosstalk of Public Culture in a Rural Festivity », *Public Culture*, 2(2), 1990, p. 65-81 ; M. Ivy, *Discourses of the Vanishing. Modernity, Phantasm, Japan*, Chicago, University of Chicago Press, 1995.

15. M. Hechter, *Internal Colonialism. The Celtic Fringe in British National development, 1536-1966*, Berkeley, University of California Press, 1975.

16. C. A. Lutz, L. Abu-Lughod (dir.), *Language and the Politics of Emotion*, Cambridge, Cambridge University Press, 1990.

17. T. Asad, « Notes on Body, Pain and Truth in the Medieval Christian Rituals », *Economy and Society*, 12, 1983, p. 285-327 ; P.van der Veer, « The Power of Detachment. Disciplines of Body and Mind in the Ramanandi Order », *American Ethnologist*, 16, 1989, p. 458-470.

18. M. Mauss, « Techniques of the Body », *Economy and Society*, 2(1), 1973, p. 70-85.

19. S. J. Tambiah, « Presidential Address. Reflections on Communal Violence in South Asia », *The Journal of Asian Studies*, 49(4), 1990, p. 741-760.

20. A. R. Zolberg, A.Suhrke, S.Aguayo, *Escape from Violence*, New York, Oxford, Oxford University Press, 1989, p. 256-257.

21. *Ibid.*, p. 257.

22. R. Keohane, (dir.), *Neo-Realism and Its Critics*, New York, Columbia University Press, 1986.

23. J. Rosenau, *Turbulence in World Politics. À Theory of Change and Continuity*, Princeton (N.J.), Princeton University Press, 1990.

24. *Ibid.*, p. 299.

25. S. Lash, J. Urry, *The End of Organized Capitalism*, Madison, University of Wisconsin Press, 1987.

26. J. P. Arnason, « Nationalism, Globalization and Modernity », *Theory, Culture and Society*, 7(2-3), 1990, p. 207-236 ; R. Robertson, « Mapping the Global Condition. Globalization as the Central Concept », *Theory, Culture and Society*, 7(2-3), 1990, p. 15-30.

27. S. J. Tambiah, « Presidential Address. Reflections on Communal Violence in South Asia », art. cité.

28. *Ibid.*, p. 750.

29. M. Hanif, « City of Death », *India Today*, 15 juillet 1995, p. 40.

30. Cette théorie de l'extrême violence souvent associée désormais aux affrontements ethniques est effleurée ici sous sa forme la plus préliminaire. Je me suis appuyé pour la développer sur toute une série de sources et d'interprétations. Il faut surtout noter les formulations de Benedict Anderson sur le racisme et la violence dans *L'Imaginaire national, op. cit.* Les travaux d'Ashis Nandy et de Veena Das sur la violence communautaire en Asie du Sud au cours des dix dernières années (*cf.* V. Das, *Mirrors of Violence. Communities, Riots and Survivors in South Asia*, Delhi, New York, Oxford University Press, 1990), ainsi qu'un ouvrage plus récent sur le discours militant Sikh en Inde depuis la fin des années 1970 (V. Das, *Critical Events. An Anthropo-*

303

logical Perspective on Contemporary India, Delhi, Oxford University Press, 1995), m'ont fourni des aperçus sur les modes de localisation, de narrativisation et de personalisation de la violence. Enfin, un essai effrayant de Donald Sutton sur le cannibalisme chez les paysans contre-révolutionnaires de Chine en 1968 (« Consuming Counterrevolution. The Ritual and Culture of Cannibalism in Wuxuan, Guangxi, China, May to july 1968 », *Comparative Studies in Society and History*, 37(1), 1995, p. 136-172) offre un puissant aperçu des façons dont les formes les plus extrêmes de violence politique peuvent être liées aux régimes et aux politiques au niveau étatique. La brillante ethnographie de Liisa Malkki sur les réfugiés Hutus en Tanzanie (*Purity and Exile. Violence, Memory and National Cosmology among Hutu Refugees in Tanzania*, Chicago, University of Chicago Press, 1995) a été une douloureuse source d'inspiration. Tous ces travaux soutiennent l'idée que le sévice brutal à l'Autre incarné (illustré dans les corps des Autres) tient étroitement au lien entre identités individuelles et labels et catégories extra-locaux. Le plein développement de cet argument sur la fureur, la trahison, les catégories soutenues par l'État et la connaissance intime de personnes devra attendre une autre occasion. C'est Sherry Ortner qui m'a persuadé que ce chapitre, comme ce livre tout entier, devait s'attaquer sérieusement à la question de la violence ethnique.

31. B. Anderson, *L'Imaginaire national, op. cit.*

32. V. Das, *Critical Events, op. cit.* ; L. Malkki, *Purity and Exile, op. cit.* ; D. Sutton, « Consuming Counterrevolution. The Ritual and Culture of Cannibalism in Wuxuan, Guangxi, China, May to july 1968 », art. cité.

33. B. Anderson, *L'Imaginaire national, op. cit.*

34. Mon point de vue ne doit pas être strictement identifié à une perspective de la violence ethnique contemporaine centrée sur l'État. Je suis proche de l'argument général de Robert Desjarlais et Albert Kleinman (« Violence and Demoralization in the New World Disorder », *Anthropology Today*, 10(5), 1994, p. 9-12), selon lequel toute la violence contemporaine ne peut être attribuée aux violentes techniques disciplinaires de l'État-nation moderne. Certes, une grande part d'incertitude et d'anomie nourrit les pires scènes de violences ethniques dans le monde. Le fait que cette notion d'incertitude, plutôt que la connaissance, caractérise l'économie morale de la violence doit faire l'objet d'une exploration systématique. Pour l'instant, notons que même dans des situations où menacent le désordre moral, la cassure épistémologique et l'incertitude sociale, les actes de violence sont souvent un remarquable révélateur de techniques d'identification dirigées par l'État, et de drames d'incertitude, de boucs émissaires et de dénonciation qui sont le fruit d'une mise en scène politique (voir par exemple, sur le génocide au Rwanda, A. de Waal, « Genocide in Rwanda », *Anthropology Today*, 10(3), 1994, p. 1-2).

35. P. Van der Veer, *Religious Nationalism. Hindus and Muslims in India*, Berkeley, Londres, University of California Press, 1994.

CHAPITRE VII

Destins du patriotisme

1. Des versions précédentes de ce chapitre ont été présentées au Center for the Critical Analysis of Contemporary Culture (Rutgers University), au Center for Transcultural Studies (Chicago) et à Chicago University.

2. A. Mbembe, « The Banality of Power and the Aesthetics of Vulgarity in the Postcolony », *Public Culture*, 4(2), 1992, p. 1-30.

3. B. Anderson, *L'Imaginaire national. Réflexions sur l'origine et l'essor du nationalisme*, Paris, La Découverte, 1996.

4. E. Balibar, « The Nation Form. History and Ideology », *in* E. Balibar, I. Wallerstein (dir.), *Race, Nation, Class. Ambiguous Identities*, Londres, New York, Verso, 1991.

5. H. K. Bhabha (dir.), *Nation and Narration*, Londres, New York, Routledge, 1990.

6. P. Chatterjee, *Nationalist Thought and the Colonial World. A Derivative Discourse ?*, Londres, Zed Books, 1986.

7. A. Mbembe *et al.*, « Belly-up. More on the Postcolony », *Public Culture*, 5(1), 1992, p. 46-145.

8. J. Comaroff, J. L. Comaroff, « Of Totemism and Ethnicity », in *Ethnography and the Historical Imagination*, Boulder, Westview Press, 1992.

9. J. Habermas, *L'Espace public*, Paris, Payot, 1978 ; C. Calhoun (dir.), *Habermas and the Public Sphere*, Cambridge (Mass.), Londres, MIT Press, 1992.

10. B. Anderson, *L'Imaginaire national*, *op. cit.*

11. M. Warner, « The Mass Public and the Mass Subject », *in* C. Calhoun (dir.), *Habermas and the Public Sphere*, *op. cit.* ; B. Lee, « Going Public », *Public Culture*, 5(2), 1993, p. 165-178.

12. B. Lee, « Going Public », art. cité.

13. E. Hobsbawm, « Ethnicity and Nationalism in Europe Today », *Anthropology Today*, 8(1), 1992, p. 3-8.

14. J. Rosenau, *Turbulence in World Politics. A Theory of Change and Continuity*, Princeton (N.J.), Princeton University Press, 1990.

15. *Ibid.*

16. Voir la convergence entre cette proposition et l'argument du Chicago Cultural Studies Group, « Critical Multiculturalism », *Critical Inquiry*, 18(3), 1992, p. 530-555.

17. J. MacAloon, *This Great Symbol. Pierre de Coubertin and the Origins of the Modern Olympic Games*, Chicago, University of Chicago Press, 1981 ; S.-Y. Kang, J. MacAloon, R. DaMatta (dir.), *The Olympics and Cultural Exchange*, Séoul, Hanyang University, Institute for Ethnological Studies, 1988.

18. L. Berlant, E. Freeman, « Queer Nationality », *Boundary*, 219(1), 1992, p. 149-180 ; N. Fraser, « Rethinking the Public Sphere.

A Contribution to the Critique of Actually Existing Democracy », *in*
C. Calhoun (dir.), *Habermas and the Public Sphere*, Cambridge (Mass.),
Londres, MIT Press, 1992 ; M. Hansen, *Babel and Babylon. Specta-
torship in American Silent Film*, Cambridge (Mass.), Harvard University
Press, 1991 ; B. Robbins (dir.), The Phantom Public Sphere, Minnea-
polis, University of Minnesota Press, 1993 ; Black Public Sphere Col-
lective, *The Black Public Sphere. À Public Culture Book*, Chicago,
University of Chicago Press, 1995.

19. *East Indies*, opposé aux *West Indies*, les Caraïbes, très pauvres.
(N.d.T.)

20. J. Kotkin, *Tribes. How Race, Religion, and Identity Determine
Success in the New Global Economy*, New York, Random House, 1993.

21. L. Berlant, *The Anatomy of National Fantasy. Hawthorne,
Utopia and Everyday Life*, Chicago, Londres, University of Chicago
Press, 1991.

22. Je remercie Philippe Scher, qui m'a fait connaître le terme de
« transnation ».

23. L. Berlant, E. Freeman, « Queer Nationality », art. cité.

24. L. Berlant, *The Anatomy of National Fantasy, op. cit.*, p. 217.

CHAPITRE VIII

La production de la localité

1. H. Lefebvre, *The Production of Space*, Cambridge (Mass.),
Oxford (GB), Blackwell, 1991.

2. Il n'existe pas de terme idéal pour désigner les localités en tant
que formes sociales actuelles. Des termes comme « endroit », « site »
ou « lieu » ont leurs inconvénients. Le terme de « voisinage » *(neigh-
borhood)* – outre qu'il évite la confusion entre « localité » (singulier de
« localités ») et « localité » en tant que propriété ou dimension de la vie
sociale – a l'intérêt de suggérer la socialité, l'immédiateté et la reproductibilité sans que cela implique nécessairement une échelle, des modes
spécifiques de connectivité et d'homogénéité interne ou des frontières
nettement définies. Ce sens du terme « voisinage » peut aussi rendre
compte des images de circuit et de zones frontières, jugées préférables
aux images de communauté et de centre/périphérie, notamment lorsqu'il
est question de migrations transnationales (R. Rouse, « Mexican Migration and the Social Space of Postmodernism », *Diaspora*, 2(2), 1991,
p. 8-23). Il reste la difficulté de prendre un terme général pour un usage
technique.

3. A. Appadurai, « Putting Hierarchy in Its Place », *Cultural Anthropology*, 3(1), 1988, p. 37-50.

4. C. Lewis, « The Look of Magic », *Man*, 21(3), 1986, p. 414-437 ;
N. D. Munn, *The Fame of Gawa. A Symbolic Study of Value Transfor-*

mation in a Massim (Papua New Guinea) Society, Cambridge, Cambridge University Press, 1986 ; E. Schieffelin, « Performance and the Cultural Construction of Reality. Spirit Seances among a New Guinea People », *American Ethnologist*, 12(4), 1985, p. 707-724.

5. A. Van Gennep, *Les Rites de passage*, Paris, Picard, 1981.

6. J. G. Frazer, *Le Rameau d'or*, Paris, Laffont, coll. « Bouquins », 1996.

7. B. Malinowski, *Les Argonautes du Pacifique occidental*, Paris, Gallimard, coll. « Tel », 1989.

8. C. Geertz, « Common Sense as a Cultural System », *Antioch Review*, 33, 1975, p. 5-26 ; C. Geertz, *Savoir local, savoir global. Les lieux du savoir*, Paris, PUF, 2000.

9. Cette critique est totalement cohérente avec (et en partie inspirée par) celle que fait Johannes Fabian du déni de contemporanéité en ethnographie et la création qui en a résulté d'un temps fictif de et pour l'Autre (*cf.* J. Fabian, *Time and the Other. How Anthropology Makes Its Object*, New York, Columbia University Press, 1983). Pourtant, cet essai ne reprend pas la question contrariante de la relation entre la coproduction de l'espace et du temps dans la pratique ethnographique, ni le débat (voir *infra*) sur la question de savoir si l'espace et le temps tendent à se cannibaliser l'un l'autre dans les sociétés capitalistes modernes. L'argument présent sur la localité entend en partie ouvrir la question du temps et de la temporalité dans la production de la localité. Je remercie Pieter Pels de m'avoir rappelé que la production de la temporalité est également pertinente pour la façon dont l'ethnographie et la localité se sont historiquement produites l'une l'autre.

10. M. Bloch, *From Blessing to Violence. History and Ideology in the Circumcision Ritual of the Merina of Madagascar*, Cambridge, Cambridge University Press, 1986.

11. M. De Certeau *et al.*, *L'Invention du quotidien. 1 : Arts du faire*, Paris, Gallimard, coll. « Folio », 1990.

12. M. Sahlins, *Des îles dans l'histoire*, Paris, Gallimard/Seuil, 1989.

13. R. Bauman, C. L. Briggs, « Poetics and Performance as Critical Perspectives on Language and Social Life », *Annual Review of Anthropology*, 19, 1990, p. 59-88 ; W. E. Hanks, « Text and Textuality », Annual Review of Anthropology, 18, 1989, p. 95-127.

14. A. Duranti, C. Goodwin, *Language as an Interactive Phenomenon*, Cambridge, Cambridge University Press, 1992.

15. D. H. Hymes, *Foundations in Sociolinguistics. An Ethnographic Perspective*, Philadelphie, University of Pennsylvania Press, 1974.

16. E. Balibar, I. Wallerstein (dir.), *Race, Nation, Class. Ambiguous Identities*, Londres, New York, Verso, 1991 ; M. Featherstone, *Global Culture. Nationalism, Globalization and Identity*, Londres, Newbury Park (Ca.), Sage, 1990 ; A. King, *Culture, Globalization and the World-System. Contemporary Conditions for the Representation of Identity*, Basingstoke, Macmillan Education, 1991 ; R. Robertson, *Globalization*.

Social Theory and Global Culture, Newbury Park (Ca.), Londres, Sage, 1992 ; J. Rosenau, *Turbulence in World Politics. A Theory of Change and Continuity*, Princeton (N.J.), Princeton University Press, 1990.

17. B. Anderson, « Census, Map, Museum », *in* B. Anderson, *Imagined Communities. Reflexions on the Origin and Spread of Nationalism*, nouv. éd., Londres, Verso, 1991 ; H. K. Bhabha (dir.), *Nation and Narration*, Londres, New York, Routledge, 1990 ; P. Chatterjee, *Nationalism Thought and the Colonial World. A Derivative Discourse ?*, Londres, Zed Books, 1986 ; E. Gellner, *Nations and Nationalism*, Ithaca (N.Y.), Cornell University Press, 1983 ; E. Hobsbawm, *Nations and Nationalism since 1780. Programme, Myth and Reality*, Cambridge, Cambridge University Press, 1990.

18. J. Borneman, *Belonging in the Two Berlins. Kin, State, Nation*, Cambridge, Cambridge University Press, 1992 ; S. E. Moore, *Moralizing States and the Ethnography of the Present*, Arlington (Va.), American Anthropological Association, 1993 ; R. Handler, *Nationalism and the Politics of Culture in Quebec*, Madison, University of Wisconsin Press, 1988 ; M. Herzfeld, *Ours Once More. Folklore, Ideology and the Making of Modern Greece*, Austin, University of Texas Press, 1982 ; B. Kapferer, *Legends of People, Myths of State*, Washington, Smithsonian Institution Press, 1988 ; S. J. Tambiah, *Sri Lanka. Ethnic Fratricide and the Dismantling of Democracy*, Chicago, University of Chicago Press, 1986 ; G. Urban, J. Sherzer (dir.), *Nations-States and Indians in Latin America*, Austin, University of Texas Press, 1991 ; P. Van der Veer, *Religious Nationalism. Hindus and Muslims in India*, Berkeley, Londres, University of California Press, 1994.

19. U. Hannerz, *Cultural Complexity. Studies in the Social Organization of Meaning*, New York, Columbia University Press, 1992 ; L. Basch *et al.*, *Nations Unbound. Transnational Projects, Postcolonial Predicaments and Deterritorialized Nation-States*, Langhorne (Pa.), Reading (GB), Cordon and Breach, 1994 ; R. J. Foster, « Making National Cultures in the Global Ecumene », *Annual Review of Anthropology*, 20, 1991, p. 235-260 ; J. Friedman, « Being in the World. Globalization and Localization », *in* M. Featherstone (dir.), *Global Culture*, Londres, Sage, 1990 ; A. Gupta, J. Ferguson, « Beyond "Culture". Space, Identity and the Politics of Difference », *Cultural Anthropology*, 7(1), 1992, p. 6-23 ; R. Rouse, « Mexican Migration and the Social Space of Postmodernism », art. cité ; M. Sahlins, « Goodbye to Tristes Tropes. Ethnography in the Context of Modern World History », The 1992 Ryerson Lecture (29 avril), University of Chicago, The University of Chicago Record, 4 février 1993.

20. G. Deleuze, F. Guattari, *Mille plateaux. Capitalisme et schizophrénie, 2*, Paris, Minuit, 1980.

21. E. Balibar, I. Wallerstein (dir.), *Race, Nation, Class, op. cit.*

22. A. Mbembe, « The Banality of Power and the Aesthetics of Vulgarity in the Postcolony », *Public Culture*, 4(2), 1992, p. 1-30.

23. J. Comaroff, J. L. Comaroff, « The Madman and the Migrant »,

in *Ethnography and the Historical Imagination*, Boulder (Colo.), Westview Press, 1992.

24. J. C. Scott, *Domination and the Arts of Resistance. Hidden Transcripts*. New Haven (Conn.), Yale University Press, 1990.

25. Ici, ma perception de la localisation converge avec l'argument général de Henri Lefebvre (*The Production of Space*, Cambridge (Mass.), Oxford (GB), Blackwell, 1991), bien qu'il souligne la relation du capitalisme et de la modernité à ce sens négatif de la localisation. Le propre compte rendu de Lefebvre sur l'État-nation est bref et cryptique, même s'il est clair qu'il a vu lui aussi les liens entre présupposés de l'État-nation moderne et processus capitaliste de localisation. La question de savoir comment relier mon argument à ceux de Lefebvre et de Harvey (*The Condition of Postmodernity. An Enquiry into the Origins of Cultural Change*, Cambridge (MA), Basil Blackwell, 1989) excède les limites de ce chapitre.

26. M. Hansen, *Babel and Babylon. Spectatorship in American Silent Film*, Cambridge (Mass.), Harvard University Press, 1991.

27. F. Ginsburg, « Aboriginal Media and the Australian Imaginary », *Public Culture*, 5(3), 1993, p. 557-578 ; T. Turner, « Defiant Images. The Kapayo Appropriation of Video », *Anthropology Today*, 8(6), 1992, p. 5-16.

28. B. Anderson, « Exodus », *Critical Inquiry*, 20(2), 1994, p. 314-327.

29. A. Bhattacharjee, « The Habit of Ex-nomination. Nation, Woman and the Indian Immigrant Bourgeoisie », *Public Culture*, 5(1), 1992, p. 19-44.

BIBLIOGRAPHIE

ABU-LUGHOD L., *Before European Hegemony. The World System a.d. 1250-1350*, New York, Oxford University Press, 1989.

ABU-LUGHOD L., « Writing against Culture », *in* R. Fox (dir.), *Recapturing Anthropology. Working in the Present*, Santa fe, School of American Research, 1991.

AHMAD A., « Jameson's Rhetoric of Otherness and the "National Allegory" », *Social Text*, 17, 1987, p. 3-27.

ALI S. M., *Cricket Delightful*, Delhi, Rupa, 1981.

ALLEN D. R., *Cricket on the Air*, Londres, British Broadcasting Corporation, 1985.

AMIN S., *Class and Nation. Historically and in the Current Crisis*, New York, Londres, Monthly Review Press, 1980.

AMIN S., « Gandhi as Mahatma. Gorakhpur District, Eastern UP, 1921-1922 », *in* Ranajit Guha (dir.), *Subaltern Studies. Writings on South Asian History and Society*, tome 3, Delhi et Londres, Oxford University Press, 1984.

ANDERSON B., « Census, Map, Museum », *in* B. Anderson, *Imagined Communities. Reflexions on the Origin and Spread of Nationalism*, nouv. éd., Londres, Verso, 1991.

ANDERSON B., « Exodus », *Critical Inquiry*, 20(2), 1994, p. 314-327.

ANDERSON B., *L'Imaginaire national. Réflexions sur l'origine et l'essor du nationalisme*, Paris, La Découverte, 1996.

APPADURAI A., *Worship and Conflict under Colonial Rule*, New York, Cambridge University Press, 1981.

APPADURAI A., « Commodities and the Politics of Value », *in* A. Appadurai (dir.), *The Social Life of Things. Commodities in Cultural Perspective*, Cambridge, Cambridge University Press, 1986.

APPADURAI A., « Putting Hierarchy in Its Place », *Cultural Anthropology*, 3(1), 1988, p. 37-50.

APPADURAI A., « Topographies of the Self. Praise and Emotion in Hindu India », *in* C. A. Lutz, L. Abu-Lughod (dir.), *Language and the Politics of Emotion*, Cambridge, Cambridge University Press, 1990.

APPADURAI A., BRECKENRIDGE C. A., « Marriage, Migration and Money. Mira Nair's Cinema of Displacement », *Visual Anthropology*, 4(1), 1991, p. 95-102.

APPADURAI A., BRECKENRIDGE C. A., « Museums Are Good to Think. Heritage on View in India », *in* I. Karp, S. Levine, T. Ybarra-Frausto (dir.), *Museums and Their Communities. The Politics of Public Culture*, Washington, Smithsonian Institution Press, 1991.

APPADURAI A., BRECKENRIDGE C. A., « Public Modernity in India », *in* C. A. Breckenridge (dir.), *Consuming Modernity. Public Culture in a South Asian World*, Minneapolis, University of Minnesota Press, 1995.

APTER D. E., *The Politics of Modernization*, Chicago, University of Chicago Press, 1965.

ARMSTRONG N., « The Occidental Alice », *Differences. A Journal of Feminist Cultural Studies*, 2(2), 1990, p. 3-40.

ARNASON J. P., « Nationalism, Globalization and Modernity », *Theory, Culture and Society*, 7(2-3), 1990, p. 207-236.

ARNOLD D., « Touching the Body. Perspectives on the Indian Plague », *in* R. Guha, G. C. Spivak (dir.), *Selected Subaltern Studies*, New York et Oxford, Oxford University Press, 1988.

ASAD T., « Notes on Body, Pain and Truth in the Medieval Christian Rituals », *Economy and Society*, 12, 1983, p. 285-327.

BALIBAR E., « The Nation Form. History and Ideology », *in* E. Balibar, I. Wallerstein (dir.), *Race, Nation, Class. Ambiguous Identities*, Londres, New York, Verso, 1991.

BALIBAR E., WALLERSTEIN I. (dir.), *Race, Nation, Class. Ambiguous Identities*, Londres, New York, Verso, 1991.

BARBER K., « Popular Arts in Africa », *African Studies Review*, 30(3), 1987, p. 1-78.

BARRIER C. N. (dir.),*The Census in British India. New Perspectives*, New Delhi, Manohar, 1981.

BARTH E. (dir.), *Ethnic Groups and Boundaries*, Boston, Little, Brown, 1969.

BARTH E., « Redefining the Domains of Anthropological Discourse », conférence à l'Université de Chicago, 9 octobre 1995.

BARUAH S., « Immigration, Ethnic Conflict and Political Turmoil, Assam 1979-1985 », *Asian Survey*, 26(11), 1986, p. 1184-1206.

BASCH L., GLICK SCHILLER N., SZANTON BLANC C., *et al.*, *Nations Unbound. Transnational Projects, Postcolonial Predicaments and Deterritorialized Nation-States*, Langhorne (Pa.), Reading (GB), Cordon and Breach, 1994.

BAUDRILLARD J., *Le Miroir de la production, ou l'illusion critique du matérialisme historique*, Paris, Galilée, 1990.

BAUMAN R., BRIGGS C. L., « Poetics and Performance as Critical Perspectives on Language and Social Life », *Annual Review of Anthropology*, 19, 1990, p. 59-88.

BAYLY C. A., « The Origins of Swadeshi (Home Industry). Cloth and Indian Society, 1700-1930 », *in* A. Appadurai (dir.), *The Social Life of Things. Commodities in Cultural Perspective*, Carnbridge, Carnbridge University Press, 1986.

BAYLY C. A., *Indian Society and the Making of the British Empire*, New Cambridge History of India, 11, 1, Cambridge, Cambridge University Press, 1988.

BAYLY C. A., *Imperial Meridian. The British Empire and the World, 1780-1830*, Londres, New York, Longman, 1989.

BENJAMIN W., « L'œuvre d'art à l'époque de sa reproduction mécanisée », in *Œuvres I, II, III*, Paris, Gallimard, coll. « Folio essais », 2000.

BERLANT L., *The Anatomy of National Fantasy. Hawthorne, Utopia and Everyday Life*, Chicago, Londres, University of Chicago Press, 1991.

BERLANT L., FREEMAN E., « Queer Nationality », *Boundary*, 219(1), 1992, p. 149-180.

BHABHA H. K. (dir.), *Nation and Narration*, Londres, New York, Routledge, 1990.

BHABHA H. K., *The Location of Culture*, Londres, New York, Routledge, 1994, trad. fr. à paraître aux Éditions Payot.

BHATTACHARJEE A., « The Habit of Ex-nomination. Nation, Woman and the Indian Immigrant Bourgeoisie », *Public Culture*, 5(1), 1992, p. 19-44.

BIRBALSINGH E., « Indo-Caribbean Test Cricketers », *Toronto South Asian Review*, 5(1), 1986, p. 105-117.

BLACK PUBLIC SPHERE COLLECTIVE, *The Black Public Sphere. A Public Culture Book*, Chicago, University of Chicago Press, 1995.

BLOCH M., *From Blessing to Violence. History and Ideology in the Circumcision Ritual of the Merina of Madagascar*, Cambridge, Cambridge University Press, 1986.

BONDURANT J. V., *Conquest of Violence. The Gandhian Philosophy of Conflict*, Princeton (N. J.), Princeton University Press, 1958.

BORNEMAN J., *Belonging in the Two Berlins. Kin, State, Nation*, Cambridge, Cambridge University Press, 1992.

BOURDIEU P., *La Distinction. Critique sociale du jugement*, Paris, Minuit, 1979.

313

BOURDIEU P., *Esquisse d'une théorie de la pratique*, Paris, Seuil, coll. « Points essais », 2000.

BRASS P. R., *The Politics of India since Independence*, Cambridge, Cambridge University Press, 1994.

BRAUDEL F., *Civilisation matérielle, économie et capitalisme, XVe-XVIIIe siècle*, Paris, Armand Colin, 1967-1979.

BRECKENRIDGE C. A. (dir.), « Number Use in the Vijayanagara Era », Conference on the Kingdom of Vijayanagar, South Asia Institute, University of Heidelberg, 14-17 juillet 1983.

BRECKENRIDGE C. A., « The Aesthetics and Politics of Colonial Collecting. India at World Fairs », *Comparative Studies in Society and History*, 31(2), 1989, p. 195-216.

BRECKENRIDGE C. A. (dir.), *Consuming Modernity. Public Culture in a South Asian World*, Minneapolis, University of Minnesota Press, 1995.

BRECKENRIDGE C. A., VAN DER VEER P. (dir.). *Orientalism and the Postcolonial Predicament. Perspectives on a South Asian World*, Philadelphie, University of Pennsylvania Press, 1993.

BREWER J., *The Sinews of Power. War, Money, and the English State, 1688-1783*, New York, Knopf, 1989.

CALHOUN C. (dir.), *Habermas and the Public Sphere*, Cambridge (Mass.), Londres, MIT Press, 1992.

CAMPBELL C., *The Romantic Ethic and the Spirit of Modern Consumerism*, Oxford, Basil Blackwell, 1987.

CANGUILHEM G., *Le Normal et le Pathologique*, Paris, PUF, coll. « Quadrige », 1999.

CARRITHERS M., COLLINS S., LUKES S. (dir.), *The Category of the Person*, Cambridge, Cambridge University Press, 1985.

CASHMAN R., *Patrons, Players and the Crowd. The Phenomenon of Indian Cricket*, New Delhi, Orient Longman, 1980.

CASTORIADIS C., *L'Institution imaginaire de la société*, Paris, Seuil, coll. « Points essais », 1999.

CHAKRABARTY D. « Conditions for Knowledge of Working-Class Conditions. Employers, Government and the Jute Workers of Calcutta, 1890-1940 », *in* R. Guha, G. C. Spivak (dir.), *Selected Subaltern Studies*, New York, Oxford, Oxford University Press, 1983.

CHATTERJEE P., *Nationalist Thought and the Colonial World. A Derivative Discourse ?*, Londres, Zed Books, 1986.

CHATTERJEE P., *The Nation and Its Fragments. Colonial and Postcolonial Histories*, Princeton (N. J.), Princeton University Press, 1993.

CHICAGO CULTURAL STUDIES CROUP, « Critical Multiculturalism », *Critical Inquiry*, 18(3), 1992, p. 530-555.

CLARKE A., CLARKE J., « "Highlights and Action Replays". Ideology, Sport and the Media », *in* J. Hargreaves (dir.), *Sport, Culture and Ideology*, Londres, Routledge and Kegan Paul, 1982.

CLIFFORD J., MARCUS G. E. (dir.), *Writing Culture. The Poetics and Politics of Ethnography*, Berkeley, University of California Press, 1986.

COHN B. S., « Structural Change in Indian Rural Society », *in* R. E. Frykenberg (dir.), *Land Control and Social Structure in Indian History*, Madison, University of Wisconsin Press, 1969.

COHN B. S., « The Census. Social Structure and Objectification in South Asia », *in An Anthropologist among the Historians and Other Essays*, Delhi, Londres, Oxford University Press, 1987.

COMAROFF J., COMAROFF J. L., « The Madman and the Migrant », in *Ethnography and the Historical Imagination*, Boulder (Colo.), Westview Press, 1992.

COMAROFF J., COMAROFF J. L., « Of Totemism and Ethnicity », in *Ethnography and the Historical Imagination*, Boulder (Colo.), Westview Press, 1992.

COOPER F., STOLER A. L. « Tensions of Empire and Visions of Rule », *American Ethnologist*, 16(4), 1989, p. 609-621.

CORBIN A., *Le Miasme et la Jonquille. L'odorat et l'imaginaire social, XVIIIe-XIXe siècles*, Paris, Flammarion, coll. « Champs », 2001.

CORTÁZAR J., *Un certain Lucas*, Paris, Gallimard, 1989.

CRANE D. (1972) *Invisible Colleges.* Chicago : University of Chicago Press.

CURTIN P. (1984) *Cross-Cultural Trade in World History.* Cambridge : Cambridge University Press.

DAS V. (dir.), *Mirrors of Violence. Communities, Riots and Survivors in South Asia*, Delhi, New York, Oxford University Press, 1990.

DAS V., *Critical Events. An Anthropological Perspective on Contemporary India*, Delhi, Oxford University Press, 1995.

DE CERTEAU M. *et al.*, *L'Invention du quotidien. 1 : Arts du faire*, Paris, Gallimard, coll. « Folio », 1990.

DELEUZE G., GUATTARI F., *Mille plateaux. Capitalisme et schizophrénie, 2*, Paris, Minuit, 1980.

DE MELLOW M., *Reaching for Excellence. The Glory and Decay of Sport in India*, New Delhi, Ludhiana, Kalyani, 1979.

DESJARLAIS R., KLEINMAN A., « Violence and Demoralization in the New World Disorder », *Anthropology Today*, 10(5), 1994, p. 9-12.

DE WAAL A., « Genocide in Rwanda », *Anthropology Today*, 10(3), 1994, p. 1-2.

DIAWARA M., « Englishness and Blackness. Cricket as Discourse on Colonialism », *Callaloo*, 13(2), 1990, p. 830-844.

DIRKS N. B., *The Hollow Crown. Ethnohistory of an Indian Kingdom*, Cambridge, Cambridge University Press, 1987.

DIRKS N. B., « The Policing of Tradition in Colonial South India », conférence, Ethnohistory Workshop, Philadelphie, University of Pennsylvania, 1989.

DOCKER E., *History of Indian Cricket*, Delhi, Macmillan, 1976.

DOUGLAS M., « Primitive Rationing », *in* R. Firth (dir.), *Themes in Economic Anthropology*, Londres, Tavistock, 1967.

DOUGLAS M., ISHERWOOD B., *The World of Goods*, New York, Basic Books, 1981.

DURANTI A., GOODWIN C., *Language as an Interactive Phenomenon*, Cambridge, Cambridge University Press, 1992.

ÉLIAS N., *La Dynamique de l'Occident*, Paris, Pocket, coll. « Agora », 1990.

ÉLIAS N., DUNNING E., *Sport et Civilisation*, Paris, Pocket, coll. « Agora », 1994.

ENLOE C., « Ethnicity, the State and the New International Order », *in* J. E Stack (dir.), *The Primordial Challenge. Ethnicity in the Contemporary World*, New York, Greenwood Press, 1986.

EWALD F., *L'État-providence*, Paris, Grasset, 1986.

FABIAN J., *Time and the Other. How Anthropology Makes Its Object*, New York, Columbia University Press, 1983.

FEATHERSTONE M., *Global Culture. Nationalism, Globalization and Identity*, Londres, Newbury Park (Ca.), Sage, 1990.

FELD S., « Notes on World Beat », *Public Culture*, 1(1), 1988, p. 31-37.

FELMAN S., « Narrative as Testimony. Camus' *The Plague* », *in* J. Phelan (dir.), *Reading Narrative. Form, Ethics, Ideology*, Columbus, Ohio State University Press, 1989.

FOSTER R. J., « Making National Cultures in the Global Ecumene », *Annual Review of Anthropology*, 20, 1991, p. 235-260.

FRASER N., « Rethinking the Public Sphere. A Contribution to the Critique of Actually Existing Democracy », *in* C. Calhoun (dir.), *Habermas and the Public Sphere*, Cambridge (Mass.), Londres, MIT Press, 1992.

FRAZER J. G., *Le Rameau d'or*, Paris, Laffont, coll. « Bouquins », 1996.

FREITAG S., *Collective Action and Community. Public Arenas in the Emergence of Communalism in North India*, Berkeley, University of California Press, 1989.

FRIEDMAN J., « Being in the World. Globalization and Localization », *in* M. Featherstone (dir.), *Global Culture*, Londres, Sage, 1990.

FRYKENBERG R. E., « The Silent Settlement in South India, 1793-1853. An Analysis of the Role of Inams in the Rise of the Indian Imperial System », *in* R. E. Frykenberg (dir.), *Land Tenure and Peasant in South Asia*, New Delhi, Orient Longman, 1977.

FRYKENBERG R. E., « The Concept of "Majority" as a Devilish Force in the Politics of Modern India. A Historiographic Comment », *Journal of the Commonwealth History and Comparative Politics*, 25, 3 novembre 1987, p. 267-274.

CANS E., *The End of a Culture. Toward a Generative Anthropology*, Berkeley, University of California Press, 1985.

GEERTZ C. (dir.), *Old Societies and New States. The Quest for Modernity in Asia and Africa*, New York, The Free Press, 1963.

GEERTZ C., « Ritual and Social Change. A Javanese Example », in *The Interpretation of Cultures*, New York, Basic Books, 1973.

GEERTZ C., « Common Sense as a Cultural System », *Antioch Review*, 33, 1975, p. 5-26.

GEERTZ C., « Blurred Genres. The Refiguration of Social Thought », *American Scholar*, 49, 1980, p. 125-159.

GEERTZ C., *Ici et là-bas. L'anthropologue comme auteur*, Paris, Métailié, 1996.

GEERTZ C., *Savoir local, savoir global. Les lieux du savoir*, Paris, PUF, 2000.

GELLNER E., *Nations and Nationalism*, Ithaca (N.Y.), Cornell University Press, 1983.

GIDDENS A., *Central Problems in Social Theory. Action, Structure and Contradiction in Social Analysis*, Berkeley, University of California Press, 1979.

GINSBURG F., « Aboriginal Media and the Australian Imaginary », *Public Culture*, 5(3), 1993, p. 557-578.

GOFFMAN F., « Symbols of Class Status », *British Journal of Sociology*, 2, 1951, p. 294-304.

GOVERNMENT OF MAHARASHTRA, *The Joint Report of 1847. Measurement and Classification Rules of the Deccan, Gujerat, Konkan and Kanara Surveys, Nagpur*, Government Press, 1975.

GUHA R., « The Prose of Counter-Insurgency », *in* R. Guha (dir.), *Subaltern Studies. Writings on South Asian History and Society*, vol. 2, New Delhi, Londres, Oxford University Press, 1983.

GUPTA A., FERGUSON J., « Beyond « Culture ». Space, Identity and the Politics of Difference », *Cultural Anthropology*, 7(1), 1992, p. 6-23.

HABERMAS J., *L'Espace public*, Paris, Payot, 1978.

HABIB L., *The Agrarian System of Mugbal India (1556-1707)*, Bombay, Londres, Asia Publishing House, 1963.

HABIB L., *An Atlas of the Mughal Empire. Political and Economic Maps*, Delhi, New York, Oxford University Press, 1982.

HACKING I., *The Emergence of Probability. A Philosophical Study of Early Ideas about Probabili1y, Induction and Statistical Inference*, Cambridge, New York, Cambridge University Press, 1975.

HACKING I., « Biopower and the Avalanche of Printed Numbers », *Humanities in Society*, 5(3-4), 1982, p. 279-295.

HACKING I., « Making Up People », *in* T. C. Heller, M. Sosna, D. E. Willbery (dir.), *Reconstructing Individualism. Autonomy, Individuality and the Self in Western Thought*, Stanford (CA), Stanford University Press, 1986.

HALBWACHS M., *La Mémoire collective*, Paris, PUF, 2000.

HALL S., « Cultural Studies. Two Paradigms », *in* R. Collins (dir.), *Media, Culture, and Society. A Critical reader*, Londres, Sage, 1986.

HAMELINK C., *Cultural Autonomy in Global Communications*, New York, Longman, 1983.

HANDLER R., *Nationalism and the Politics of Culture in Quebec*, Madison, University of Wisconsin Press, 1988.

HANIF M., « City of Death », *India Today*, 15 juillet 1995, p. 34-41.

HANKS W. E., « Text and Textuality », Annual Review of Anthropology, 18, 1989, p. 95-127.

HANNERZ U., « The World in Creolization », *Africa*, 57(4), 1987, p. 546-559.

HANNERZ U., « Notes on the Global Ecumene », *Public Culture*, 1(2), 1989, p. 66-75.

HANNERZ U., *Cultural Complexity. Studies in the Social Organization of Meaning*, New York, Columbia University Press, 1992.

HANSEN M., *Babel and Babylon. Spectatorship in American Silent Film*, Cambridge (Mass.), Harvard University Press, 1991.

HANSEN M., « Unstable Mixtures, Dilated Spheres. Negt and Kluges The Public Sphere and Experience, Twenty Years Later », *Public Culture*, 5(2), 1993, p. 179-212.

HARGREAVES J. (dir.), *Sport, Culture and Ideology*, Londres, Routledge & Kegan Paul, 1982.

HARVEY D., *The Condition of Postmodernity. An Enquiry into the Origins of Cultural Change*, Cambridge (MA), Basil Blackwell, 1989.

HASAN M., *Nationalism and Communal Politics in India, 1919-1928*, New Delhi, Manohar, 1979.

HAZARE V., *Cricket Replayed*, Bombay, Rupa, 1976.

HAZARE V., *A Long Innings*, Bombay, Rupa, 1981.

HEBDIGE D., *Subculture. The Meaning of Style*, Londres, New York, Routledge, 1979.

HECHTER M., *Internal Colonialism. The Celtic Fringe in British National development, 1536-1966*, Berkeley, University of California Press, 1975.

HELMS M. W., *Ulysses' Sail. An Ethnographic Odyssey of Power, Knowledge, and Geographical Distance*, Princeton, (NJ), Princeton University Press, 1988.

HERZFELD M., *Ours Once More. Folklore, Ideology and the Making of Modern Greece*, Austin, University of Texas Press, 1982.

HINKSON J., « Postmodernism and Structural Change », *Public Culture*, 2(2), 1990, p. 82-101.

HIRSCHMAN A. O., *Exit, Voice and Loyalty. Responses to Decline in Finns, Organizations and States*, Cambridge (Mass.), Harvard University Press, 1970.

HOBSBAWM E., *Nations and Nationalism since 1780. Programme, Myth and Reality*, Cambridge, Cambridge University Press, 1990.

HOBSBAWM E., « Ethnicity and Nationalism in Europe Today », *Anthropology Today*, 8(1), 1992, p. 3-8.

HOBSBAWM E., RANGER T. (dir.), *The Invention of Tradition*, New York, Columbia University Press, 1983.

HODGSON M., *The Venture of Islam. Conscience and History in a World Civilization*, 3 vol., Chicago, University of Chicago Press, 1974.

HUIZINGA J., *Homo Ludens. A Study of the Play-Element in Culture* (1944), New York, Roy, 1950.

HUTCHINS E. G., *The Illusion of Permanence. British Imperialism in India*, Princeton (NJ), Princeton University Press, 1967.

HYMES D. H., *Reinventing Anthropology*, New York, Pantheon, 1969.

HYMES D. H., *Foundations in Sociolinguistics. An Ethnographic Perspective*, Philadelphie, University of Pennsylvania Press, 1974.

INDEN R. B., *Imagining India*, Oxford, Cambridge (Mass.), Basil Blackwell, 1990.

ISAACS H., *Idols of the Tribe. Group Identity and Political Change*, New York, Harper & Row, 1975.

IVY M., « Tradition and Difference in the Japanese Mass Media », *Public Culture*, 1(1), 1988, p. 21-29.

IVY M., « Critical Texts, Mass Artifacts. The Consumption of Knowledge in Postmodern Japan », *in* M. Miyoshi, H. D. Harootunian (dir.), *Postmodernism and Japan*, Durham (NC), Duke University Press, 1989.

IVY M., *Discourses of the Vanishing. Modernity, Phantasm, Japan*, Chicago, University of Chicago Press, 1995.

IYER P., *Video Night in Kathmandu*, New York, Knopf, 1988.

JAMES C. L. R., *Beyond a Boundary*, Londres, Stanley Paul, 1963.

JAMESON F., « Postmodernism and Consumer Society », *in* H. Foster (dir.), *The Anti-Aesthetic. Essays on Postmodern Culture*, Port Townsend (Washington), Bay Press, 1983, p. 111-125.

JAMESON F., « Third World Literature in the Era of Multi-National Capitalism », *Social Text*, 15, 1986, p. 65-88.

JAMESON F., « Nostalgia for the Present », *South Atlantic Quaterly*, 88(2), 1989, p. 517-537.

JAMESON F., « Reification and Utopia in Mass Culture » (1979), in *Signatures of the Visible*, New York et Londres, Routledge, 1990.

JOHNSON R., « What Is Cultural Studies Anyway ? », *Social Text*, 16, 1986, p. 38-80.

KANG S.-Y., MACALOON J., DAMATTA R. (dir.), *The Olympics and Cultural Exchange*, Séoul, Hanyang University, Institute for Ethnological Studies, 1988.

KAPFERER B., *Legends of People, Myths of State*, Washington, Smithsonian Institution Press, 1988.

KAVIRAJ S., « On the Constitution of Colonial Power », *in* D. Engels, S. Marks (dir.), *Contesting Colonial Hegemony. State and Society in Africa and India*, Londres et New York, I. B. Tauris, 1994.

KELLY W., « Japanese No-Noh. The Crosstalk of Public Culture in a Rural Festivity », *Public Culture*, 2(2), 1990, p. 65-81.

KEOHANE R., (dir.), *Neo-Realism and Its Critics*, New York, Columbia University Press, 1986.

KING A., *Culture, Globalization and the World-System. Contemporary Conditions for the Representation of Identity*, Basingstoke, Macmillan Education, 1991.

KOPYTOFF J., « The Cultural Biography of Things. Commoditization as Process », *in* A. Appadurai (dir.), *The Social Life of Things*, Cambridge, Cambridge University Press, 1986.

KOTHARI R., « Communalism. The New Face of Indian Democracy », in *State against Democracy. In Search of Humane Governance*, Dehli, Ajanta Publications et New York, New Horizon Press, 1989.

KOTHARI R., « Ethnicity », in *Rethinking Development. In Search of Humane Alternatives*, Dehli, Ajanta Publications et New York, New Horizon Press, 1989.

KOTHARI R., *State against Democracy. In Search of Humane Governance*, New York, New Horizons, 1989.

KOTKIN J., *Tribes. How Race, Religion, and Identity Determine Success in the New Global Economy*, New York, Random House, 1993.

LACLAU E., MOUFFE C., *Hegemony and Socialist Strategy*, Londres, Verso, 1985.

LAKOFF G., JOHNSON M., *Metaphors We Live By*, Chicago et Londres, University of Chicago Press, 1980.

LASH S., URRY J., *The End of Organized Capitalism*, Madison, University of Wisconsin Press, 1987.

LAWTON R. (dir.), *The Census and Social Structure. An Interpretive Guide to Nineteenth Century Censuses for England and Wales*, Londres, Totowa (N.J.), F. Cass, 1978.

LEE B., « Going Public », *Public Culture*, 5(2), 1993, p. 165-178.

LEFEBVRE H., *The Production of Space*, Cambridge (Mass.), Oxford (GB), Blackwell, 1991.

LEFORT C., The Political Forms of Modern Society. Bureaucracy, Democracy, Totalitarism, Cambridge (Mass. : MIT Press, 1986.

LEWIS C., « The Look of Magic », *Man*, 21(3), 1986, p. 414-437.

LUDDEN D. E., « Agrarian Commercialism in Eighteenth Century South India. Evidence from the 1823 Tirunelveli Census », *Indian Economic and Social History Review*, 25(4), 1988, p. 493-519.

LUDDEN D. E., « Orientalist Empiricism. Transformations of Colonial Knowledge », *in* C. A. Breckenridge, P. van der Veer (dir.), *Orientalism and the Postcolonial Predicament. Perspectives on South Asia*, Philadelphie, University of Pennsylvania Press, 1993.

LUTZ C. A., Abu-Lughod L. (dir.), *Language and the Politics of Emotion,* Cambridge, Cambridge University Press, 1990.

MACALOON J., *This Great Symbol. Pierre de Coubertin and the Origins of the Modern Olympic Games*, Chicago, University of Chicago Press, 1981.

MACALOON J., *Rite, Drama, Festival and Spectacle*, Philadelphie, Institute for the Study of Human Issues, 1984.

MACALOON J., « Steroids and the State. Dubin, Melodrama and the Accomplishment of Innocence », *Public Culture*, 2(2), 1990, p. 41-64.

MALINOWSKI B., *Les Argonautes du Pacifique occidental*, Paris, Gallimard, coll. « Tel », 1989.

MALKKI L. H., *Purity and Exile. Violence, Memory and National Cosmology among Hutu Refugees in Tanzania*, Chicago, University of Chicago Press, 1995.

MANDEL E., *Late Capitalism*, Londres, Verso, 1978.

MANI L., « Contentious Traditions. The Debate on Sati in Colonial India », *in* K. Sangari, S. Vaid (dir.), *Recasting Women. Essays in Colonial History*, New Delhi, Kali for Women, 1990.

MARCUS G., FISCHER M., *Anthropology as Cultural Critique. An Experimental Moment in the Human Sciences*, Chicago, University of Chicago Press, 1986.

MARSHALL T., « It's Now Cricket to Play Hardball », *This World*, 22 novembre 1987.

MARTIN E., « The End of the Body ? », *American Ethnologist*, 19(1), 1992, p. 121-140.

MATTELARD A., *Transnationals and the Third World. The Struggle for Culture*, South Hadley (Mass.), Bergin & Garvey, 1983.

MAUSS M., « Techniques of the Body », *Economy and Society*, 2(1), 1973, p. 70-85.

MAUSS M., « Essai sur le don », in *Sociologie et Anthropologie*, Paris, PUF, 1960.

MBEMBE A., « The Banality of Power and the Aesthetics of Vulgarity in the Postcolony », *Public Culture*, 4(2), 1992, p. 1-30.

MBEMBE A. *et al.*, « Belly-up. More on the Postcolony », *Public Culture*, 5(1), 1992, p. 46-145.

McCRACKEN G. D., *Culture and Consumption. New Approaches to the Symbolic Character of Consumer Goods and Activities*, Bloomington, Indiana University Press, 1988.

McKENDRICK N., BREWER N. J., PLUMB J. H., *The Birth of a Consumer Society. The Commercialization of Eighteenth-Century England*, Bloomington, Indiana University Press, 1982.

McLUHAN M., POWERS B. R., *The Global Village. Transformations in World, Life and Media in the 21st Century*, New York, Oxford University Press, 1989.

McQUEEN H., « The Australian Stamp. Image, design and Ideology », *Arena*, 84, 1988, p. 78-96.

MEYROWITZ J., *No Sense of Place. The Impact of Electronic Media on Social Behavior*, New York, Oxford University Press, 1985.

MILLER D., *Material Culture and Mass Consumption*, Londres, Basil Blackwell, 1987.

MILLER M., *The Bon Marche. Bourgeois Culture and the Department Store, 1869-1920*, Princeton (NJ), Princeton Unievrsity Press, 1981.

MINTZ S. W., *Sweetness and Power*, New York, Viking-Penguin, 1985.

MITRA A., « Cricket Frenzy Unites a Dishevelled Subcontinent », *Far Eastern Economic Review*, 10 juillet 1986, p. 48-49.

MONEY J., « Teaching in the Marketplace, or Caesar Adsum Jam

Forte Pompey Aderat. The Retailing of Knowledge in Provincial England », conférence, Clark Library, UCLA, 4 mars 1989.

MOORE S. E., *Moralizing States and the Ethnography of thePresent*, Arlington (Va.), American Anthropological Association, 1993.

MUKERJI C., *From Graven Images. Patterns of Modern Materialism*, New York, Columbia University Press, 1983.

MULVEY L., « Visual Pleasure and Narrative Cinema », *Screen*, 16(3), 1975, p. 6-18.

MUNN N. D., *The Fame of Gawa. A Symbolic Study of Value Transformation in a Massim (Papua New Guinea) Society*, Cambridge, Cambridge University Press, 1986.

NANDY A., *The Intimate Ennemy. Loss and Recovery of Self under Colonialism*, Delhi, Oxford University Press, 1983.

NANDY A., *Traditions, Tyranny and Utopias*, Delhi, Oxford University Press, 1987.

NANDY A., « The Political Culture of the Indian State », *Daedalus*, 118(4), 1989, p. 1-26.

NANDY A., *The Tao of Cricket. On Games of Destiny and thes Destiny of Games*, New York, Viking, 1989.

NEALE W. C., « Land Is to Rule », *in* R. E. Frykenberg (dir.), *Land Control and Social Structure in Indian History*, Madison, University of Wisconsin Press, 1969.

Nicoll, E (1989) My Trip to Alice, Criticism, Heresy and Interpretation 3 : 21-32.

NIGAM S., « Disciplining and Policing the "Criminals by Birth", 2 : The Development of a Disciplinary System, 1871-1900 », *Indian Economic and Social History Review*, 27(3), 1990, p. 257-287.

ORTNER S. B., « Reading America. Preliminary Notes on Class and Culture », *in* R. Fox (dir.), *Recapturing Anthropology. Working in the Present*, Santa Fe (NM), School of American Research, 1991.

PANDEY G., *The Construction of Communalism in Colonial North India*, New Delhi, Londres, Oxford University Press, 1990.

PANT R., « The Cognitive Status of Caste in Colonial Ethnography. A Review of Some Literature of the North West Provinces and Oudh », *Indian Economic and Social History Review*, 24(2), 1987, p. 145-161.

PARFIT D., *Reasons and Persons*, Oxford, Clarendon Press, 1986.

PARKIN D., *The Cultural Definition of Political Response*, Londres, Academic Press, 1978.

PERLIN F., « Proto-Industrialization and Pre-Colonial South Asia », *Past and Present*, 98(30), 1983, p. 94.

PERLIN F., « Money-Use in Late Pre-Colonial India and the International Trade in Currency Media », *in* J. E Richards (dir.), *The*

Imperial Monetary System of Mughal India, Delhi, Oxford University Press, 1987.

PITKIN H. E., *The Concept of Representation*, Berkeley, Los Angeles, University of California Press, 1967.

PRAKASH G., « Bonded Histories. Genealogies of Labor Servitude in Colonial India », *South Asian Studies*, 44, Cambridge et New York, Cambridge University Press, 1990.

PRESLER F. A., *Religion under Bureaucracy. Policy and Administration for Hindu Temples in South India*, Cambridge, New York, Cambridge University Press, 1987.

PRESTON L. W., *The Devs of Cincvad. A Lineage and the State in Maharashtra*, Cambridge, New York, Cambridge University Press, 1989.

PURI N., « Sports versus Cricket », *India International Centre Quaterly*, 9(2), 1982, p. 146-154.

RABINOW P., « Representations are Social Facts. Modernity and Postmodernity in Anthropology », *in* J. Clifford, G. Marcus (dir.), *Writing Culture. The Poetics and Politics of Ethnography*, Berkeley, University of California Press, 1986.

RABINOW P., *French Modern. Norms and Forms of the Social Environment*, Cambridge (Mass.), MIT Press, 1989.

RAIJI V., *L. P. Jai. Mémories of a Great Batsman*, Bombay, Tyeby, 1976.

ROBBINS B. (dir.), The Phantom Public Sphere, Minneapolis, University of Minnesota Press, 1993.

ROBERTS M., « Ethnicity in Riposte at a Cricket Match. The Past for the Present », *Comparative Studies in Society and History*, 27, 1985, p. 15-30.

ROBERTSON R., « Mapping the Global Condition. Globalization as the Central Concept », *Theory, Culture and Society*, 7(2-3), 1990, p. 15-30.

ROBERTSON R., *Globalization. Social Theory and Global Culture*, Newbury Park (Ca.), Londres, Sage, 1992.

ROBINSON E., *Separatism among Indian Muslims. The Politics of the United Provinces' Muslims, 1860-1923*, Londres, New York, Cambridge University Press, 1974.

ROJEK C., *Capitalism and Leisure Theory*, Londres, Tavistock, 1987.

ROSALDO R., *Culture and Truth. The Remaking of Social Analysis*, Boston, Beacon Press, 1989.

ROSENAU J., *Turbulence in World Politics. A Theory of Change and Continuity*, Princeton (N.J.), Princeton University Press, 1990.

ROUSE R., « Mexican Migration and the Social Space of Postmodernism », *Diaspora*, 2(2), 1991, p. 8-23.

SAHLINS M., *Âge de pierre, âge d'abondance. L'économie des sociétés primitives*, Paris, Gallimard, 1976.

SAHLINS M., *Historical Metaphors and Mythical Realities. Structure in the Early History of the Sandwich Islands Kingdom*, Ann Arbor, University of Michigan Press, 1981.

SAHLINS M., *Des îles dans l'histoire*, Paris, Gallimard/Seuil, 1989.

SAHLINS M., « Goodbye to Tristes Tropes. Ethnography in the Context of Modern World History », The 1992 Ryerson Lecture (29 avril), University of Chicago, The University of Chicago Record, 4 février 1993.

SAID E. W., *L'Orientalisme*, Paris, Seuil, 1997.

SALVE N. K. P., *The Story of the Reliance Cup*, New Delhi, Vikas, 1987.

SARASWATHI S., *Minorities in Madras State. Group Interest in Modern Politics*, Delhi, Impex India, 1974.

SAWCHUK K., « A Tale of Inscription/Fashion Statements », *in* A. et M. Kroker (dir.), *Body Invaders. Panic Sex in America*, Basingstoke, Macmillan Education, 1988.

SCHAFER E., *Golden Peaches of Samarkand. A Study of T'ang Exotics*, Berkeley, University of California Press, 1963.

SCHIEFFELIN E., « Performance and the Cultural Construction of Reality. Spirit Seances among a New Guinea People », *American Ethnologist*, 12(4), 1985, p. 707-724.

SCHILLER H., *Communication and Cultural Domination*, White Plains (New York), International Arts and Sciences, 1976.

SCHUDSON M., *Advertising, the Uneasy Persuasion*, New York, Basic Books, 1984.

SCOTT J. C., *Weapons of the Weak. Everyday Forms of Peasant Resistance*, New Haven (Conn.), Yale University Press, 1985.

SCOTT J. C., *Domination and the Arts of Resistance. Hidden Transcripts.* New Haven (Conn.), Yale University Press, 1990.

SHAH A. M., « Caste and the Intelligentsia », *Hindustan Times*, 24 mars 1989.

SHASTRI R., PATIL S., *Shatak Shatkar (in Marathi)*, Bombay, Aditya Prakashan, 1982.

SHILS E., « Primordial, Personal, Sacred and Civil Ties », *British Journal of Sociology*, 8(2), 1957, p. 130-145.

SIMMEL G., « Fashion » (1904), *American Journal of Sociology*, 62(6), 1957, p. 541-558.

SMITH P., « Visiting the Banana Republic », *in* A. Ross (dir.), *Universal Abandon ? The Politics of Postmodernism*, Minneapolis, University of Minnesota Press, 1988.

SMITH R. S., « Rule-By-Records and Rule-By-Reports. Complementary Aspects of the British Imperial Rule of Law », *Contributions to Indian Sociology*, 19(1), 1985, p. 153-176.

STACK J. F. Jr. (dir.), *The Primordial Challenge. Ethnicity in the Contemporary World*, New York, Greenwood Press, 1986.

STEWART S., *On Longing. Narratives of the Miniature, the Gigantic, the Collection*, Baltimore, Johns Hopkins University Press, 1984.

SUTTON D. S., « Consuming Counterrevolution. The Ritual and Culture of Cannibalism in Wuxuan, Guangxi, China, May to july 1968 », *Comparative Studies in Society and History*, 37(1), 1995, p. 136-172.

TAMBIAH S. J., *Sri Lanka. Ethnic Fratricide and the Dismantling of Democracy*, Chicago, University of Chicago Press, 1986.

TAMBIAH S. J., « Presidential Address. Reflections on Communal Violence in South Asia », The Journal *of* Asian *Studies*, 49(4), 1990, p. 741-760.

THAPAR R., « Imagined Religious Communities ? Ancient History and the Modern Search for a Hindu Identity », *Modern Asian Studies*, 23, 1989, p. 209-232.

THOMAS K., « Numeracy in Modern England », *Transactions of the Royal Historical Society*, 37 (5ᵉ série), 1987, p. 103-132.

THOMPSON E. P., « Time, Work-Discipline and Industrial Capitalism », *Past and Present*, 38, 1967, p. 56-97.

THORNTON R., « The Rhetoric of Ethnographic Holism », *Cultural Anthropology*, 3(3), 1988, p. 285-303.

TRIPATHI S., « Sharjah. A Crass Carnival », *India Today*, 31 mai 1990, p. 88-91.

TROUILLOT M.-R., « Anthropology and the Savage Slot. The Poetics and Politics of Otherness », *in* R. Fox (dir.), *Recapturing Anthropology. Working in the Present*, Santa Fe (N. M.), School of American Research, 1991.

TURNER T., « Defiant Images. The Kapayo Appropriation of Video », *Anthropology Today*, 8(6), 1992, p. 5-16.

URBAN G., SHERZER J. (dir.), *Nations-States and Indians in Latin America*, Austin, University of Texas Press, 1991.

VACHANI L., *Narrative, Pleasure and Ideology in the Hindi Film. An Analysis of the Outsider Formula*, M. A. thesis, Annenberg School of Communication, University of Pennsylvania, 1989.

VAN DER VEER P., « The Power of Detachment. Disciplines of Body and Mind in the Ramanandi Order », *American Ethnologist*, 16, 1989, p. 458-470.

VAN DER VEER P., *Religious Nationalism. Hindus and Muslims in India*, Berkeley, Londres, University of California Press, 1994.

VAN GENNEP A., *Les Rites de passage*, Paris, Picard, 1981.

VEBLEN T., *The Theory of the Leisure Class*, New York, Macmillan, 1912.

WALLERSTEIN I., *The Modern World System*, New York, Londres, Academic Press, 1974.

WARNER M., *The Letters of the Republic. Publication and the Public Sphere in Eighteenth Century America*, Cambridge (Mass.), Harvard University Press, 1990.

WARNER M., « The Mass Public and the Mass Subject », *in* C. Calhoun (dir.), *Habermas and the Public Sphere*, Cambridge (Mass.), MIT Press, 1992.

WASHBROOK D. A., *The Emergence of Provincial Politics. The Madras Presidency, 1870-1920*, Cambridge, New York, Cambridge University Press, 1976.

WILLIAMS R. H., *Keywords*, New York, Oxford University Press, 1976.

WILLIAMS R. H., *Dream Worlds. Mass Consumption in Late Nineteenth-Century France*, Berkeley, University of California Press, 1982.

WOLF E., *Europe and the People without History*, Berkeley, University of California Press, 1982.

YOSHIMOTO M., « The Postmodern and Mass Images in japan », *Public Culture*, 1(2), 1989, p. 8-25.

ZARILLI P., « Repositioning the Body. An Indian Martial Art and its Pan-Asian Publics », *in* C. A. Breckenridge (dir.), *Consuming Modernity. Public Culture in a South Asian World*, Minneapolis, University of Minnesota Press, 1995.

ZOLBERG A. R., SUHRKE A., AGUAYO S., *Escape from Violence*, New York, Oxford, Oxford University Press, 1989.

REMERCIEMENTS

Ce livre a été rédigé sur une période de cinq ans, durant lesquels j'ai bénéficié de contacts avec de nombreuses personnes et institutions. L'idée même de cet ouvrage a pris forme dans les années 1989-1990, alors que j'étais un MacArthur Fellow à l'Institute for Advanced Study de Princeton. Certaines parties en ont été rédigées lors de mon séjour à l'Université de Pennsylvanie, où j'étais codirecteur du Center for Transnational Cultural Studies. Il a été terminé à l'université de Chicago, où j'ai pu jouir de nombreuses discussions interdisciplinaires au Chicago Humanities Institute, et où j'ai bénéficié de l'énergie dégagée par le Globalization Project. Durant cette même période, des conversations et des débats au Centre des études transculturelles (anciennement Centre d'études psychosociales) m'ont ouvert des perspectives nationales et internationales d'une valeur inégalable.

Les personnes suivantes m'ont offert d'appréciables critiques et suggestions sur différentes parties et versions des chapitres de ce livre : Lila Abu-Lughod, Shahid Amin, Talal Asad, Fredrik Barth, Sanjiv Baruah, Lauren Berlant, John Brewer, Partha Chatterjee, Fernando Coronil, Valentine Daniel, Micaela di Leonardo, Nicholas Dirks, Virginia Dominguez, Richard Fardon, Michael Fischer, Richard Fox, Sandria Freitag, Susan Gal, Clifford Geertz, Peter Geschiere, Michael Geyer, Akhil Gupta, Michael Hanchard, Miriam Hansen, Marilyn Ivy, Orvar Lofgren, David Ludden, John MacAloon, Achille Mbembe, Ashis Nandy, Gyanendra Pandey, Peter Pels, Roy Porter, Moishe Postone, Paul Rabinow, Bruce Robbins, Roger Rouse, Marshall Sahlins, Lee Schlesinger, Terry Smith, Stanley J. Tambiah, Charles

Taylor, Michel-Rolph Trouillot, Greg Urban, Ashutosh Varshney, Toby Volkman, Myron Weiner et Geoffrey White.

À ceux que j'ai involontairement omis dans cette liste, je présente mes excuses les plus sincères.

Je voudrais remercier ici quelques personnes en particulier pour leur généreux soutien. Mon professeur, ami et collègue Bernard S. Cohn m'a fait m'embarquer dans un périple mêlant anthropologie et histoire dès l'année 1970 et est demeuré depuis une source permanente d'idées, d'amitié et de réalisme critique. Nancy Farriss m'a toujours mis en garde contre les pièges de la comparaison historique, et rappelé l'importance de la fidélité à l'archive. Ulf Hannerz a été mon partenaire dans l'étude de la globalisation depuis 1984, lorsque nous avons passé une année ensemble au Center for Advanced Study in the Behavioral Sciences (Palo Alto). Peter van der Veer, tant à Philadelphie qu'à Amsterdam, a été pour moi une source permanente d'amitié, de vivacité d'esprit et de débats passionnés. John et Jean Comaroff, tant par leurs propres recherches que par leur présence stimulante dans le département d'anthropologie de l'université de Chicago, ont contribué de bien des façons à la mise en forme de ce livre. Sherry Ortner a encouragé le projet dès le début et a lu plusieurs fois avec attention le manuscrit. Je suis également reconnaissant au second lecteur, anonyme celui-là. Dilip Gaonkar et Benjamin Lee (coéditeurs de la collection dans lequel a été publié l'original de ce livre) ont été des amis, des collègues et des interlocuteurs de tous les instants. Homi Bhabha, Jacqueline Bhabha, Dipesh Chakrabarty, Steven Collins, Prasenjit Duara et Sheldon Pollock ont formé une communauté d'idées qui m'a aidé à terminer ce livre et à en imaginer de nouveaux.

Lisa Freeman, directrice de l'University of Minnesota Press, et Janaki Bakhle n'ont cessé de me soutenir de leurs conseils, de leur patience, de leurs suggestions critiques et de leur sagesse éditoriale.

De nombreux étudiants, tant à l'université de Pennsylvanie qu'à l'université de Chicago, ont été une source d'inspiration et d'énergie. Je tiens à remercier particulièrement ceux dont le travail a enrichi les idées contenues dans ce livre : Brian Axel, William Bissell, Caroline Cleaves,

Nicholas De Genova, Victoria Farmer, Gautam Ghosh, Manu Goswami, Mark Liechty, Anne Lorimer, Caitrin Lynch, Jacqui McGibbon, Vyjayanthi Rao, Frank Romagosa, Philip Scher, Awadendhra Sharan, Sarah Strauss, Rachel Tolen, Amy Trubek, et Miklos Voros. Eve Darian-Smith, Ritty Lukose et Janelle Taylor méritent une mention particulière pour leur contribution intellectuelle à ce travail et leur assistance pratique. Deux autres personnes enfin m'ont aidé dans le processus complexe de production de ce texte : Namita Gupta Wiggers et Lisa McNair.

Ma famille a vécu avec ce livre, toujours avec générosité et parfois sans le savoir. Ma femme et ma collègue, Carol A. Breckenridge, est présente à chaque page : ce livre est un nouveau document de notre aventure commune. Mon fils Alok, à qui ce livre est dédié, est entré à l'âge adulte avec lui. Son talent pour l'amour et sa passion de la vie sont pour moi le rappel permanent que les livres ne sont pas le monde : ils parlent de lui.

TABLE

Achevé d'imprimier en mai 2005
par novoprint (Barcelone)

Dépôt légal : mai 2005

imprimé en Espagne